Pletícha
Deutsche Geschichte

Deutsche Geschichte

Band 7

Dreißigjähriger Krieg
und Absolutismus
1618–1740

Herausgegeben von
Heinrich Pleticha

BERTELSMANN
LEXIKON VERLAG

Die Autoren dieses Bandes:
Werner Dettelbacher, Johannes Glanz, Lothar Häusler,
Gerhard von Hinten, Dr. Horst Hübel, Dr. Karl Kunze,
Dr. Hanswernfried Muth, Prof. Dr. Heinrich Pleticha,
Christian Roedig, Gerhard Schatt, Margarete Schwind,
Winfried Stadtmüller, Univ. Doz. Dr. Karl Vocelka,
Dr. Roland Vocke, Wolfgang Weismantel

Zeichnungen und Karten:
Hermann Schäfer

Redaktion: Margarete Schwind
Schlußredaktion: Birgit Willmann
Graphische Gestaltung: Hans Roßdeutscher

Druck und Verarbeitung: Elsnerdruck – Ein Mohndruck-Betrieb
Printed in Germany. ISBN 3-570-03761-4

Inhalt

WINFRIED STADTMÜLLER

Zeitungen und Nachrichtenwesen im 17. und 18. Jahrhundert · 129

WOLFGANG WEISMANTEL

DAS REICH VOM WESTFÄLISCHEN FRIEDEN BIS ZUM ENDE DES NORDISCHEN KRIEGES · 141

Ein Wort zu diesem Band

Der Dichter und Kulturhistoriker Gustav Freytag hat das 17. Jahrhundert nicht zu Unrecht das »Jahrhundert des Großen Krieges« genannt; denn die Spannungen zwischen der katholischen und der protestantischen Partei in Deutschland verschärften sich ja schon unmittelbar nach 1600, bis die dann nach einem Jahrzehnt in den großen Dreißigjährigen Krieg einmündeten, dessen Nachwirkungen man noch weit bis in die zweite Hälfte des Jahrhunderts hinein überall spürte. Mit den kriegerischen Ereignissen zwischen 1618 und 1648 setzt sich das erste große Hauptkapitel des siebten Bandes der »Deutschen Geschichte« auseinander, das zweite dann mit der Geschichte des Deutschen Reiches zwischen dem Westfälischen Frieden von 1648 und dem Erbe des Nordischen Krieges von 1721, also mit sieben ebenfalls kriegerischen und wenig erfreulichen Jahrzehnten.

Um diese beiden Hauptkapitel lagern sich wieder eine ganze Reihe kleinerer, die sich mit gesellschaftsgeschichtlichen und vor allem kulturellen Einzelthemen beschäftigen. Die soziale Lage der Bevölkerung in Stadt und Land unmittelbar nach dem Großen Krieg wird dabei ebenso untersucht wie die Entwicklung der deutschen Territorien, die zwar noch dem Reichsverband angehören, aber doch alle auseinanderstrebend ein Eigenleben führen. Zwei Ländern muß dabei in weiteren Kapiteln besondere Aufmerksamkeit gewidmet werden, einmal Brandenburg-Preußen, das unter dem Großen Kurfürsten Friedrich Wilhelm seinen Aufstieg zur Großmacht erlebte, und zum anderen Österreich, das 1683 noch einmal den Ansturm der Türken abwehrte und dann in den ersten Jahren des 18. Jahrhunderts durch seine großen Offensiven auf dem Balkan die Türkengefahr endgültig bannte. Mit dem Zusammenprall dieser beiden Mächte in den Schlesischen Kriegen wird dann der achte Band unseres Geschichtswerkes beginnen.

Drei kulturhistorische Kapitel beschäftigen sich mit symptomatischen Erscheinungen der ersten Jahrhunderthälfte: den Hexenverfolgungen und -prozessen (sie erlebten vor und während des Krieges einen Höhepunkt, begannen seit der Jahrhundertmitte dann allmählich abzuebben), mit dem Münzwesen und der Preispolitik vor allem in der sogenannten Kipper- und Wipperzeit während des Dreißigjährigen Krieges und schließlich mit der Entwicklung der Flugblätter und Zeitungen. Zur näheren Illustration wurden dann eigens einige interessante Stellen aus solchen frühen Zeitungen ausgewählt, die über politische und kulturelle Ereignisse das »Neueste von gestern« berichten.
Die zweite Hälfte des Jahrhunderts erlebt trotz Kriegsschäden, Bevölkerungsverlusten und wirtschaftlicher Not eine erstaunliche neue kulturelle Blüte und politische Stabilisierung: Barockzeitalter und beginnender Absolutismus. Bildende Kunst und Architektur, Literatur, Theater und Musik erlebten in den absolutistisch regierten Staaten gleichermaßen ihre Höhepunkte, und so ist es selbstverständlich, daß sich drei Kapitel besonders mit den künstlerischen Erscheinungsformen des Barock beschäftigen, während ein viertes das Leben am Hofe um die Wende vom 17. zum 18. Jahrhundert schildert und dabei mannigfaltigen Einflüssen aus Frankreich auf die Spur kommt. Ähnliche Ergebnisse erbringt das Kapitel über Mode.
Schlachten und Friedensmähler, Not, Zerstörung und höfische Feste sind die wichtigsten gegensätzlichen Themen der zeitgenössischen Quellen, die wie immer den Text abrunden und farbig ergänzen wollen. Wer sich dann noch intensiver mit einzelnen Fragen beschäftigen möchte, wird in den zahlreichen Literaturangaben genügend Anregungen finden.

Herausgeber und Verlag

Sigel:

J. G.	=	Johannes Glanz	K. K.	=	Dr. Karl Kunze
G. v. H.	=	Gerhard von Hinten	C. R.	=	Christian Roedig
L. H.	=	Lothar Häusler	R. V.	=	Dr. Roland Vocke
H. Hü.	=	Dr. Horst Hübel	W. W.	=	Wolfgang Weismantel

K: verweist auf Informationskästchen mit Erläuterungen wichtiger und für die Zeit symptomatischer Begriffe und Vorgänge.

Hinter den Herrschernamen werden in der Regel die Regierungsdaten angegeben, hinter sonstigen Namen die Lebensdaten. Im Einzelfall erfolgt auch Angabe des Geburts- oder Todesjahres; Klammerangaben in Übersichten geben zusätzlich zu den Regierungsdaten, wo es interessant erscheint, auch die Lebensdaten.

Das Schreckliche erklären. *Der Krieg mit seinen Schrecken, personifiziert als Kriegsgott Mars. Eine allegorische Darstellung.*

KARL KUNZE

DER GROSSE KRIEG VON 1618–1648

Das Reich und Europa am Vorabend des Dreißigjährigen Krieges – Der Prager Fenstersturz und der Böhmisch-pfälzische Krieg – Der Niedersächsisch-dänische Krieg – Kaisermacht auf dem Höhepunkt: Das Restitutionsedikt – Der Schwedische Krieg – Wallensteins Ende – Der Europäische Krieg – Der Westfälische Friede und seine Bestimmungen – Die Kriegsfolgen – Die Territorien nach dem Großen Krieg – Reichsverfassung und Einzelstaat – Stadt und Land – Juden – Bauern – Städter – Macht- und Güterverteilung im Deutschen Reich – Unvorstellbare Grausamkeit: Hexenverfolgungen, Folter und Scheiterhaufen – Zur finanziellen Situation des Deutschen Reiches – Kipper und Wipper – Münzverschlechterung und Inflation – Kommunikation in der frühen Neuzeit: Flugblatt, Meßzettel, Zeitung.

Der Dreißigjährige Krieg galt lange als die schlimmste Katastrophe der deutschen Geschichte. Er erschien als ein Religionskrieg, in den fremde Mächte eintraten und ihn zum europäischen Konflikt ausweiteten. Er wurde als eine Kette von verheerenden Plünderungen, Zerstörungen und Greueltaten dargestellt, als ein sinnlos barbarischer Krieg, der nur Probleme schuf und keine löste. Ein weithin entvölkertes Land, eine ruinierte Wirtschaft, kulturelle Verödung und moralischer Niedergang wurden als seine Begleitumstände und Folgen angesehen. So haben ihn auch die Schriftsteller von Grimmelshausen bis Brecht geschildert. So ist er ins Bewußtsein des geschichtlich interessierten Deutschen eingegangen. Die historische Wirklichkeit ist jedoch anders; sie ist vielschichtiger und komplizierter.
Der »Dreißigjährige Krieg« oder besser das Dutzend kleinerer und größerer Kriegszüge, das in der ersten Hälfte des 17. Jahrhunderts auf dem Boden des Heiligen Römischen Reiches Deutscher Nation stattfand, war niemals ausschließlich eine deutsche Angelegenheit, sondern war fest mit den religiösen und politischen Problemen der Zeit und den Auseinandersetzungen zwischen den europäischen Mächten verbunden. Und die Zeit zwischen dem vorwiegend konfessionellen, also von Religion und Kirche bestimmten 16. Jahrhundert und dem aufklärerischen, sich aus dieser ›Bevormundung‹ lösenden 18. Jahrhundert war in der Tat voller Probleme, die auf eine Lösung hin drängten.

Europa am Vorabend des Krieges

Der wichtigste Gegensatz, der die europäische Politik beherrschte, war der Gegensatz zwischen den Dynastien Bourbon und Habsburg. Seit der Heirat Maximilians, des späteren Kaisers Maximilian I., und Marias von Burgund im Jahre 1477 war die französische Nord- und Ostgrenze mit einer Kette von habsburgischen Ländern und Stützpunkten von der Nordsee über Luxemburg bis zur Freigrafschaft Burgund umgeben. Als nun Kaiser Maximilians I. Enkel Karl nach dem Tode seines Großvaters mütterlicherseits Spanien und dessen riesige Besitzungen in Übersee und Europa erbte und 1519 zum Kaiser des Heiligen Römischen Reiches Deutscher Nation gewählt wurde, mußte sich Frankreich eingekreist und bedroht fühlen, zumal auch die Königreiche Sardinien, Neapel und Sizilien und seit 1535 das Herzogtum Mailand spanisches Herrschaftsgebiet waren.
Vier Kriege hatte Franz I. von Frankreich geführt, um die »habsburgische Zange« zu zerbrechen; aber erst ein Jahrhundert später sollte die-

Deutsche und europäische Geschichte in Daten

	Deutschland	Europa
1568–1648		Freiheitskampf der Niederlande
1571		Seeschlacht bei Lepanto
1572		Bartholomäusnacht in Frankreich
1574		Beginn des portugiesischen Sklavenhandels
1576–1612	Rudolf II., Kaiser	
1581		Unabhängigkeitserklärung der Niederlande
1582		Gregorianischer Kalender
1584		Virginia erste englische Kolonie in Nordamerika
1587		Maria Stuart hingerichtet
1588		Niederlage der spanischen Armada
1589–1792		Bourbonen in Frankreich
1598		Edikt von Nantes: Ende der Hugenottenkriege
1603–1714		Haus Stuart in England
1608	Gründung der protestantischen Union unter Führung der Pfalz	
1609	Gründung der katholischen Liga unter Führung Maximilians I. von Baiern	
1609–1614	Jülich-clevescher Erbfolgestreit	
1610		Heinrich IV. ermordet
1610–1643		Ludwig XIII., König von Frankreich
1611–1632		Gustav II. Adolf, König von Schweden
1612–1619	Matthias, Kaiser	
1618–1648	Dreißigjähriger Krieg	

ser Kampf um die Vorherrschaft in Europa entschieden werden, und zwar hauptsächlich auf deutschem Boden in den Kriegen, die wir als »Dreißigjähriger Krieg« zusammenzufassen gewohnt sind.
Ein zweiter Konflikt war zeitweise eng mit dem Kriegsgeschehen in Deutschland verbunden und wurde 1648 mit dem Westfälischen Frieden beendet: der Unabhängigkeitskampf der Niederlande. Der nördliche Teil der Niederlande, die nach der Abdankung Kaiser Karls V. an dessen Sohn Philipp II. von Spanien gekommen waren, mußte einen »Achtzigjährigen Krieg« führen, bis 1648 die sieben nördlichen Provinzen als »Generalstaaten« oder »Vereinigte Niederlande« als selbständiger Staat anerkannt wurden. In diesem Kampf war die Verteidigung alter ständischer Rechte untrennbar mit der Verteidigung des calvinistischen Bekenntnisses gegenüber dem katholischen Spanien verbunden. Ähnlich war die Lage später in Böhmen.
In Italien fühlten sich drei Mächte von der habsburgischen Übermacht bedrängt: Venedig, der Kirchenstaat und Savoyen-Piemont. Sie verbanden sich – zumindest zeitweise – mit den protestantischen Gegnern der Habsburger. An der Südostgrenze des Reiches bedrängte Bethlen Gabor, der Fürst von Siebenbürgen, den Kaiser und versuchte, seine Macht und seinen Einfluß auf Kosten der Habsburger zu vergrößern. Spanien dagegen versuchte, die Landbrücke zwischen Italien und den spanisch gebliebenen südlichen Niederlanden zu vervollständigen. Das wichtigste Stück, das in dieser Landbrücke noch fehlte, war das Veltlin, ein Tal der Republik Graubünden, das im Kräftespiel der europäischen Mächte höchst wichtig werden sollte.

Das Deutsche Reich im Spannungsfeld der Religionen Strategien der Gegenreformation

Die innenpolitischen und religiösen Gegensätze innerhalb des Heiligen Römischen Reiches Deutscher Nation waren nicht weniger problematisch als die außenpolitische Konstellation. Der uralte Antagonismus, der bekannte Gegensatz zwischen Kaiser und Fürsten, hatte seit Jahrhunderten die deutsche Geschichte bestimmt. Seit der Kirchenspaltung differenzierte sich das Problem noch mehr, da den katholischen Kaisern nun protestantische und katholische Fürsten gegenüberstanden. Zum politisch-wirtschaftlichen Konflikt war eine religiöse Komponente hinzugekommen. Zwar hatte der Augsburger Religionsfriede im Jahre 1555 (siehe Band 6) eine reichsrechtliche Regelung religiöser Streitfragen festgelegt, aber die Mächtigen hielten sich nicht an die Abmachungen. Im Norden des Reiches wählten zahlrei-

Propaganda gegen den Calvinismus.
Das Flugblatt der Gegenreformation bezichtigt die Calvinisten reichsfeindlicher und kirchenfeindlicher Umtriebe.

che Domkapitel protestantische Fürsten zu »Administratoren«, obwohl nach dem »geistlichen Vorbehalt« kein Protestant ein geistliches Territorium beherrschen sollte.

Erst im letzten Viertel des Jahrhunderts beendete die Gegenreformation die weitere Ausbreitung des lutherischen und calvinistischen Bekenntnisses. Zentrum des wieder erstarkenden Katholizismus war Baiern unter Herzog Albrecht V. Ihm gelang es, seinen Sohn Ernst zum Bischof von Freising, Hildesheim, Lüttich, Münster – und nach offenem Krieg gegen den zum Protestantismus übergetretenen Erzbischof von Köln – auch zum Herren dieses Erzbistums zu machen. Zu Beginn des 17. Jahrhunderts brach der religiöse Konflikt in voller Schärfe aus. Der Katholizismus hatte an Schulen und Universitäten sowie an Fürstenhöfen Fuß gefaßt und versuchte nun, die verlorenen Positionen wieder zurückzugewinnen, während die Protestanten untereinander höchst uneinig waren, und die Lutheraner den kämpferisch-aktiven Calvinisten mißtrauten.

In der kleinen reichsfreien Stadt Donauwörth traten die religiösen Gegensätze offen zutage. Um 1600 gab es dort nurmehr wenige katholische Familien, die von dem Benediktinerkloster Zum Heiligen Kreuz geistlich betreut wurden. Die Mönche waren vom Geist der Gegenreformation erfüllt und trugen bei einer Prozession die Kirchenfahne nicht mehr wie früher eingerollt, sondern im Winde flatternd über städtisches Gebiet. Die Protestanten fühlten sich herausgefordert, jagten die Prozession auseinander und zerrissen die Fahnen. Nachdem sich die protestantischen Bürger einem Spruch des obersten Reichsgerichts, des Reichshofrats in Wien, nicht beugten, verhängte der katholische Kaiser über die Stadt die Reichsacht und beauftragte den katholischen Herzog von Baiern mit der Exekution. Herzog Maximilian I. zog mit einer Armee von 5000 Mann vor die Stadt, die sich unterwarf. Er behielt sie als Pfand für die entstandenen Kriegskosten und verleibte sie kurz darauf seinem Herzogtum ein. Dieser Vorfall hatte Signalwirkung. Die benachbarten Reichsstädte und die protestantischen Fürsten sahen darin eine Verletzung des garantierten Landes- und Religionsfriedens. Die militärischen Bündnisse der protestantischen »Union« (1608 unter der Führung des Kurfürsten Friedrich IV. von der Pfalz gegründet) und der katholischen »Liga« (1609 auf Initiative des Baiernherzogs Maximilian geschlossen) waren die unmittelbare Folge.

Ein weiterer Konflikt wurde zwischen den Ständevertretungen und den Landesherren ausgetragen. In den meisten europäischen Ländern trat ein ähnlicher Dualismus auf und drängte zur Lösung. In den habsburgischen Erblanden, besonders in Böhmen, prägte er die ersten Jahrzehnte des 17. Jahrhunderts und zündete auch die Lunte, die das Pulverfaß der vielfältigen Spannungen zur Explosion brachte. Noch im Jahre 1609 hatten die böhmischen Stände im »Majestätsbrief« Kaiser Rudolf II. Religionsfreiheit und das Recht der Königswahl abgetrotzt. Die Stände hatten »Defensoren«, d.h. Verteidiger des evangelischen Glaubens gewählt, die über die Einhaltung der verbrieften Rechte wachen sollten. Die Defensoren beanspruchten auch das Recht, Landtage einzuberufen. Auch in den anderen habsburgischen Erblanden waren die Stände Träger des protestantischen Glaubens. Sie mußten in Gegensatz zu ihren Landesherren geraten, wenn diese im Zuge der Gegenreformation die Glaubensfreiheit und die ständischen Freiheiten ihrer Untertanen antasten wollten. Und die Anzeichen eines solchen Konfliktes mehrten sich.

Der kinderlose Kaiser Matthias wollte seinem Vetter, dem streng katholisch und gegenreformatorisch gesinnten Erzherzog Ferdinand von Steiermark die Nachfolge in Böhmen, Ungarn und im Reich sichern. Die böhmischen Stände stimmten der »vorzeitigen Annahme« Ferdi-

MAXIMILIAN I. VON BAIERN

Maximilian wurde 1573 als Sohn Herzog Wilhelms des Frommen in München geboren. Zusammen mit seinem Vetter Ferdinand, dem späteren Kaiser, studierte er an der Universität Ingolstadt bei den Jesuiten, deren wohlwollender Förderer er auch in seinen späteren Jahren blieb. Als der Vater wegen hoher Schulden abdanken mußte, wurde er 1598 Herzog von Baiern. Der mittelgroße, hagere, leicht kränkelnde Mann galt als ein ungemein zäher Arbeiter. Beliebt war er bei seinen Zeitgenossen wegen seiner selbstherrlichen Art nicht, wohl aber als Politiker und Staatsmann geachtet.

Sofort richtete er das Hauptaugenmerk auf die Sanierung der Staatsfinanzen. Es gelang ihm, die Steuerkraft des Landes wieder zu heben, indem er wirtschaftliche Initiativen unterstützte. Gleichzeitig baute er eine straffe Staatsverwaltung auf, suchte das Leben seiner Untertanen bis in kleinste Einzelheiten zu reglementieren und verwandelte sein Herzogtum damit in einen frühabsolutistischen Staat. Als tiefgläubiger Mann wurde er zu einer Hauptstütze des Katholizismus. Mit einem Heer der von ihm begründeten »Liga« unterstützte er Kaiser Ferdinand im Kampf gegen die Protestanten. Nach dem Sieg am Weißen Berg bei Prag übertrug ihm der Kaiser dafür die ursprünglich nur auf seine Person beschränkte Kurwürde der Pfalz. Das hinderte Maximilian nicht daran, gegen absolutistische Bestrebungen Ferdinands als entschiedener Wahrer reichsständischer Freiheiten und der traditionellen Kräfteverteilung im Reich aufzutreten. Er konnte nicht verhindern, daß Baiern schwer unter dem Einfall der Schweden zu leiden hatte, aber noch während der letzten Kriegsjahre ging er mit der ihm eigenen Zähigkeit an den Neuaufbau. Der Friedensschluß von Münster brachte ihm die endgültige Anerkennung der Kurwürde. Drei Jahre später starb er achtundsiebzigjährig. (H. P.)

nands zu, denn er versprach, sich an die Bestimmungen des Majestätsbriefs zu halten. Weil auch der spanische Habsburger Philipp III. als Enkel Kaiser Maximilians II. Erbansprüche erhob, schloß der Kaiser mit Spanien den nach dem spanischen Unterhändler Graf Oñate benannten Vertrag (1617), demzufolge Spanien für die Zustimmung zu Ferdinands Nachfolge habsburgische Besitzungen im Elsaß sowie die Anwartschaft auf einige strategisch wichtige Reichslehen in Italien erhalten sollte. Frankreich mußte diese Festsetzung Spaniens im Westen und Südwesten als Bedrohung und Herausforderung empfinden!

Brennpunkt Böhmen: Der Fenstersturz in Prag und die Folgen

In Böhmen mehrten sich die Streitfälle zwischen der königlichen Regierung und den evangelischen Ständen. In Braunau und in Klostergrab hatten die Protestanten auf geistlichen Territorien neue Kirchen errichtet. Die Regierung ließ daraufhin Braunauer Bürger verhaften und die Klostergraber Kirche niederreißen. Die Defensoren beriefen einen evangelischen »Landtag« im März 1618 nach Prag ein. Dieser richtete eine Beschwerde an den Kaiser und verabredete ein erneutes Treffen für den 21. Mai. Überraschend schnell kam die Antwort aus Wien. Sie bestritt eine Verletzung des Majestätsbriefs und verbot unter Strafandrohung weitere Tagungen der Protestanten. Damit war der Fehdehandschuh geworfen. Die Protestanten hoben ihn auf.
Der berühmte Astronom Johannes Kepler hatte in seinem »Prognosticon Astrologicum«, einem astrologischen Kalender, für den Mai des Jahres 1618 unheildrohende Ereignisse vorausgesagt. Tatsächlich wurde der 23. Mai zu einem Markstein der europäischen Geschichte, dessen Bedeutung und Folgen wohl kaum einer der Beteiligten vorausgeahnt hatte. Trotz des kaiserlichen Verbots trafen sich die Führer der böhmischen Stände wie verabredet in Prag. Die Extremisten unter ihnen planten die Ermordung der verhaßten kaiserlichen Statthalter, und zwar nach altböhmischer Sitte durch Sturz aus dem Fenster.
Die treibende Kraft war Graf Matthias Thurn, der die Rekatholisierung der Steiermark durch Erzherzog Ferdinand miterlebt hatte und ähnliches für Böhmen fürchtete. Am 23. Mai begaben sich die Mitglieder des Protestantentags bewaffnet auf den Hradschin, um dort ihre Beschwerden vorzubringen. Ihre Führer beschuldigten die beiden Statthalter Jaroslav von Martinitz und Oberstlandrichter Wilhelm Slawada von Chlum, Urheber der kaiserlichen Drohschrift zu sein. Die beiden beteuerten vergeblich ihre Unschuld. Rede und Gegenrede

***Der Prager Fenstersturz.** Den Beginn des Dreißigjährigen Krieges vermeldet die »Wahrhaftige Zeitung aus Praag« mit einem eindrucksvollen Holzschnitt.*

wurden hitziger. Die Aufrührer erklärten die kaiserlichen Beamten zu Feinden des Majestätsbriefs und der Freiheit des Vaterlandes und stürzten die vor Angst Zitternden und um einen Beichtvater Flehenden durch das Fenster in den Burggraben. Gleichsam als Zugabe bereiteten sie dem Sekretär Philipp Fabrizius das gleiche Schicksal. Wider Erwarten wurde keiner der Gestürzten trotz der Tiefe des Grabens von über 15 Metern auch nur ernsthaft verletzt; ein Kehrichthaufen hatte ihren Fall gemildert. Auch die Schüsse, die man den Fliehenden nachschickte, trafen nicht.

Graf Matthias Thurn, der Regisseur des ganzen Auftritts, konnte zufrieden sein. Alles sah nach einer spontanen Reaktion ungerecht Behandelter auf die Willkür kaiserlicher Beamter aus. Der Fenstersturz hatte aber die Brücken zu einer friedlichen Regelung der Streitfragen zwischen Protestanten und Katholiken abgebrochen. Nun galt Gewalt statt Recht. Darüber waren sich die Aufständischen durchaus im klaren. Sie hielten den Augenblick für einen Schlag gegen die stände- und protestantenfeindliche Politik der Habsburger für günstig und setzten

30 Direktoren ein, die als Regierung die Verteidigung der Landesrechte organisieren sollten. Die Jesuiten wurden ausgewiesen, die Güter der Kaisertreuen konfisziert. Graf Thurn sollte eine Armee aufstellen. Die Stände wußten aber auch, daß sie sich ohne Hilfe von Verbündeten nicht gegen das Haus Habsburg behaupten konnten. Sie schlossen daher Bündnisse mit den Ständen in Schlesien, in der Lausitz, in Mähren sowie in Ober- und Niederösterreich; aber es gelang ihnen nicht, eine der großen europäischen Mächte – die Niederlande, England, Frankreich oder Schweden – zu gewinnen. Nur Herzog Karl Emanuel von Savoyen sandte ein Söldnerregiment unter dem Grafen Ernst von Mansfeld nach Böhmen. Die (niederländischen) Generalstaaten schickten geringe Subsidien (Hilfsgelder) und einige Regimenter Reiter und Fußvolk. Die protestantische Union nahm Böhmen auf und gestattete die Werbung von Söldnern auf ihrem Gebiet.
Auf diplomatischer Bühne versuchten der Kaiser und die Aufständischen immer noch, den beginnenden Konflikt beizulegen, während sich im Lande bereits ein regelrechter Kleinkrieg zwischen den böhmischen und kaiserlichen Truppen abspielte. Ein Vorstoß Thurns bis an die Mauern Wiens war ebenso erfolglos wie die Verwüstung von Städten und Dörfern in Böhmen durch den kaiserlichen General Buquoy. Da starb im Frühjahr 1619 der alte Kaiser Matthias. Ferdinand – zum Nachfolger ausersehen – hatte schon als Landesherr in der Steiermark bewiesen, daß er leidenschaftlich und kompromißlos für die Gegenreformation und die uneingeschränkte Macht des Herrschers eintrat. Er war auf der Hochschule der Jesuiten in Ingolstadt erzogen worden; er bevorzugte Jesuitenpatres als Ratgeber, und sein Ziel war die Wiederherstellung des katholischen Glaubens in allen habsburgischen Ländern. Die böhmischen Stände weigerten sich nun trotz ihrer »vorzeitigen Annahme«, Ferdinand zum König von Böhmen zu wählen. Sie entschieden sich, statt seiner den Führer der protestantischen Union, den calvinistischen Kurfürsten Friedrich V. von der Pfalz, zum König zu wählen. Eine unglücklichere Wahl hätten sie wohl kaum treffen können, denn ihm fehlte jede staatsmännische Größe. Genußsucht und Leichtsinn wurden ihm schon von den Zeitgenossen nachgesagt. Die Gegenpartei traf langsam aber überlegt die nötigen Maßnahmen zur Unterwerfung des böhmischen Aufstandes. Der Kaiser wußte genau, daß es um mehr als um die Herrschaft in Böhmen ging. Mit der Wahl eines Protestanten zum König von Böhmen hätten die Protestanten über eine Mehrheit im Kurfürstenkollegium verfügt; dies hätte das Ende der Habsburger Herrschaft im Deutschen Reich und ein protestantisches Kaisertum bedeuten können. Daher mußte der neugewählte Kaiser Ferdinand II. alles tun, um diese Entwicklung rechtzei-

Das Rad der Glücksgöttin.
Es dreht sich auch für den Pfalzgrafen Friedrich V., den glücklosen Winterkönig. Flugblatt von 1621.

tig aufzuhalten. Da seine militärischen Machtmittel für eine Entscheidung im Felde nicht ausreichten, sicherte er Herzog Maximilian von Baiern die pfälzische Kurfürstenwürde zu; dafür stellte ihm dieser das Heer der katholischen Liga unter der Führung des erfahrenen Brabanter Generals Johann Tserclaes Graf von Tilly zur Niederwerfung der Rebellion zur Verfügung. Philipp III. ließ spanische Truppen unter dem General Ambrosio Spinola in die Rheinpfalz einfallen. Der protestantische Kurfürst Johann Georg von Sachsen schlug sich auf die Seite des Kaisers und unterdrückte die Unruhen in Schlesien und in der Lausitz. Dagegen waren die Stände auf sich allein gestellt.

Entscheidungsschlacht am Weißen Berg Brutale Folgen für die böhmischen Protestanten

Nachdem man knapp zwei Jahre lang mit allen Mitteln (Raub, Mord, Plünderung, Brandschatzung) das Land mit Krieg überzogen hatte, fiel am nebligen Morgen des 8. November 1620 die militärische Entscheidung. Das zahlenmäßig überlegene Heer der Liga stürmte gegen die Stellungen der Böhmen und Pfälzer auf dem Weißen Berg vor der Stadt Prag mit dem Feldgeschrei »Sancta Maria« an. Es gelang den Angreifern, den linken Flügel der Böhmen aufzurollen und Verwirrung bei den Verteidigern zu stiften. Vergeblich trug der junge Fürst von Anhalt einen Reiterangriff tief in die Reihen der Feinde vor; vergeblich war der zähe Widerstand des mährisch-österreichischen Regiments. Der Großteil des protestantischen Heeres suchte sein Heil in wilder Flucht. »Nicht Alexander, nicht Caesar, nicht Karl der Große hätte dieses Volk wieder zum Stehen bringen können« schrieb ein zeitgenössischer Beobachter. Der Böhmenkönig tafelte während der Schlacht mit dem englischen Gesandten, und als er mit 500 Reitern auf das Schlachtfeld eilen wollte, kamen ihm schon die Fliehenden entgegen. Da ergriff auch die böhmisch-pfälzische Führung Panik. Sie wagte nicht die Verteidigung der Stadt Prag, sondern floh in Richtung Schlesien. Der glücklose Friedrich V. erhielt den Spottnamen »Winterkönig«.

Am Tag nach der Schlacht rückten die Sieger in Prag ein und plünderten die Stadt. Dabei fiel ihnen unter vielen Kunstschätzen auch die Wenzelskrone sowie die gesamte Kanzlei der Gegner in die Hände. In den folgenden Monaten wurden Böhmen und Mähren besetzt und die Verlierer entsprechend behandelt. Zwar hatte Kurfürst Maximilian den Ständen Unversehrtheit an Leib und Leben zugesichert, aber der Kaiser hielt sich nicht daran. Bald begann eine große Verhaftungswelle. Ein Gerichtshof unter dem Vorsitz des kaiserlichen Kommissars, des Fürsten Karl von Liechtenstein, führte einen Hochverratsprozeß gegen die Führer des Aufstands durch. In der Prager Burg, in der die Rebellion gegen den Kaiser mit dem Fenstersturz begonnen hatte, wurden die Urteile verkündet. Am 21. Juni 1621 bestiegen 24 zum Tode verurteilte Adelige und Bürger das Blutgerüst auf dem Altstädter Ring und wurden enthauptet, drei weitere wurden gehenkt. Dem berühmten Arzt Dr. Jessenius wurde vor der Enthauptung die Zunge herausgeschnitten, den vier bedeutendsten Delinquenten die rechte Hand abgehauen. Bis zum Jahre 1631 steckten die Köpfe von zwölf Hingerichteten auf dem Altstädter Brückenturm als Abschreckung und Mahnung an den Zusammenbruch der böhmischen Erhebung.

Niederlage des protestantischen Heeres.
Über den Sieg der katholischen Kaiserlichen
am Weißen Berg berichtet eine Flugschrift von 1620.

Viele böhmische Protestanten waren rechtzeitig geflohen, meist nach Sachsen, Franken, Norddeutschland oder in die Niederlande. Die Güter der Hingerichteten und Geflohenen wurden beschlagnahmt und weit unter ihrem tatsächlichen Wert an kaisertreue Böhmen oder landfremde Adelige verschleudert. So gelangte der kaiserliche Statthalter Fürst Liechtenstein zu ungeheurem Reichtum. Albrecht von Wallenstein, der zur Zeit des Aufstandes nach Wien geflohen war, raffte über 50 Güter zusammen und wurde zum reichsten Großgrundbesitzer des Landes. Der alte böhmische Adel wurde auf diese Weise weitgehend beseitigt, und das Land geriet in die Hände von wenigen Großgrund-

besitzern. Mit der Veränderung der Besitzverhältnisse einher ging die Ausrottung der protestantischen Bekenntnisse. Ob mährische Brüder, Calvinisten oder Lutheraner – wer nicht zur katholischen Kirche konvertierte, mußte das Land verlassen. Die alten ständischen Freiheiten wurden den Böhmen genommen. Das Recht der Königswahl wurde beseitigt; die Krone wurde erblich. Gesetzgebung, Verwaltung und Gericht wurden dem Herrscher übertragen. Dem Landtag verblieb zwar das Recht, Steuern zu bewilligen, aber er durfte sie nicht an politische Bedingungen knüpfen. Die »Erneuerte Landesordnung für Böhmen« schloß 1627 diese Entwicklung ab.
So bedeutete die Entscheidung am Weißen Berg bei Prag den Sieg der Gegenreformation über den Geist der Reformation und zugleich den Sieg des absolutistischen Fürstenstaates über die Idee des ständisch-aristokratischen Staates. Nun banden den Herrscher keine alten Privilegien und Freiheiten der Stände mehr. Er war im Sinne des französischen Staatstheoretikers Jean Bodin (1530–1596) absoluter Herr. So legte der Zusammenbruch des böhmischen Aufstandes den Grund für das Werden des einheitlichen, katholischen Habsburger Staates, wie er drei Jahrhunderte europäischer Geschichte mitgestaltete.

Schreckliche Verwüstungen Elsaß und Pfalz

Der Krieg war aber durch die Eroberung Böhmens durch die Liga und den Kaiser noch nicht zu Ende. Noch hatte der Söldnerführer Ernst von Mansfeld eine Armee für Friedrich V. unter seinen Fahnen. Tilly gelang es, ihn aus der Oberpfalz zu verdrängen und diese für Baiern zu besetzen. Mansfeld zog an den Rhein, wo die Spanier bereits Teile der Pfalz besetzt hatten. Die Erfolge der habsburgisch-katholischen Partei hatten einige protestantische Fürsten beunruhigt. So hatte Markgraf Georg Friedrich von Baden eine beachtliche, wohlausgerüstete Streitmacht gesammelt; aber er unterlag im Mai 1622 dem Heer der Liga, das durch spanische Truppen verstärkt war. Noch ein zweiter Fürst, Christian von Braunschweig-Wolfenbüttel, der Administrator des Bistums von Halberstadt, war mit einem Heer bis an den Main gezogen. In einer Schlacht bei Höchst allerdings war er Tilly unterlegen. Mansfeld und Christian vereinigten ihre Truppen und zogen einige Wochen durch das Elsaß, wo sie eine Stadt und dreißig Dörfer niederbrannten. Der »Winterkönig«, der mit dem Heer zog, schrieb: »Ich glaube, sie sind vom Teufel besessen und machen sich ein Vergnügen daraus, alles in Brand zu stecken.« Danach zogen die beiden Heerführer nach

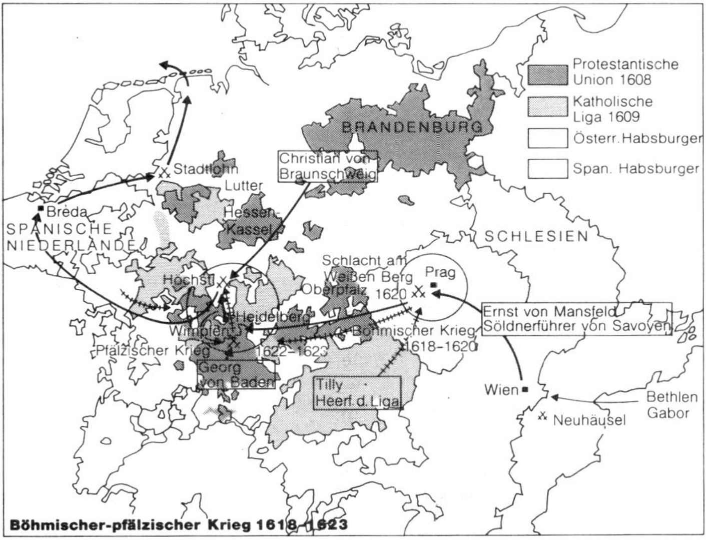
Protestantische Union 1608
Katholische Liga 1609
Österr. Habsburger
Span. Habsburger
BRANDENBURG
Christian von Braunschweig
Stadtlohn
Lutter
Hessen-Kassel
Breda
SPANISCHE NIEDERLANDE
SCHLESIEN
Schlacht am Weißen Berg 1620
Prag
Oberpfalz
Höchst
Heidelberg
Wimpfen
Ernst von Mansfeld Söldnerführer von Savoyen
Böhmischer Krieg 1618–1620
Pfälzischer Krieg 1622–1623
Georg von Baden
Tilly Heerf. d. Liga
Wien
Bethlen Gabor
Neuhäusel
Böhmischer-pfälzischer Krieg 1618–1623

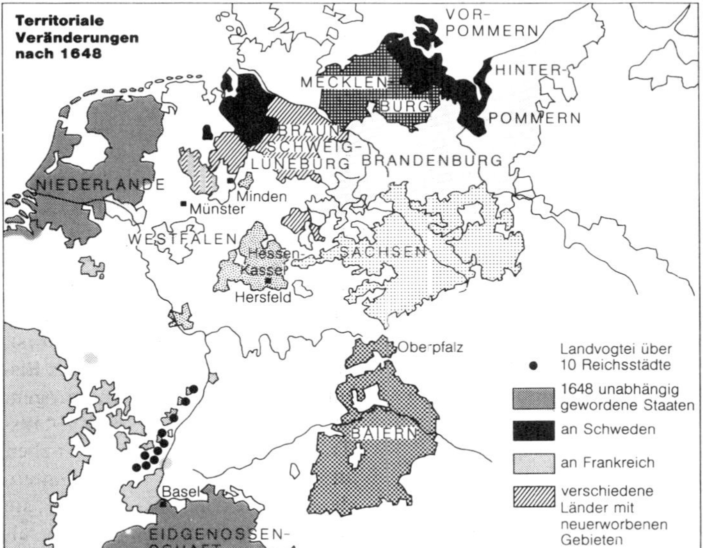
Territoriale Veränderungen nach 1648
VOR-POMMERN
HINTER-POMMERN
MECKLENBURG
BRAUNSCHWEIG-LÜNEBURG
BRANDENBURG
NIEDERLANDE
Minden
Münster
WESTFALEN
Hessen-Kassel
Hersfeld
SACHSEN
Oberpfalz
BAIERN
Basel
EIDGENOSSENSCHAFT
Landvogtei über 10 Reichsstädte
1648 unabhängig gewordene Staaten
an Schweden
an Frankreich
verschiedene Länder mit neuerworbenen Gebieten

Die Schlacht am Weißen Berg
Bericht im Theatrum Europaeum

Nachdem Herzog Maximilian [von Baiern] den Grafen von Boucquoy ermahnt hatte, herbeizueilen, ehe sich der Feind in seinem Lager auf dem Gipfel des Weißen Berges verschanzt hätte, stellte er sein Kriegsvolk in drei Schlachtordnungen auf. [...] Wie einige melden, ist die kayserliche Armee nicht über 12000 Mann stark gewesen, indem sich bei 6000 Mann zu Fuß und 2000 Reiter unter dem von Marradas und Wallenstein nach Proviant abwesend befunden.
Nunmehr beratschlagte man sich, wie die Böhmische Armee am füglichsten anzugreifen stünde. Der Graf von Boucquoy hielt dafür, man sollte sich auf der anderen Seite gegen Prag wenden, um den Feind aus seinem Vorteil zu locken. Da aber der la Motta, welcher die Lage der Böhmen in Augenschein genommen, die Versicherung gab, daß die Schanzen der Feinde noch nicht genugsam befestigt seien, auch ihr Geschütz ihnen nicht viel helfen könnte, so faßte man den Schluß, ohne Zeitverlust einen Angriff zu tun, wozu aus jeder Armee zwei Haufen zu Fuß bestimmt und mit Reiterei versehen wurden. Herzog Maximilian gab zur Losung Sancta Maria, weil in der Hauptfahnen der Heiligen Jungfrau Bildnis gemacht war. Das Baierische Kriegsheer führte der von Tilly, das Kaiserliche der Freiherr von Teuffenbach. Die Kaiserlichen waren zur Rechten und die Baierischen zur Linken. Drei Haufen wurden zurückgeordert, daß sie, an welchen Orten es von Nöten, Hilfe tun sollten. Nachdem nun alles das bestellt, geschah endlich zwischen zwölf und ein Uhr der Angriff und zwar beiderseits mit großem Ernst und Tapferkeit und ist das Geschütz mit großem Krachen und Donner untereinander abgegangen. Eine halbe Stunde lang ist die Schlacht auf einem zweifelhaften Ausgang bestanden, und haben beide Teile mit großem Grimm und Standhaftigkeit gegeneinander gestritten. Hierauf begann das Kaiserliche Volk zu wanken, weil der älteste Prinz von Anhalt mit seiner Reiterei mit solchem Ernst in sie gesetzt, daß sie länger nicht widerstehen konnten. Daher dann die nächsten Regimenter in Schrecken kamen und anfingen, in eine Unordnung zu geraten. Bei Erblickung dieser Gefahr schickte General Tilly den Obristen Kratz mit 500 Reitern jenen zu Hilfe, auch sind Fürst Maximilian von Liechenstein und der Obrist Bauer mit ihren Haufen auf die Böhmen gerückt. Hierdurch geschah es, daß des Prinzen von Anhalt Reiterei geschlagen und getrennt, er selber vom Pferd geschlagen, mit vielen Wunden verletzt und gefangen wurde. Wie die Ungarn diese Niederlage gewahr geworden, sind sie darüber erschrocken und haben angefangen, den Berg hinab zu fliehen. Daher dann die übrigen böhmischen Regimenter auch in Unordnung geraten und ein jeder sich mit der Flucht zu retten unterstanden. Als aber unterdessen Herzog Maximilian und Graf Boucquoy mit ihrem Volk in großem Ernst nachsetzten und in das böhmische Lager einbrachen, ist die ganze böhmische Armada geschlagen und zertrennt worden. Die Schlacht hat nicht über eine Stunde gewährt. [...]
Hierauf befand Herzog Maximilian für gut, die Stadt Prag sofort anzugreifen. Der Graf von Hohenlohe und der Graf von Thurn, so sich, wie sie vermerkt, daß

ihre Sache einen unglücklichen Ausgang gewinnen würde, aus der Schlacht nach Prag begeben hatten, haben den König Friedrich [den Winterkönig] dahin vermocht, daß er eilends einen Abgesandten an den Herzog von Baiern geschickt und nur 24 Stunden um einen Aufstand gebeten hat. Der Herzog aber gab ihm nur acht Stunden Frist, um sich zu erklären, ob er weichen und sich aller Ansprüche auf das Königreich Böhmen und inkorporierter Länder auf ewig begeben wollte. Darauf dann weiter keine Erklärung vom König erfolgt, sondern er hat sich selbigen Abend aus dem Schloß in die alte Stadt begeben und folgenden Tags mit seiner Gemahlin und allem, so in der Eile fortzubringen war, aus Prag nach Breslau salviert. [...] Einige Kriegsvölker, so nach der Schlacht sich in die beim Strahover Kloster angefangenen Schanzen gelegt, zogen am andern Tag mit zwei im Schloß gelegenen Kompanien in die Altstadt auf den Ring, von da sie dem Herzog Vorschläge tun ließen. Unter diesem Verlauf ergab sich die Kleine Seite von Prag an den Kaiser mit der Bitte, sie vor der Soldaten Mutwillen zu schützen. Da nun der Herzog zur Verhütung allen Unfugs sich selbst dahin begab, kamen die Abgeordneten der Alt- und Neustadt zu ihm und begehrten drei Tage Aufschub, sie erhielten aber nicht drei Stunden, sondern den Bescheid, sie sollten sich alsobald ergeben.

Aus: Theatrum Europaeum Band I (sprachlich leicht bearbeitet). Das »Theatrum Europaeum« war eine historisch politische Zeitschrift mit Nachrichten aus den Jahren 1617–1718. Sie erschien in Frankfurt am Main.

Katholische Flugblattpropaganda. *Spottbild auf den »Winterkönig«, der 1620 die Pfalz verloren hatte und hier – satirisch überspitzt – beim Versuch gezeigt wird, in seine Heimat zurückzukehren.*

Norden, wo der Freiheitskampf der Niederlande gegen die Spanier nach zwölfjährigem Waffenstillstand wieder entbrannt war.
Tilly eroberte Mannheim und Heidelberg. Die Bibliothek der Universität Heidelberg – die sogenannte Palatina, eine Bücher- und Handschriftensammlung von unschätzbarem Wert – schenkte Maximilian I. dem Papst. Die linksrheinische Pfalz wurde von spanischen, die rechtsrheinische von baierischen Truppen besetzt.

Die drei Geißeln der Menschheit: Hunger, Pest und Krieg

Der erste Akt des Dramas vom Großen Krieg war damit beendet. Die katholisch-habsburgisch-absolutistische Partei hatte einen klaren und eindeutigen Sieg über die ständisch-protestantische Bewegung davongetragen. Sieger waren der Kaiser und Maximilian I. von Baiern, der auch sogleich seine Rechnung der Kriegskosten präsentierte. Trotz des

Widerstandes anderer Reichsfürsten erhielt er die pfälzische Kurwürde und die Oberpfalz als Pfandbesitz übertragen.
Die Leidtragenden des Krieges waren aber nicht nur die protestantischen Fürsten und Stände, sondern vor allem die Bewohner der Länder, die von den verschiedenen Heeren durchzogen worden waren, ganz gleich welchem Bekenntnis sie angehörten. Da das gesamte Nachschub-, Quartier- und Verpflegungswesen noch sehr unterentwikkelt war, mußten die Heerführer häufig alles Nötige in dem jeweiligen Land requirieren – also meist plündern. So wurden den Bauern der Wintervorrat, das Futter, das Schlacht- und Zugvieh weggenommen, Geldforderungen oder Einquartierungen auferlegt. Die Soldaten erhielten ihren Sold oft verspätet oder überhaupt nicht und verschafften sich daher das Notwendige durch Raub und Plünderung. Während die größeren Städte durch ihre Mauern, Bastionen und Gräben relativ sicher waren, waren die Bauern und Kleinstädter fast völlig schutzlos den Plündernden preisgegeben. Um vergrabenes Geld oder versteckte Nahrungsmittel herauszupressen, wurden beispiellose Akte von Grausamkeit verübt. Bauern und Soldaten wurden zu Todfeinden. Oft genug mußten die Bauern mit geringer beweglicher Habe vor den Plünderern in die Wälder oder in nahegelegene Städte fliehen. Wenn sie zurückkamen, fanden sie meist verwüstete Felder und verbrannte Häuser und Stallungen vor. Der Graf von Mansfeld, der erste Söldnerführer auf dem deutschen Kriegsschauplatz, schrieb darüber treffend: »In Summa, da ist kein Unwesen zu erdenken, das sie nicht anstiften. Da schonen sie keiner Person, sie sei wes Standes oder Würden sie wolle. Es ist ihnen kein Ort frei noch heilig: die Kirchen, die Altäre, die Gräber, ja die toten Körper sind vor ihren dieb- und räuberischen Gewalttaten nicht sicher.« So war der Krieg nicht nur eine Auseinandersetzung zwischen Staaten, Dynastien oder Ständen und Religionsparteien, sondern auch ein Krieg zwischen Bauern und Soldaten, der mit beispielloser Grausamkeit geführt wurde.
Hungersnöte waren oft die Folgen der Ausplünderung und Verwüstung. Die geschwächten Überlebenden wurden Opfer der Pest und anderer Seuchen, die während der Kriegszüge reichen Nährboden fanden. Das Sprichwort der Zeit »Einen Krieg kann man nicht in einem Sack über das Land führen« bestätigte sich tausendfach. Wo sich Landesherren an den Kämpfen beteiligten, wo Heere durchzogen, wo marodierende Banden von entlassenen Landsknechten sengend und mordend durch das Land zogen, zeigten sich die vielfältigen, verheerenden Folgen dieser Geißel der Menschheit. »Krieg, Hunger und Pest sind die drei Reiter, durch die Gott die Menschen züchtigen läßt«, sagt ein anderes Sprichwort dieser Zeit.

Wenn allerdings eine größere Stadt, wie z. B. Prag, ihre Tore dem siegreichen Heer öffnen mußte, dann winkte reiche Beute. Viele adlige Herren hatten vor der Schlacht am Weißen Berg ihre wertvollste Habe in die vermeintlich sichere Stadt gebracht. Als das kaiserlich-ligistische Heer einrückte, begann eine wahre Plünderungsorgie, die weder Patrizierpalast noch Bürgerhaus verschonte. Die Hoffnung auf reiche Beute hielt die Heere oft stärker zusammen als die Strafgewalt der Offiziere oder gar die Überzeugung, für eine gerechte Sache zu kämpfen.

Zweite Etappe im Großen Krieg: Aus dem deutschen wird ein europäischer Konflikt

Der Zug der geschlagenen Heere des Grafen von Mansfeld und Christians von Braunschweig nach dem Norden bewog den Kaiser und die Liga, den so erfolgreich begonnenen Krieg gegen die protestantische Partei im Reich fortzusetzen. Auch Spanien versuchte unter dem leitenden Minister Herzog von Olivarez, den Krieg gegen die abtrünnigen Niederlande siegreich zum Abschluß zu bringen. Gegen eine solche Ausweitung der habsburgischen Macht verbündeten sich 1624 die aufgebrachten Generalstaaten mit England und Frankreich. England, Dänemark, Friedrich von der Pfalz und die Generalstaaten vereinbarten mit der Zustimmung Frankreichs und des Fürsten Bethlen Gabor von Siebenbürgen eine gemeinsame Aktion gegen die kaiserliche Partei. Christian von Dänemark, der als Herzog von Holstein zugleich Oberst des niedersächsischen Kreises war, sollte Niedersachsen von den gegnerischen Truppen befreien; Christian von Braunschweig sollte die Wittelsbachischen Bistümer am Niederrhein und in Westfalen angreifen; Ernst von Mansfeld sollte Böhmen und Mähren befreien, und Bethlen Gabor sollte in Österreich einfallen und sich mit Mansfelds Heer vereinigen. Erstmals stand der kaiserlich-ligistischen Partei nun eine Koalition europäischer Mächte mit einem gemeinsamen Feldzugsplan gegenüber.
Inzwischen hatte sich aber auch die militärische Position des Kaisers wesentlich verstärkt. Albrecht von Wallenstein, der durch die Enteignung und Vertreibung der Protestanten zum reichsten Grundbesitzer in Böhmen geworden war und der bereits die Titel »Oberst von Prag« und »Gubernator des Königreichs Böhmen« trug, bot dem Kaiser an, auf seine eigenen Kosten ein Heer von 24000 Mann anzuwerben. Der Kaiser nahm das Angebot, das ihn von seiner Abhängigkeit von Maximilian von Baiern und der Liga befreite, mit Freuden an und ernannte Wallenstein 1625 zum Generalissimus aller kaiserlichen Truppen und

ALBRECHT VON WALLENSTEIN

Zweiundvierzig Jahre alt war Wallenstein, als er 1625 sein erstes Generalat erhielt, einundfünfzig, als er ermordet wurde. In den neun Jahren dazwischen liegen kometenhafter Aufstieg und abrupter Fall eines Mannes, den Friedrich Schiller so charakterisierte: »Von der Parteien Gunst und Haß verwirrt, schwankt sein Charakterbild in der Geschichte.« Energisch und finster blickt er auf den zeitgenössischen Porträts. Man spürt, daß Ehrgeiz die wichtigste Triebfeder seines Handelns war. Zugleich aber labil und unsicher, legte er vor allem auf astrologische Prophezeiungen großen Wert und ließ sich von ihnen beeinflussen, was wiederum damit zusammenhängen mag, daß er weder religiös noch politisch ›gefestigt‹ war.

Geboren wurde er 1583 in Böhmen als Sohn einer alten verarmten Adelsfamilie. Protestantisch aufgewachsen, trat er wahrscheinlich schon 1602 zum Katholizismus über, dessen eifrigster Verfechter er aber nur so lange wurde, als es ihm nutzte. 1609 heiratete er eine wesentlich ältere Witwe, die ihm nach ihrem Tode 1614 reichen Grundbesitz hinterließ. Schon als Verwalter seiner Güter bewies er volkswirtschaftliches Genie. Als bedingungsloser Parteigänger des Kaisers kämpfte er zu Beginn des Dreißigjährigen Krieges gegen seine böhmischen Standesgenossen und erwarb nach deren Niederwerfung ein Millionenvermögen. So konnte er 1625 auch dem Kaiser aus eigenen Mitteln ein Heer zur Verfügung stellen und erhielt dafür den Titel eines Herzogs von Friedland. Erfolge als Feldherr machten ihn hochmütig, seine Selbstüberheblichkeit schuf ihm Feinde, so daß ihn der Kaiser 1630 fallenlassen mußte. Als die militärischen Ereignisse seine Wiedereinsetzung als Feldherr erzwangen, verstärkte dies seine hochfliegenden Pläne, die im Traum von der Krone Böhmens gipfelten. Sein undurchsichtiges Verhalten verstärkte das Mißtrauen gegen ihn, und als in Wien Konspirationen mit dem Feinde bekannt wurden, ächtete ihn der Kaiser. Er wurde zusammen mit einigen seiner treuesten Offiziere 1634 in Eger ermordet. (H. P.)

Die Schrecken des Krieges. *Jacques Callot, ein Künstler aus Lothringen, kritisierte in seinen Kupferstichen und Radierungen Plünderung und Soldatenwerbung, menschenverachtende Praktiken und die Todesstrafe (oben). Flugblätter geißelten Mißhandlung und Ausplünderung der Bauern durch Kriegsherren und Soldaten (links).*

Das Reich blutet an allen Gliedern. *Der Krieg frißt seine Kinder, sagt das Flugblatt überdeutlich und spielt damit auf den ständigen Soldatenmangel an, der allmählich auch durch Zwangsrekrutierung nicht mehr zu beheben war: ausländische Söldner mußten zugezogen werden (rechts). Der Kupferstich über den Zustand des Deutschen Reiches 1622 spiegelt Kriegsmüdigkeit und Not (unten). Es entspricht den Tatsachen, daß es ausschließlich Menschen der vornehmen Stände sind, die dem leblosen Körper die tödlichen Wunden zufügen.*

Der Dreißigjährige Krieg in Daten

1618–1623	Böhmisch-pfälzischer Krieg
1618	Prager Fenstersturz
1619	Wahl Friedrichs V. von der Pfalz zum böhmischen König
1620	Schlacht am Weißen Berg bei Prag: Sieg der kaiserlichen Truppen
1621	Strafgericht in Böhmen
1622	Tilly in der Rheinpfalz
1623	Tilly besiegt Christian von Braunschweig
1625–1629	Dänisch-niedersächsischer Krieg
1625	König Christian von Dänemark greift in den Krieg ein Wallenstein erhält den Oberbefehl über die kaiserlichen Truppen
1626	Wallenstein siegt bei Dessau über Ernst von Mansfeld Tilly siegt bei Lutter am Barenberg über den Dänenkönig
1627	Tilly und Wallenstein unterwerfen gemeinsam Norddeutschland
1628	Wallenstein belagert vergeblich Stralsund
1629	Friede von Lübeck zwischen Kaiser Ferdinand II. und Christian von Dänemark Restitutionsedikt
1630	Kurfürstentag von Regensburg Entlassung Wallensteins
1630–1635	Schwedischer Krieg

zum Herzog von Friedland. Wallenstein hatte aus seinen riesigen, gut verwalteten Ländereien in Nordböhmen ein Arsenal für Waffen, Ausrüstung und Truppenrekrutierung gemacht. Sein Finanzagent, der holländische Calvinist Jan de Witte, hatte großen Anteil an der musterhaften Ordnung im finanzkräftigen Herzogtum Friedland.

Wallenstein marschierte mit seinem Heer von Eger nach Norden und besetzte die protestantischen Bistümer Magdeburg und Halberstadt. An der Dessauer Elbbrücke zwang er Mansfeld 1626 zur Schlacht, die ihm seinen ersten Sieg einbrachte. Einen ähnlichen Erfolg errang auch Tilly gegen Christian IV. von Dänemark, dem er bei Lutter am Barenberge eine schlimme Niederlage beibrachte. Christian von Braunschweig und Mansfeld starben kurz hintereinander; der Dänenkönig bat um Frieden; ganz Norddeutschland war in der Hand des Kaisers. Als Dank für die geleistete Hilfe belehnte er Wallenstein mit dem Her-

1630	König Gustav II. Adolf von Schweden landet in Pommern
1631	Tilly erobert Magdeburg; er wird von Gustav Adolf bei Breitenfeld besiegt
1632	Tilly wird bei Rain am Lech tödlich verwundet Neue Berufung Wallensteins Schlacht bei Lützen, Gustav Adolf fällt
1633	Herzog Bernhard von Sachsen-Weimar erobert Regensburg
1634	Wallenstein ermordet Niederlage der Schweden bei Nördlingen
1635	Friede zu Prag zwischen dem Kaiser und Sachsen. Konfessionspolitische Regelungen
1635–1648	Schwedisch-französischer Krieg
1635	Frankreich greift an der Seite Schwedens in den Krieg ein
1636	Sieg der Schweden bei Wittstock
1637	Ferdinand III. wird römisch-deutscher Kaiser
1638	Bernhard von Sachsen-Weimar erobert Breisach Schweden vor Prag
1640	Reichstag zu Regensburg
1641	Schweden und Franzosen vor Regensburg
1642	Sieg der Schweden bei Breitenfeld
1644	Eröffnung der Friedensverhandlungen
1645	Sieg der Schweden über die Kaiserlichen in Böhmen
1646	Schweden und Franzosen in Baiern
1648	Friedensschlüsse in Münster und Osnabrück

zogtum Mecklenburg, dessen angestammte Herren wegen ihrer Parteinahme für König Christian IV. geächtet worden waren. Dadurch kam der Friedländer Herzog in den Reichsfürstenstand. Als Generalissimus wurde ihm das Recht zur Werbung und Entlassung von Truppen sowie der Ernennung und Beförderung aller Offiziere bis zum Oberst übertragen. Gleichzeitig erhielt er den klangvollen Titel »General des ozeanischen und baltischen Meeres«.

Der Kaiser verfolgte mit all diesen Auszeichnungen seines Heerführers weitreichende Pläne. Die Hansestädte, teils Nachbarn des Herzogtums Mecklenburg, sollten unter kaiserlichem Schutz eine Gesellschaft für den Spanienhandel errichten und die Holländer möglichst vom Ostseehandel fernhalten. Doch keiner der Pläne konnte verwirklicht werden. Wallenstein gelang es nicht, die wichtige Hafenstadt Stralsund einzunehmen, weil er über keine Flotte verfügte und die

Wachender Adler.

IAM VIGILA VANO NEC SOMNO DEDITUS ESTO.

Jetzt wils erfordert die hohe Noht/
Daß man gar weit die Augen auffthut/
Nit schlaff/ sondern wach/ vnd hab acht/
Was man an allen Orten macht/
Jetzt läßt sichs martisch sehen an/
Als trett MARS erst recht auff den Plan/
Vnd bring herfür sein blutige Waffn/
Dadurch er wird gebn viel zu schaffn.
Jetzt hat man sich empört dermassn/
Daß Lärmen ist in allen Gassn/
Krieg vnd Kriegsgeschrey überal
Vernimbt man jetzt mit grossem schall/
Jetzt hasst man Fried vnd Einigkeit/
Jetzt hat Herr Omnis lust zum Streit/
Cassius Brutus thun sich stärckn/
Vntrew läßt sich jetzt gnug vermerckn/
Wann Scipio der tapffer Held/
Alexander in gleichnis ich melde/
Valerius Corvinus gut/
Vnd Manlius das frische Blut/
Solten jetzt noch seyn in ihrem Lebn/
Würdn sie sich wol verwundern ebn/
Daß es anjetzt im Römischn Reich/
Also beschaffen/ da zugleich
Viel hohe Häupter mit ihren Waffn/
Nichts anders dann dessn verwüstung schaffn/
Dadurch dann vieler Leut vnd Land
Gäntzliche Ruin vnd Vntergang
Verursachet/ darzu viel Blut
Vergossen wird mit übermut:
Vorzeiten wars ein grosse Gnad/
Wann Gott dem Reich gesenet hat
Ein Oberhaupt/ durch dessn Verstand/
Ward glücklich regiert Leut vnd Land/

Jetzt aber sind es schlechte Sachn/
Vnd thut mans gar geringe achtn/
Wie solchs muß sagen jederman/
Auch die Experientz zeigt an.
GOtt hat mich ja durch seine Gnad
Erhebt/ vnd gsetzt an diese statt/
Durch ihn hab ich erlangt die Cron/
Von ihm mir ward der Scepter schon/
Durch ihn hab ich erlangt das Schwerdt/
Von ihm ich worden bin bewehrt/
Durch ihn mein Feind seyn nidrgelegt/
Von ihm über sie ich bin erhöcht/
Von ihm mein Stärck vnd all Krafft ist/
Auch die Victori zu der frist:
Dannoch wird dieses nicht geacht/
Sondern man täglich dahin tracht/
Wie doch gschwind dieser Adler ehn/
Möcht gebracht werden vmb sein Lebn.
England thut ein zimlichen schuß/
Bethlem eylt herauff ohn verdruß.
Der Niderländisch Beer mit muht/
Jetzt auch etwas tentiren thut.
Mansfeld vnd Jägerndorff ohn schew/
Ihr Spießlein auch schiessen herbey.
Ein Hirschlein ich hab vernommen/
Soll auch auffs new seyn ankommen/
Vermeynt die Säul zu vntergrabn/
Vnd sein Gewin davon zu habn.
Lasset doch ab ihr lieben Herrn/
Vnd thut verschonen meiner Ehrn/
Wisset ihr nicht/ daß ist vmbsunst/
Weißheit/ Tugendt vnd alle Kunst/
So wider Gott vnd sein Gebot
Lauffen/ darzu auch streiten thut/

Von ihm allein zu ewrem Haupt/
Ich bin gesetzt vor kurtzer zeit.
Darumb ob schon jetzt Engeland/
Vngarn/ Türcken vnd Niderland/
Braunschweig/ Saxhoy vnd ander viel
Mir widerstreben ohne Ziel/
So wird dannoch mich GOtt erhalten/
Vnd sein Ordnung nebn mir verwalten/
Der Beer wird schon haben sein theil/
Der Fuchs erlangen wenig Heil/
Die Schützen werden fehlen weit/
Das Hirschlein wird zu seiner zeit
Auch wol bekommen seinen Lohn/
Wofern es nicht beschehen schon/
Dem Jäger wie Actæon bald/
Wird es ergehen in dem Wald/
Darinn er jetzt jagt geschwindt/
Vnd doch für ihn das geringst nicht find.
Ich aber wil mit Gott jetzt wachn/
Vnd gut acht haben auff mein Sachn/
Ob schon der Löw sanfft ruhen thut/
Möcht sich erhebn mit frischem Muht/
Er lauret vnd gleich stärcket sich/
Wie ich erfahrn vnd bin bericht.
Ihr Reichsgenossen in gemein/
Welche bisher geruhet sein/
Darzu Neutral geblieben seyt/
Thut Hülff/ jetzt ist es hohe zeit/
Sonst werd ihr haben Hohn vnd Spot/
Vnd euch wird treffen gleiche Noht/
Darumb frisch auff thut mir beyspringn/
So wirds dem Feinde nicht gelingn/
Der güldene Fried allermassn/
Sich auch wider wird mercken lassn.

Wachsamkeit. *Im Krieg und in Glaubenssachen gilt es, wie der Adler ein wachsames Auge zu haben auf Menschen und Welt. Zeitgenössisches Flugblatt. Oxford, Ashmolean Museum.*

Stadt von der See aus versorgt wurde. Elf Jahre nach Kriegsbeginn – im Jahre 1629 – kam es dann zum Frieden von Lübeck. Christian IV. von Dänemark behielt sein Land und das Herzogtum Holstein, mußte aber auf jede Einmischung im Reich verzichten.

Der Kaiser verspielt den Sieg

Damit war der zweite Akt des blutigen Dramas beendet. Die Protestanten waren trotz der Unterstützung durch den Dänenkönig und durch englische und niederländische Hilfsgelder geschlagen. Weite Gebiete Norddeutschlands waren verwüstet. Sieger auf der ganzen Linie war der Kaiser. Seine Truppen waren bis an die Ostsee vorgedrungen. Im ganzen Reich war kein ernsthafter militärischer Gegner mehr vorhanden. Seit Jahrhunderten hatte kein Kaiser im Reich mehr eine derartige Machtstellung innegehabt. Ferdinand II. gedachte, die Gunst der Stunde zu nützen. Am 6. März 1629 ließ er das »Restitutionsedikt« (lat.: restituere = wiedereinsetzen) verkünden. Nach diesem Edikt sollten alle geistlichen Besitzungen, die seit dem Passauer Vertrag im Jahre 1552 der katholischen Kirche genommen worden waren, unverzüglich zurückerstattet werden. Allein in Norddeutschland wären davon zwei Erzbistümer, zwölf Bistümer und über hundert Abteien betroffen gewesen. Durchführen sollten diese Maßnahmen kaiserliche Kommissare mit Hilfe von Tillys Armee. Mit dieser unerbittlich harten, verhängnisvollen Politik war – wie der Historiker Leopold von Ranke im 19. Jahrhundert treffend bemerkte – die Axt an die Wurzeln der Reformation gelegt.

Die Ausführung der Bestimmungen dieses Edikts hätte nicht nur die Rekatholisierung weiter Teile des Reiches gebracht, Besitzstand- und Konfessionswechsel für Hunderttausende, verbunden mit der Wiederherstellung der katholisch-kirchlichen Organisation, sondern auch eine ungeheuere Steigerung der Kaisermacht im Reich. Mit den wieder zurückgewonnenen Territorien konnte der Kaiser Familienmitglieder oder treue Anhänger belehnen. So verschaffte er seinem jüngeren Sohn, dem Erzherzog Leopold Wilhelm, der bereits Bischof von Passau und Straßburg war, noch das Bistum Halberstadt und die Erzbistümer Bremen und Magdeburg.

Innerhalb von zehn Jahren hatten sich die Verhältnisse grundlegend gewandelt. 1619 befanden sich Böhmen, Österreich und Schlesien im Aufstand, und von den Fenstern der Wiener Hofburg konnte der Kaiser die feindliche Armee erblicken, die seine Stadt belagerte; 1629 hatten seine siegreichen Armeen alle Gegner niedergeworfen, und durch

Der Feldherr Tilly, sieggewohnt.
Tilly zu Pferde im vollen Galopp vor der von ihm 1631 belagerten Stadt Magdeburg. Kupferstich von Matthäus Merian.

Reichsgesetz und Waffengewalt schien die Rückführung großer Teile des Reiches zum katholischen Glauben und eine beispiellose Steigerung der Kaisermacht in greifbare Nähe gerückt. Doch das Glücksrad stand nicht still, zumal der Kaiser mit seiner starren Politik einen Ausgleich zwischen den Parteien erschwert hatte.

Der Umschwung begann auf dem Kurfürstentag zu Regensburg im Sommer 1630. Die Fürsten hatten die Machtsteigerung des Kaisers seit langem mit Argwohn betrachtet. Er hatte einem aus ihren Reihen die Kurwürde genommen und einem anderen übertragen. Er hatte die Herzöge von Mecklenburg, Wolfenbüttel und Calenberg ihrer Länder beraubt und hatte einen böhmischen Emporkömmling in den Reichsfürstenstand erhoben und damit den alten Dynastien gleichgestellt. Dies alles war möglich geworden, weil eben dieser Friedländer dem Kaiser große finanzielle und militärische Machtmittel zur Verfügung gestellt hatte. Gegen ihn richtete sich der Zorn der Kurfürsten. Grund zu Beschwerden über ihn war reichlich vorhanden. Wallenstein war nach dem Grundsatz verfahren, daß der Krieg den Krieg ernähren müsse, d.h. er hatte stets die Gebiete zum Unterhalt seiner Truppen herangezogen, in denen er sich gerade aufgehalten hatte, ganz gleich, ob es sich um gegnerische, neutrale oder verbündete Territorien gehandelt hatte. Außerdem erschien der Generalissimus in religiösen Fragen gänzlich gleichgültig. Unter ihm dienten sogar zahlreiche Protestanten als höhere Offiziere. Die massiven Beschwerden der Kurfürsten gegen den kaiserlichen Oberbefehlshaber hatten Erfolg. Der Kaiser enthob ihn seiner Kommandogewalt und unterstellte seine Armee Tilly. Sicherlich war an dieser Entscheidung der einflußreiche Beichtvater des Kaisers, der Jesuitenpater Lamormain, nicht unbeteiligt. Sie erscheint trotzdem fast unbegreiflich, denn dem Kaiser war bekannt, daß der Schwedenkönig Gustav II. Adolf mit einem Heer in Pommern gelandet war. Anscheinend unterschätzte der Kaiser die Gefahr, die ihm von dem »Schneekönig« aus dem Norden drohte.

Dritter Akt: Der König von Schweden mischt sich ein

Der schwedische König Gustav II. Adolf war in vieler Hinsicht eine außergewöhnliche Persönlichkeit. Er war mit 17 Jahren auf den Thron gelangt und hatte sich als Heerführer wie als Politiker die Achtung seiner Zeitgenossen erworben. Er führte ein kraftvolles Regiment in seinem Lande, das er in wenigen Jahren zu einer starken Militärmacht entwickelt hatte. Als überzeugter lutherischer Christ achtete er auf Disziplin in seinem Heer, in dem Gebet und Gottesdienst ebenso wichtig wie Exerzieren genommen wurden. Die Gründe für seine Beteiligung am Krieg gegen Habsburg sind von den Historikern ausführlich diskutiert worden. Die Protestanten unter ihnen sahen in ihm den uneigennützigen Streiter für die evangelische Sache. Hatte er nicht selbst geschrieben, daß ihm Augen und Herz bluten, wenn er an das Elend seiner Glaubensbrüder in Deutschland denke? Aber im gleichen Brief an den schwedischen Reichsrat verwies er auch darauf, daß die Gegner an der Ostsee Fuß gefaßt, alle Häfen in Mecklenburg und Pommern eingenommen und im Begriff stünden, eine Flotte zu bauen, um den schwedischen Handel zu stören und schließlich Schweden durch eine Invasion zu bedrohen. Sicherlich sah der König im Interesse der Habsburger an der Ostsee eine ernste Bedrohung der schwedischen Machtsphäre; denn er selbst hatte bereits die baltisch-preußische Küste erobert und erstrebte für sein Land die Vorherrschaft im Ostseeraum. Der Drang, wichtige Gebiete zu erobern, d.h. das schwedische Territorium zu vergrößern, und das Bestreben, seine Glaubensgenossen ge-

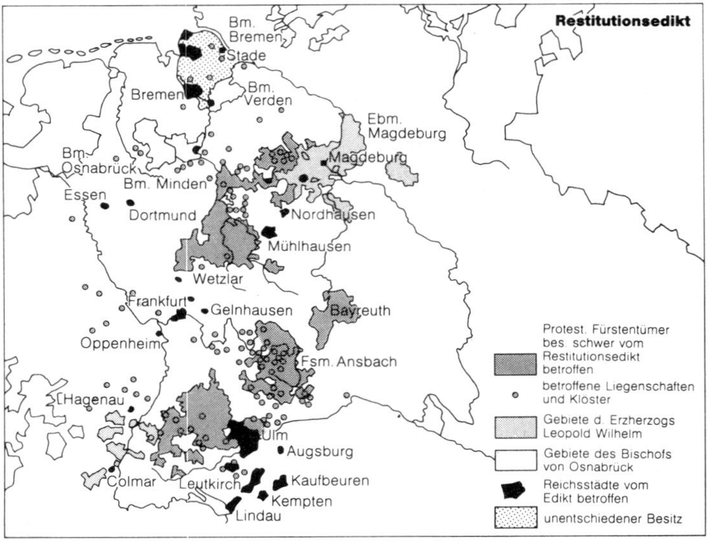

gen die habsburgische Gegenreformation zu schützen, waren untrennbar miteinander verbunden. Es entspräche nicht dem Geist der Zeit, wollte man beide Motive voneinander trennen. Der Schutz der Protestanten war eben nur durch expansive Politik und Sieg auf dem Schlachtfeld zu erreichen. Allerdings gelang es der schwedischen Propaganda, stets die religiösen Motive in den Vordergrund zu stellen. Auf der anderen Seite schloß Gustav II. Adolf 1631 mit Frankreich, vertreten von Kardinal Richelieu, einen Bündnisvertrag, in dem er sich verpflichtete, ein Heer von 30000 Fußsoldaten und 6000 Reitern in Deutschland zu unterhalten, wofür er jährlich eine Million Livres als Subsidien erhalten sollte. So viel war Frankreich ein tatkräftiger Kämpfer gegen die habsburgische Machtstellung in Europa wert!

Die Zerstörung Magdeburgs

Bei den deutschen protestantischen Fürsten fand das Erscheinen des Schwedenkönigs keinen ungeteilten Beifall. Die geächteten Herzöge von Mecklenburg und der protestantische Administrator des Erzbistums Magdeburg hofften durch ihn ihren Besitz wieder zu gewinnen, während Kursachsen und die Hansestädte lieber neutral sein wollten

Deutsche Protestanten begrüßen Gustav Adolf.
Das Flugblatt feiert den Schwedenkönig symbolisch als Retter vor dem Katholizismus.

und Brandenburg eine dauernde Festsetzung der Schweden an der deutschen Küste fürchtete. Während Gustav II. Adolf noch mit den Fürsten verhandelte, wurde Magdeburg von Tillys Truppen erstürmt. Dabei ging die Stadt in Flammen auf, und ein großer Teil der Bewohner fand den Tod. Wer die Schuld für dieses »Hiroshima« des 17. Jahrhunderts trug, ist nie ganz geklärt worden. Die Protestanten schoben Tilly die Schuld zu, die Katholiken behaupteten, die Magdeburger hätten selbst ihre Pulvermagazine gesprengt und ihre Häuser angezündet, da sie vorzogen, lieber unter den Trümmern begraben zu sein, als unter katholischer Herrschaft weiterzuleben. Beides ist unwahrscheinlich. Tilly hätte die reiche und wohlbefestigte Stadt mehr genützt, als rauchende Trümmer; die Protestanten konnten durch einen Wechsel des Kriegsglücks auf Befreiung hoffen. Man wird wohl annehmen können, daß die in die Stadt eindringenden kaiserlichen Soldaten an verschiedenen Stellen Feuer gelegt hatten, um den Widerstand in den Straßen der Stadt zu brechen. Daß unter den gegebenen Verhältnissen niemand mehr der Flammen Herr geworden ist, ist kaum verwunderlich.

OTTO VON GUERICKE

War Otto von Guericke (1602–1686) wirklich nur der Erfinder der Luftpumpe, der Entdecker des Luftdrucks, der Konstrukteur eines Barometers und einer Elektrisiermaschine, wie er aus den Schulbüchern bekannt ist? War er wirklich der Scharlatan, als den ihn Physiklehrer bei der Demonstration des Luftdrucks hinstellen, weil er um des größeren Schaueffekts willen an beiden seiner luftleer gepumpten »Magdeburger Halbkugeln« mit bis zu 30 Pferden ziehen ließ, wo doch die Hälfte ausgereicht hätte, wenn er die eine Halbkugel an einer Mauer befestigt hätte?

Nun, sein Talent zu publikumswirksamen Auftritten hatte er als Politiker, als Ratsherr und Bürgermeister seiner Heimatstadt Magdeburg erworben. Als geschickter Diplomat war es ihm stets gelungen, für sie Sonderkonditionen herauszuholen; als Ingenieur leitete er erfolgreich ihren Wiederaufbau. Erst nach dem Krieg, mit fast 50 Jahren, begann er, mit leergepumpten Bierfässern aus seiner ererbten Brauerei zu experimentieren. Dabei ging es um Fragen, die sich der Autodidakt in Sachen Physik aus den gängigen Lehrbüchern zusammengelesen hatte: War der Raum zwischen den Himmelskörpern wirklich von dem alles durchdringenden »Äther« erfüllt? Von welcher Art waren die Kräfte, die von der Sonne auf die Planeten ausgeübt werden sollten? Um seine Zeitgenossen, die aus theoretischen Gründen einen leeren Raum ablehnten, von der Existenz des Vakuums zu überzeugen, mußte er ständig neue Schauversuche ersinnen und sie immer dramatischer inszenieren. Um die Möglichkeit nichtmagnetischer Kräfte von einem Zentralgestirn auf seine Trabanten zu zeigen, fertigte er eine Schwefelkugel an, die, wenn sie mit trockenen Händen gerieben wurde, leichte Körper anzog oder abstieß. Aber erst Leibniz und der Engländer Robert Boyle erkannten ihre Funktion als Elektrisiermaschine. So wurde sein spätes Hauptwerk ein kosmologisches Werk über den Bau des Weltalls, dessen Ideen Newton bei seiner physikalischen Bestätigung des Keplerschen Weltbildes anregten. *(H. Hü.)*

Sächsisch Confect.
Auf dem Flugblatt wird der Feldherr Tilly verspottet, der 1631 bei Leipzig eine Niederlage hinnehmen mußte.

Das Blatt wendet sich: Niederlage des Kaisers bei Breitenfeld

Die Katastrophe von Magdeburg führte den protestantischen Fürsten den Ernst der Lage vor Augen. Gustav II. Adolf rückte mit seinen durch deutsche Söldner verstärkten Truppen in die Mark Brandenburg ein und drängte den Kurfürsten zum Anschluß. Sachsen – von Tilly teilweise verwüstet – schlug sich ebenfalls auf die schwedische Seite. Der Siegeslauf der Schweden durch Deutschland konnte beginnen. Im Herbst 1631 besiegte Gustav II. Adolf bei Breitenfeld nördlich von Leipzig das kaiserliche Heer unter Tilly, der von seiner Armee von etwa 36 000 Mann 7000 Gefallene, ebensoviele Gefangene, 5000 Deserteure sowie den Verlust seiner gesamten Artillerie und seiner Kriegskasse zu beklagen hatte. *Eine* Ursache des schwedischen Siegs war die bewegliche Taktik des Heeres.
Die Schweden zogen weiter durch Thüringen und Franken und überwinterten in Mainz. Die eroberten Gebiete unterstellten sie der schwe-

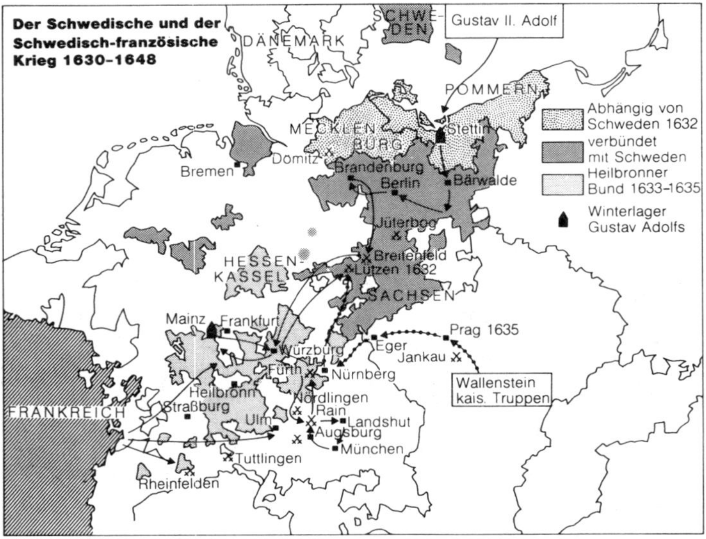

dischen Verwaltung, die damit die Finanzierung des Heeres sicherte. Die geistlichen Territorien der Bischöfe von Würzburg und Bamberg, deren Herren geflohen waren, erhielt Bernhard von Weimar, der tüchtigste deutsche Mitkämpfer des Schwedenkönigs, als Herzogtum Franken zu Lehen.

Im Frühjahr 1632 setzte Gustav II. Adolf seinen Vormarsch fort. Bei Rain am Lech schlug er das kaiserlich-ligistische Heer vernichtend. Tilly selbst wurde in der Schlacht so schwer verwundet, daß er wenige Tage später starb. Damit war Baiern schutzlos dem Sieger preisgegeben. Die Schweden zogen in München ein und forderten 200 000 Taler als Kriegskontribution. Das Glücksrad hatte sich wieder gedreht. Die Lage der kaiserlich-katholischen Partei schien verzweifelt, nachdem auch noch französische Truppen die Erzbistümer Trier und Köln besetzt hatten.

Kaiser Ferdinand II. hatte schon nach der schweren Niederlage seiner Truppen bei Breitenfeld mit Wallenstein, der sich auf seine böhmischen Besitzungen zurückgezogen hatte, über die Neuaufstellung eines Heeres verhandelt. Der Friedländer allerdings forderte einen hohen Preis: Als »General-Oberst-Feldhauptmann« sollte ihm die gesamte Kriegsführung unterstehen; nur die Truppen der Liga und Spaniens waren hiervon ausgenommen. Er verlangte Vollmacht, mit den Sach-

Der Schwedenkönig als Triumphator.
Allegorischer Flugblatt-Kupferstich auf den siegreichen Herrscher (1632).

sen Frieden zu schließen und mit den Gegnern zu verhandeln. Die Ratifikation aller Vereinbarungen sollte allerdings dem Kaiser vorbehalten bleiben. Vom Kaiser und von Spanien sollte er Zuschüsse zum Unterhalt seiner Truppen erhalten. Als Ersatz für das verlorene Mecklenburg verlangte er das Fürstentum Glogau als Pfand.
Im Frühjahr 1632 vertrieb Wallenstein mit seinem neu aufgestellten Heer von etwa 30 000 Mann die Sachsen aus Böhmen. In der Nähe von Nürnberg traf sein Heer auf das des Schwedenkönigs. Dieser bezog ein befestigtes Lager in der Ebene, Wallenstein und Maximilian verschanzten sich auf dem Hügel der Alten Veste. Maximilian I. wollte mit den zahlenmäßig überlegenen Truppen eine Entscheidungsschlacht wagen, aber der Friedländer hielt ihn zurück. Nach Wochen der Untätigkeit versuchte Gustav II. Adolf die feindlichen Stellungen im Sturm zu nehmen, aber er wurde unter großen Verlusten zurückgeschlagen. Daraufhin zogen die Schweden nach Süden und die Kaiserlichen nach Norden ab. Als Wallenstein in Sachsen einfiel, eilte ihm Gustav II. Adolf nach und stellte ihn bei Lützen zur Schlacht. Der er-

bitterte Kampf endete mit einem Sieg der Protestanten, der allerdings teuer erkauft war: Gustav II. Adolf war gefallen. An der Spitze einer Reiterabteilung war er im Nahkampf von mehreren Kugeln tödlich getroffen worden.

Religiöse Überzeugung und politische Interessen bestimmen das Gesetz des Handelns

Der Tod hatte Gustav II. Adolf – sicherlich neben Wallenstein die bedeutendste Gestalt des Großen Krieges – wie kurz darauf seinen großen Gegner ereilt, bevor er seine Absichten und Ziele verwirklichen konnte. Ganz gleich, ob man heute religiöse oder machtpolitische Motive als Triebfeder seines Handelns ansieht, hat er dem deutschen Protestantismus in seiner dunkelsten Stunde aufgeholfen und Mittel- und Norddeutschland vor der Rekatholisierung bewahrt. Seine Ziele mögen mit seinen Erfolgen gewachsen sein. Bei allem ging es ihm um Entschädigung Schwedens für die gebrachten Opfer, d. h. Landerwerb an der deutschen Ostseeküste und Sicherheit für die deutschen Protestanten durch einen festen Zusammenschluß unter schwedischem Schutz. Daß er nach der Kaiserkrone gestrebt habe, ist unwahrscheinlich; eher schwebte ihm wohl die Schaffung eines mächtigen Ostseereiches vor, das Schweden und den protestantischen Norden Deutschlands umfassen sollte. Daß er den Katholizismus in Deutschland mit der finanziellen Unterstützung des katholischen Frankreichs bekämpfte und Frankreich so mit seinen Hilfsgeldern die deutschen Protestanten vor der Gegenreformation bewahrte, zeigt, daß Religion und Machtpolitik im Widerspruch standen.

Gustav II. Adolfs Tod bedeutete keineswegs den Rückzug Schwedens aus Deutschland. An seine Stelle trat der tatkräftige und diplomatisch geschickte Kanzler Graf Axel von Oxenstjerna (1583–1654), der mit den vier oberdeutschen Reichskreisen in Heilbronn im April 1633 ein Bündnis schloß. Die Kreise verpflichteten sich zum Unterhalt einer Armee, die für die Erringung günstiger Friedensbedingungen und eine gebührende Entschädigung Schwedens sorgen sollte. Eine einheitliche militärische Führung allerdings fehlte; der schwedische General Horn und Herzog Bernhard von Weimar sollten sich im Oberbefehl abwechseln.

Wallenstein zog sich nach der Schlacht von Lützen nach Böhmen ins Winterquartier zurück. Er knüpfte Friedensverhandlungen mit Sachsen und Brandenburg an, wozu er nach seiner Vereinbarung mit dem Kaiser wohl berechtigt war. Das ganze folgende Jahr hielt er sich militärisch sehr zurück und verhandelte dafür mit allen gegnerischen Par-

Rücktrittsplänen abgeschworen. *Wallenstein verbündet sich mit 49 kaiserlichen Regimentsführern und Generälen. Ihre Unterschriften unter dem Pilsener Reverse (1634) waren äußerer Anlaß für Wallensteins Ermordung.*

teien. Vielleicht verfolgte er dabei die Absicht, den Zustand von 1618 wiederherzustellen, weil er die Bestimmungen des Restitutionsedikts für überzogen hielt. Vielleicht leitete ihn auch Rachsucht gegen den Kaiser und die Fürsten, die ihn drei Jahre vorher um die Früchte seiner Siege gebracht und die Demütigung seiner Entlassung bereitet hatten; er könnte sich auch Hoffnung auf die Krone Böhmens gemacht haben, ermutigt von böhmischen Emigranten; es könnte aber auch die Erkenntnis gewesen sein, daß die Probleme, die hinter dem Krieg standen, nicht auf dem Schlachtfeld, sondern nur durch Verhandlungen zu lösen waren. Auch sein Glaube an die Wirkung der Konstellation der Sterne auf das menschliche Schicksal und sein angegriffener Gesundheitszustand könnten einiges erklären. Vielleicht war es eine Mischung vieler Beweggründe, die für ihn selbst undurchschaubar war und ihn in seiner Entschlußkraft hemmte. Seine zaudernde Kriegsführung und seine vielfältigen Verhandlungen, seine ungenauen und mehrdeutigen Berichte an den Wiener Hof sowie seine offensichtliche Abneigung gegen Jesuiten und andere religiöse Eiferer weckten in Wien Verdacht.

Zeitgenössischer anonymer Bericht über die Wurtzener Kreuz- und Marterwoche

Am 4. April 1637, Dienstag vor Ostern, ist eine rechte Marterwoche zu Wurtzen angangen und die Passion mit derselben gespielt worden, indem gegen zwei Uhren vormittag von beyden Kirchthürmen etliche starcke Troppen Reuter, geschwind und eilfertig, zur Stadt zu eilende gesehen und dem Bürgermeister angemeldet worden. Als die Bürger, so die Wach bestellet, gefraget, was ihr Begehr sey, haben sie geantwortet, sie wolten füttern; ehe man aber die Schlüssel zum Schlage erlanget, haben sie selbst mit einer Axt den Schlag geöffnet und hinein nach der Stadt zu gesprenget. Hierauf seynd die Raubvögel von beyden Thoren häuffig zugeflogen, daß gleich in einem Augenblick der Marck voller Reuter gewesen, welche mit Loßschießung und bloßen Degen in den Händen führend in die Gassen sich ausgetheilet, über die massen furiosisch sich erzeiget, und jedermann grausame Furcht und Schrecken eingejaget. In der ersten Furi seynd ihrer nicht wenig auf den Dom geeilet, daselbsten Thür und Thor, wie auch die Kirch-Thüren und die Sacristey mit Gewalt zerhauen, zerschlagen und erbrochen, den Leuten, ohn Unterscheid der Person, geistliches und weltliches Standes, Edel und Unedel, vornehmen Beambten, Manns- und Weibs-Personen, die Kleider von dem Halse erab gerissen, bloße Degen, wie auch gespannete Rohr auf die Brust und an das Haupt gesetzt, dergleichen von andern in und vor der Stadt allenthalben geschehen, die Leute genöthiget zu bekennen, wo sie das Geld und die besten Sachen verwahret und vergraben hätten, da denn andere außen am Domberge und anderswo aufgewartet, diejenigen, so zu den Hinderthüren heimlich davon gewolt, wiederum zurück getrieben, über die maßen geängstiget, auch do etlich, der Tyrannen zu entrinnen, durch den engen Molden-Strom bey der Stadt-Mühlen sich gewaget, grimmiger Weiß nachgesetzet und ergriffen. [...]
Denn da sind die Räuberischen Soldaten durch alle Gemach, Stuben und Kammern, Küchen und Keller, Gewölb und Boden, Ställ und alle heimliche Winckel gelauffen, alles durchsuchet und nochmahls durchgraben, Kisten und Kästen aufgehauen und zerschlagen, und was sie funden oder sonst erforschet und verkundschafft an Geld und Baarschaft, Geräthe, Haußrath, Victualien, Kleidung, Bett und Bettgewand, Metall und allerhand Fahrniß, so ihnen gefallen, mit sich genommen, zu hauffe getragen und hernach Pferde und Wägen damit beladen. Hierbey haben sie mit den Leuten über Barbarischer Weiß umgangen, sie gepeinigt, übel geschlagen, geprügelt, geschraubet, gerädelt, gestochen, verwundet, die Arm auf den Rücken gebunden, niemals geschonet, auch der Krancken, Schwangern und kleinen Kinder nicht. Mannes-Personen haben sie mit härinnen Strikken umfasset, Schweffel auf den bloßen Leib getreuffelt, höltzerne Pflöcklein zwischen die Nägel an Händen und Füssen geschlagen, die Fußsolen creutzweiß aufgeschnitten, Saltz und Gersten-Körner hinein gestreuet, welche gequollen, und überaus große Schmertzen verursachet, und auf andere unerhörte Weise, so nicht zu beschreiben, die Leute grausam gemartert, daß auch der Scharffrichter bekennet, er hätte auf Befehl der Obrigkeit gegen die Übelthäter nicht so arg verfahren

können, alles zu dem Ende, damit durch solche Marter alles ausgepresset, bekennet und in ihre Klauen übergeben würde.
Der Schwedische Trunk, also genennet, ist sehr gemein gewesen, indem ihrer vielen unreinen Seyffen- und Pfützen-Wasser oder Mistjauch in den mit einen Spanner oder Röhrlöffel ausgespreitzten Mund, so viel als hinein zu bringen gewesen, gefüllet, über eine Weile hernacher auf ihren Leib gesprungen, und die hinein gegossene Jauche heraus getrieben worden, dadurch ihrer viel um ihre Gesundheit gebracht, daß sie es die Zeit ihres Lebens nicht verwinden, mehrer theils sind schon davon gestorben.
Als diese grausame Tragoedi biß um Vesper-Zeit agiret, ist anderweit Schwedisch Volck etlich hundert starck in Wurtzen eingefallen, welches die Plünderer, in Meynung, es wäre ihr Feind, in etwas perturbiret, daß sie zu Pferde geblasen, bald als vermercket, daß es ihr Volck wäre, und ihr voriges Rauben continuiret. Das neuankommende Volck hat vorgeben, die Ersten hätten hierzu kein Ordre gehabt, Sie aber wären der Futteragi halber außcommandiert worden.
Ihr Obr. Leutenant hat selbst und durch einen zu mehrenmahlen in derselben Nacht abgefertigten Hauptmann, den Herrn Superintendenten und die Raths-Personen sich davon zu machen und außzugehen ermahnet, mit Erwehnung, daß es je länger je ärger werden würde, auch do man etwas geseumet, bald mit anbrechendem Tag drey Reuter vor die Pfarrwohnung zu einer Convon geschickt, darauff denn etliche hundert Personen zugleich mit ausgegangen und elendiglich den Domberg herab nach der Fähre an die Mulda gewandert. Ein elend Spectakel und Wanderschafft war da zu sehen, als das Volck häuffig ohne Unterschied und durch einander, Mann und Weib, Kind, Gesind, Jung und Alt, Bürger, Bauer, Adel, Priester, Arm und Reich usw. nach der Mulda zugeeilet und eines das andere fort getrecket und sonderlich die Eltern mit den Kindern sich getragen und geschleppet, wiewol derselben auch viel zurück geblieben, so in dem plötzlichen Einfall, Schrecken und Tumult der Feinde hin und wieder verscheucht und verjaget worden, theils auch kranck gelegen, und nicht gerettet werden können. Und also Eltern und Kinder, Mann und Weib, Bruder und Schwester von einander getrennet worden. [. . .]
Diesen Tag, den 5. Aprilis, wie auch folgenden 6. und 7. ist alles Viehe, groß und klein auß der Stadt hinweg nach Torgau und Eulenburg getrieben worden, und weil täglich neue Parteyen mit Roß und Wagen ankommen, haben sie auch mit der Plünderung, so wol als Peinigung und Marter der Leute desto grimmiger fortgefahren, alle Häuser und Keller durchsucht und durchgraben, und sonderlich in der Kirchen alles, was eines Mannes tieff vergraben, eingespündet, mit übergesetzten Ziegeln verwahret, außgekundschaffet, die Leichensteine auffgehoben und über die massen gefrevelt, bis Charfreytags die Passion vollend gespielet, und der garauß mit der Stadt gemacht worden, indem Vormittag zwischen neun und zehn Uhr die gantze Stadt im Feuer auffgangen und erbärmlich eingeäschert worden.

Aus: Ch. Schöttgen, Historie der chursächsischen Stadt Wurtzen.

Wallensteins Ende

Am Hofe war eine Koalition von alten und neuen Feinden am Werk, die seinen Sturz betrieb. Als er dann noch einige in seine Gefangenschaft geratenen schwedischen Generale – darunter den Grafen Thurn, den Anführer der böhmischen Rebellion – freiließ, und die Eroberung Regensburgs durch Bernhard von Weimar nicht verhinderte oder zumindest rächte, konnten seine Gegner den Kaiser überzeugen, daß er es mit einem Verräter zu tun habe. Wallenstein selbst hatte sich im Netz seiner undurchsichtigen und widerspruchsvollen Aktionen verfangen. Sein Zaudern und seine stets zweideutige Haltung weckten auch bei den Protestanten Mißtrauen. Sie sahen Fallstricke in seinen Friedensangeboten. Im Januar 1634 spürte er das über ihn hereinbrechende Verhängnis und versuchte, sich durch die Drohung seines Rücktritts im sogenannten »Pilsener Reverse« die unbedingte Treue seiner Offiziere zu sichern. Gerade dies schien in Wien ein Beweis seines Hochverrats zu sein. Rechtzeitig hatte sich der Kaiser die Ergebenheit der höchsten Kommandeure in Wallensteins Heer gesichert. Nun erklärte er Wallenstein für abgesetzt und erteilte den Grafen Gallas, Piccolomini und Aldringen zunächst geheim den Befehl, »das Haupt und die vornehmsten Mitverschworenen«, wenn irgend möglich, gefangenzunehmen und nach Wien zu bringen oder als überführte Schuldige zu töten. Im Proskriptionspatent vom Februar 1634 wurde der Feldherr dann öffentlich als Hochverräter bezeichnet, seine Offiziere des Eides entbunden und der Pilsener Reverse für ungültig erklärt.
Noch glaubte Wallenstein an die Möglichkeit eines ehrenvollen Rücktritts. Er ließ seine Offiziere in einem zweiten Revers versichern, daß die Verpflichtung auf ihn niemals gegen Kaiser und Religion gerichtet sei und bot in Wien seinen Rücktritt an. Gleichzeitig aber forderte er Schweden und Sachsen auf, Truppen an die böhmische Grenze zu entsenden. Mit der öffentlichen Verurteilung setzte ein Massenabfall ein. Kommandeure zogen ihre Regimenter ab, so daß er sich schließlich mit dem Rest seiner Getreuen und einigen Verrätern nach Eger begab. Hier, im äußersten Westen Böhmens, glaubte er sich sicher. Johann Gordon, dem schottischen Festungskommandanten, hatte er viel Gutes erwiesen. Hier gedachte er, die protestantischen Truppen zu erwarten, in deren Schutz er sich begeben wollte. Aber Bernhard von Weimar sagte, daß er für den Herzog von Friedland nicht einen Hund satteln lassen werde. Nun konnte niemand mehr das Verhängnis aufhalten. Von Eger war er zweimal ausgezogen, um seinem Kaiser »die wacklige Krone wieder fest aufs Haupt zu setzen«; in Eger ereilte den Geächteten der kaiserliche Mordbefehl. Von seinem einstmals

Mordnacht zu Eger. *Dem Überfall der abtrünnigen auf die ergebenen Offiziere Wallensteins folgt der zweite Akt: Hauptmann Deveroux ersticht den Feldherrn in seinem Schlafzimmer im Pachelbel-Haus mit der Partisane.*

furchterregenden Heer war ihm nur ein kleiner Trupp gefolgt, insgesamt vielleicht 1400 Mann.
Auf dem Wege hatte sich noch der irische Oberst Walter Butler mit seinem Dragonerregiment angeschlossen. Butler, Gordon und der schottische Oberstwachtmeister Leslie, dieses verräterische Trio, heuchelte dem Feldherrn Ergebenheit und bereitete die Exekution vor. Sie luden die letzten Anhänger Wallensteins, die Grafen Tr̆cka, Ilow und Kinsky sowie den Rittmeister Niemann zu einem fröhlichen Umtrunk in die Festung ein und machten die Nichtsahnenden kurzerhand nieder. Dann begab sich Butler mit einigen eingeweihten Offizieren in die Stadt, wo der Herzog Quartier genommen hatte. Es war stockdunkel, und der Sturm peitschte durch die Gassen. Mit der Ausführung der Tat beauftragte Butler den Hauptmann Deveroux. Dieser drang mit sechs Bewaffneten in das Pachelbelsche Haus ein, in dem Wallenstein wohnte. Sie sprengten die Türen auf und fanden den Herzog in seinem Zimmer an einen Tisch gelehnt. »Du schlimmer, meineidiger, alter, rebellischer Schelm!« soll Deveroux geschrieen haben, bevor er sein Opfer mit einer Partisane durchbohrte. »Ah, Quartier...«, die Gnadenbitte des Soldaten, soll das letzte Wort des Friedländers gewesen sein.
Die Tat erregte ungeheueres Aufsehen. Diejenigen, die auf seiner Seite gekämpft hatten und die ihm Reichtum, Ruhm und Ansehen verdankten, versuchten sich und das Ihre zu retten. Sie schmähten den Toten und krochen vor dem Kaiser. Das Mördertrio stritt sich, weil jeder den Ruhm der Tat für sich allein beanspruchte. Wie die Geier stürzten sich diejenigen, die rechtzeitig das sinkende Schiff des Friedländers verlassen hatten, auf die Güter und Reichtümer der Exekutierten. Aber es gab auch andere Stimmen, die behaupteten, der Ermordete sei unschuldig; alles sei nur eine Intrige, die die Spanier ersonnen und andere Ausländer ausgeführt hätten. Es wurde der Vorwurf erhoben, daß man Wallenstein nicht ohne ein ordentliches Gerichtsverfahren hätte hinrichten dürfen. Die Beteiligten rechtfertigten ihre Tat mit dem Hinweis, daß die protestantischen Truppen schon unweit von Eger standen. Richtiger ist wohl, daß sie jedes Risiko vermeiden wollten. Noch standen die Tr̆ckaschen Kürassiere und einige andere Kompanien treu zu ihrem Feldherrn. Nur wenn er tot war, waren sie ungefährlich. Und wer hätte wohl den Mann gefangen und nach Wien gebracht, der sein Heer so oft zum Sieg geführt hatte? Und ein toter Wallenstein konnte auch vor Gericht keine unangenehmen Enthüllungen machen und darauf verweisen, daß andere ihm bedenkenlos gefolgt waren, so lange Aussicht auf Ruhm und Beute bestand. So war der Mord die sicherste Lösung.
Ein wahrer publizistischer Sturm folgte. Streitschriften wurden ver-

breitet, Gedichte liefen um. Man sprach von einer »meuchelmörderischen Schandtat, davor sich Sonne und Mond, ja das ganze Firmament billig entsetzt«, man sprach aber auch von dem schändlichen Verrat am Kaiser und an der katholischen Religion. Beweise für einen Verrat Wallensteins fanden sich jedoch nicht. Hätte sie es gegeben, so wären sie sicherlich von denen vernichtet worden, die dadurch belastet worden wären.
Nach Wallensteins Tod gewann die kaiserliche Partei die militärische Initiative zurück. Regensburg wurde zurückerobert, Nördlingen belagert, und das protestantische Heer unter Bernhard von Weimar und General Horn, das zum Entsatz herbeieilte, wurde von den kaiserlichen und spanischen Truppen in einer zweitägigen, außerordentlich verlustreichen Schlacht fast völlig vernichtet. Dadurch fiel fast ganz Süddeutschland wieder in die Hand des Kaisers. Sachsen trennte sich daraufhin von Schweden und schloß mit dem Kaiser im Mai 1635 den Frieden von Prag, dem die meisten Reichsstände beitraten. Darin verzichtete der Kaiser auf die Durchführung des Restitutionsedikts und beließ die Besitzverhältnisse der geistlichen Territorien, wie sie 1627 gewesen waren. Die Reichsstände durften weder Truppen unterhalten noch Bündnisse schließen. Sogar die katholische Liga sollte aufgelöst werden. Eine Reichsarmee unter kaiserlichem Oberbefehl sollte die Durchführung des Friedens gewährleisten. Damit hatte der Kaiser einen großen Erfolg errungen. Er hatte zwar auf die Rekatholisierung und Wiederherstellung der säkularisierten geistlichen Besitzungen verzichtet; aber er hatte seine Position gegenüber den Ständen so sehr verbessert, daß man tatsächlich sagen kann, er habe »das Reich in eine Monarchie verwandelt«.

Der europäische Krieg: Frankreich und Schweden gegen Österreich und Spanien

Schweden war durch den Frieden von Prag in Bedrängnis geraten, da es ohne Hilfe der protestantischen deutschen Fürsten den Krieg nicht allein fortführen konnte. Da entschloß sich Richelieu endlich, offen in den Krieg einzugreifen. Damit wurde auch nach außen hin sichtbar, daß die Religion für die Bildung der kämpfenden Parteien eine immer geringere Rolle spielte und daß es sich in der Auseinandersetzung letztlich um einen Kampf zwischen den Dynastien der Habsburger und der Bourbonen um die Vormacht in Europa handelte. Staatsraison und machtpolitisches Kalkül, nicht mehr die Religion waren treibende Kräfte beim Schließen von Bündnissen.

Weißenburg wird belagert.
Ein Jahr vor Kriegsende wird die Reichsstadt von kaiserlichen Truppen eingeschlossen. Zeitgenössischer Kupferstich.

Es lohnt sich kaum, das verwirrende Hin und Her der verschiedenen Armeen zu verfolgen. Viele Truppenbewegungen werden nur verständlich, wenn man berücksichtigt, daß die Heere aus einem geplünderten und verwüsteten Land abziehen mußten, um an einem anderen Ort wieder Nahrung zu finden. Nach 1640 waren die schwedisch-französischen Heere meist erfolgreich, während die Macht der Habsburger ständig sank. Die Kriegsmüdigkeit erfaßte wohl auch die Herrschenden, die früher oder später erkennen mußten, daß die Probleme der Zeit nicht auf dem Schlachtfeld gelöst werden konnten. So sind die letzten Kriegsjahre von dauernden Verhandlungen über die Gestaltung des künftigen Friedens begleitet. Die Kämpfe wurden eigentlich nur weitergeführt, um durch militärische Erfolge die Verhandlungsposition zu stärken. Endlich – nach vier Jahren intensiver Friedensgespräche – wurde im katholischen Münster der Vertrag mit Frankreich und im protestantischen Osnabrück der Vertrag mit Schweden geschlossen – der Krieg war nach 30 Jahren zu Ende.

Nach dem Westfälischen Frieden: Das Reich – ein Monstrum?

Der Friede war nicht nur ein »ewiges und allgemeines Reichsgrundgesetz«, sondern zugleich ein Religions- und Völkerfriede, der das Zeitalter der Reformation und Gegenreformation und der spanischen Vormachtstellung abschloß und die Epoche des Absolutismus heraufführte, in der das »Konzert der Mächte« unter der Leitung Frankreichs die europäische Bühne beherrschte. Das deutsche Reich spielte dabei nur eine zweitrangige Rolle. Von der Machtfülle des Kaisers, die er im Frieden von Lübeck oder auch noch im Frieden von Prag besessen hatte, war kaum mehr als ein Schatten geblieben. Diese letzten Versuche des Kaisertums, eine zentralistische Gewalt zu errichten, waren gescheitert. Die staatliche Entwicklung vollzog sich für mehr als zwei Jahrhunderte in den großen deutschen Territorien, die als Sieger aus dem Krieg hervorgingen (siehe Seite 79).
Schwierig gestaltete sich die Entschädigung der am Kriege beteiligten auswärtigen Mächte. Schweden erhielt Vorpommern, die Insel Rügen, Wismar, Verden, Bremen und fünf Millionen Taler.
Mit diesen Besitzungen waren Sitz und Stimme im deutschen Reichstag verbunden. Frankreich erhielt die habsburgischen Besitztitel im Elsaß, die zum Sprungbrett für die fast hundertjährige Offensive der »Reunionen« wurden. Wenn auch der endgültige Niedergang der spanischen Macht erst im Pyrenäenfrieden – 1659 zwischen Frankreich

und Spanien geschlossen – offenbar wurde, so hatte Frankreich doch schon 1648 die »habsburgische Zange« aufgebrochen und ging nun von der Defensive zur Offensive über. Frankreich und Schweden waren als Garantiemächte des Friedens stets in der Lage, sich in die inneren Verhältnisse des Reiches einzumischen.

Die religiösen Streitigkeiten wurden so beigelegt, wie es der Augsburger Religionsfriede 1555 vorgesehen hatte (siehe Band 6); allerdings wurde nun auch der Calvinismus reichsrechtlich anerkannt. Für den Besitzstand der Konfessionen sollte 1624 das »Normaljahr« sein. Jeder Ort blieb also bei der Konfession, zu der er sich in diesem Jahr bekannt hatte. Die habsburgischen Erblande sowie die Oberpfalz waren davon jedoch ausgenommen. Alle Reichsorgane sollten paritätisch besetzt werden. In Religionsangelegenheiten sollten beide Konfessionen als geschlossene Körperschaften im Reichstag beschließen, wobei nur bei völliger Übereinstimmung der Beschluß wirksam würde.

Das Vertragswerk von 1648 ist häufig als der »tiefste Punkt in der deutschen Geschichte« bezeichnet worden. Man hat die »Aushöhlung der Reichsgewalt durch Übertreibung der Libertät« gescholten und Pufendorf zitiert, der das Reich als einen »monstrumähnlichen Körper« bezeichnet oder auf Voltaire verwiesen, der gesagt hat, es sei weder heilig

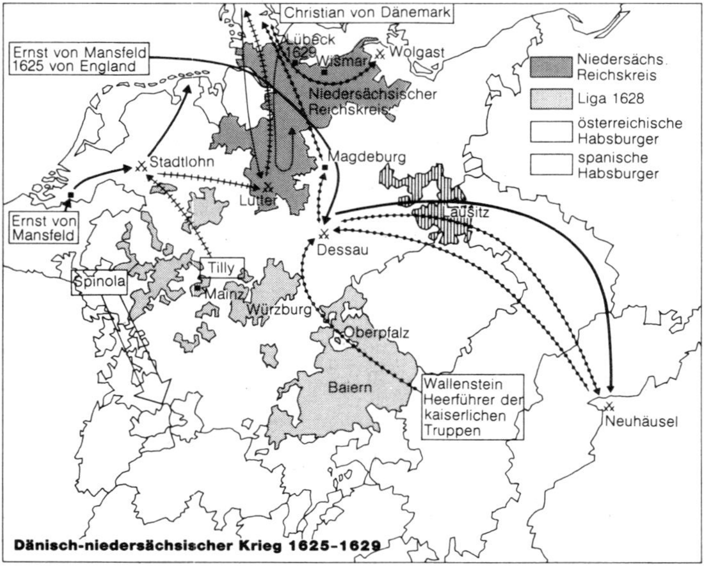

Dänisch-niedersächsischer Krieg 1625-1629

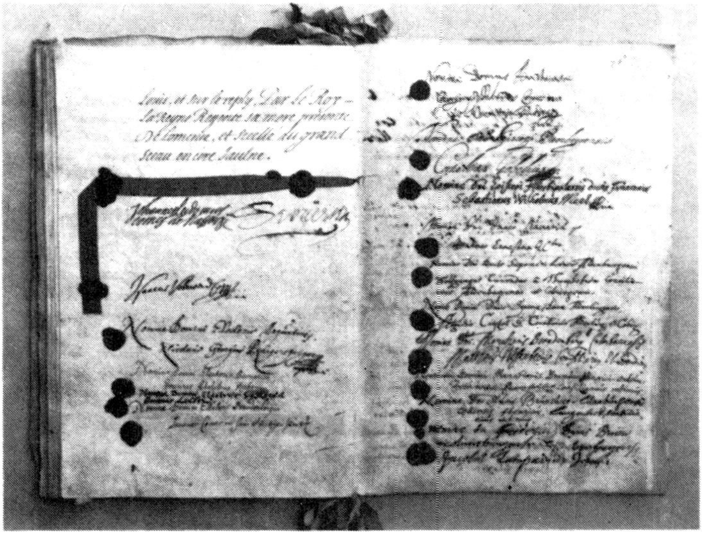

Brief und Siegel auf den Frieden. *Die beiden letzten Seiten des Friedensdokuments mit den Unterschriften der Gesandten. Wien, Österreichische Nationalbibliothek.*

noch römisch noch überhaupt ein Reich. Diesem negativen Urteil wird heute nicht mehr ganz beigestimmt. Sicher: der Kaiser konnte die Politik der großen Territorien nicht mehr beeinflussen; Österreich und im Laufe der Zeit auch Brandenburg-Preußen wuchsen immer mehr über den Reichsverband hinaus. Aber das Reich war immer noch der Rahmen, in dem die große Zahl der mittleren, kleinen und kleinsten Reichsglieder eineinhalb Jahrhunderte ihre politische Heimat hatte. Hier entwickelte sich die unendlich vielfältige Welt des Barock, hier sorgte der Kaiser für Recht und Frieden. Nur wer die Macht eines Staates zum alleinigen Kriterium der Beurteilung macht, kann übersehen, daß das Reich immer noch ein lebendiger Organismus war, der seinen Gliedern ein Höchstmaß an Individualismus zubilligte, und in dem seine Bewohner bestimmt nicht unglücklicher gelebt haben, als in Staaten, deren Macht eine expansive Politik erlaubte. Daß das Reich in Stunden der Gefahr auch noch zu militärischen Leistungen fähig war, beweist nicht zuletzt die Befreiung Wiens von den Türken (siehe Seite 210 ff.), an der Reichstruppen einen wesentlichen Anteil hatten.

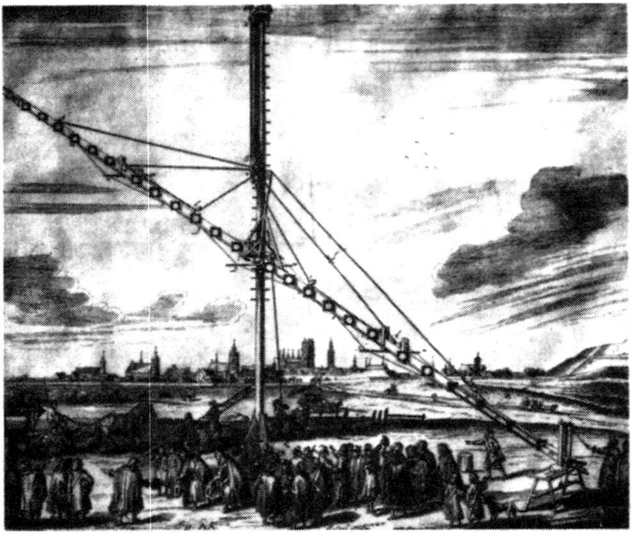

Forschung im Krieg. *Johannes Hevelius, bedeutender Astronom, erzielte mit seinem hier abgebildeten Luftfernrohr Erkenntnisse über Mondphasen, Sonnenflecken und Kometenbahnen.*

Der Dreißigjährige Krieg hatte – ebenso wie alle vorhergehenden und nachfolgenden – großes Leid und Elend über viele Beteiligte oder Betroffene gebracht. Er war begleitet von Konfiskation, Einquartierung, Kontributionen und anderen drückenden Lasten, von Zerstörung, Verwüstung, Plünderung, Mord, Hunger und Seuchen. Daß die zeitgenössischen Berichterstatter in ihm ein beispielloses Ereignis sahen, ist verständlich. Lange haben die Geschichtsschreiber die erschütternden Einzelberichte der Chronisten verallgemeinert, und so entstand das herkömmliche Bild dieses Krieges, dem angeblich die Hälfte der deutschen Bevölkerung zum Opfer gefallen sein und der einen totalen wirtschaftlichen, kulturellen und moralischen Verfall mit sich gebracht haben soll. Beim Fehlen umfassender zeitgenössischer Statistiken ist es natürlich sehr schwer, einigermaßen zutreffende Aussagen über das Ausmaß der Schäden und Verluste an Mensch, Vieh und Besitz zu machen. Überdies schwankte der Grad der Betroffenheit von Ort zu Ort sehr stark. Es gab Gegenden, die immer wieder verwüstet wurden – z. B. die Rheinübergänge bei Breisach und Wesel, die Ebenen von Bra-

bant und Leipzig, die großen Heerstraßen an Donau, Main und Rhein – aber es gab auch weite Gebiete, die selten oder kaum von Kriegshandlungen betroffen wurden. Zudem waren die Heere relativ klein, und während des Winters herrschte häufig Waffenruhe. Die Verluste auf dem Schlachtfeld waren zahlenmäßig gering. Teile der unterlegenen Truppen wurden häufig von den Siegern in ihre Dienste genommen. Schlimmer waren die Verluste durch Seuchen – Beulenpest, Typhus, Geschlechtskrankheiten –, aber diese epidemisch auftretenden Krankheiten hatten auch in früheren Jahrhunderten regelmäßig das Land heimgesucht und zu keinem nachhaltigen Bevölkerungsrückgang geführt. Wenn ganze Landstriche verödet erschienen, so war oft die Flucht der Bevölkerung in die sicheren Städte die Ursache. Agrarhistoriker konnten nachweisen, daß viele Wüstungen, für die man früher den Krieg verantwortlich gemacht hatte, schon auf das 14. oder 15. Jahrhundert zurückgehen. Auch nach dem Krieg verödeten noch Dörfer, weil ihre Bewohner in die Städte zogen, die ihnen wesentlich bessere wirtschaftliche Möglichkeiten boten.
Die meisten Großstädte hatten während des Krieges nie einen feindli-

Stichworte zum Dreißigjährigen Krieg 1618–1648

Spannungen und Gegensätze: Die Dynastien Habsburg und Bourbon strebten nach der Vorherrschaft in Europa; die Niederlande kämpften um ihre religiöse und politische Freiheit; im Deutschen Reich standen sich die protestantische und die katholisch-kaiserliche Partei feindselig gegenüber.
Erste Phase des Krieges: Prager Fenstersturz, Wahl des calvinistischen Kurfürsten Friedrich V. von der Pfalz zum böhmischen König; Ringen zwischen der protestantischen Union und der katholischen Liga (Böhmisch-pfälzischer Krieg 1618–1623).
Zweite Phase: Nach der Niederlage der Protestanten übernahm der dänische König als Oberst des niedersächsischen Kreises im Niedersächsisch-dänischen Krieg (1625–1629) deren Führung. Sieg der katholischen Partei; Restitutionsedikt (1629) zur Machterweiterung des Kaisers.
Dritte Phase: Der schwedische Krieg (1630–1635), hauptsächlich von Gustav II. Adolf und Wallenstein geprägt. Nach deren Tod griff Frankreich aktiv in den Krieg ein (Schwedisch-französischer Krieg 1635–1648). Kampf um die Vorherrschaft in Europa bzw. im Ostseeraum.
Ende des »spanischen Zeitalters«: Frankreich wird politisch und kulturell die erste und einzige Vormacht in Europa.

chen Soldaten innerhalb ihrer Mauern gesehen. Hamburg war um die Mitte des 17. Jahrhunderts die wohlhabendste deutsche Stadt; andere Nord- und Ostseehäfen konnten wenigstens zeitweise ihren Handel stark ausweiten. Nürnberg gründete 1621 den »Banco Publico«, handelte trotz Krieg erfolgreich mit Musikinstrumenten, Uhren und Spielzeug und besaß mit dem Verlagshaus Endter die größte Druckerfirma im Reich. Selbst in den Zentren des Kriegsgeschehens können wir erstaunliche Beweise des Lebenswillens und der Tüchtigkeit der Bevölkerung erkennen. Leipzig wurde 1631 von Tilly geplündert, 1632 von Wallenstein besetzt, 1633 von General Holk beschossen, 1637 von Banér belagert und 1642 bis 1650 von den Schweden besetzt gehalten. Drei große Schlachten wurden in unmittelbarer Nähe geschlagen: 1631 und 1642 bei Breitenfeld und 1632 bei Lützen. Überdies wurde 1637 die Stadt von einer verheerenden Pestepidemie heimgesucht, und trotzdem geht Leipzig aus dem Krieg als das deutsche Handelszentrum schlechthin hervor, wo sich alljährlich zweimal bei den Messen Groß- und Einzelhändler aus ganz Europa treffen.
Auch das Verschwinden renommierter alter Handelshäuser und eine Häufung von Konkursen ist noch kein Beweis für einen allgemeinen wirtschaftlichen Niedergang. Heereslieferanten, Spekulanten und Generäle hatten dafür ungeheuere Gewinne gemacht. Neben der Zerstörung ist eine grundlegende Umschichtung des Besitzes offensichtlich. Während die kleinen und mittleren Bauern oft heftig zu leiden gehabt

Literatur

Diwald, Hellmut: Wallenstein, München/Esslingen 1969

Franz, Günther: Der Dreißigjährige Krieg und das deutsche Volk. Untersuchungen zur Bevölkerungs- und Agrargeschichte (Quellen und Forschungen zur Agrargeschichte. Hrsg. von Friedrich Lütge u. a., Bd. VII), Stuttgart 1961

Jessen, Hans (Hrsg.): Der Dreißigjährige Krieg in Augenzeugenberichten, München 1971

Lammert, Gottfried: Geschichte der Seuchen, Hungers- und Kriegsnot zur Zeit des Dreißigjährigen Krieges, Wiesbaden 1971 (Unveränderter Neudruck der Ausgabe von 1890)

Langer, Herbert: Kulturgeschichte des Dreißigjährigen Krieges, Stuttgart 1978

Mann, Golo: Wallenstein, Frankfurt/Main 1974

Philippson, Martin: Geschichte des Dreißigjährigen Krieges, Berlin o. J.

Wedgwood, Cicely Veronica: Der Dreißigjährige Krieg, München 1971

hatten, konnten Großgrundbesitzer ihren Besitz auf deren Kosten vergrößern.

Die teils etwas übertriebenen Hinweise auf kulturellen und moralischen Niedergang lassen sich am Beispiel des literarischen und künstlerischen Schaffens am ehesten widerlegen. In einer Reihe von Städten entstanden Sprachgesellschaften, die sich um die Pflege der deutschen Sprache und Dichtung bemühten; Martin Opitz verfaßte 1624 das »Buch von der Deutschen Poeterey«; bedeutende Lyriker, wie Georg Rudolf Weckherlin, Simon Dach, Paul Gerhardt, Friedrich von Spee und die Dichter der schlesischen Dichterschule bezeugen reges literarisches Leben. 1627 komponierte der Dresdner Hofkomponist Heinrich Schütz, ein Schüler Claudio Monteverdis, die erste deutsche Oper. In Frankfurt schuf der Kupferstecher Matthäus Merian seine »Topographia Germaniae« und begründete das »Theatrum Europaeum«, ein Jahrbuch für anspruchsvolle Leser. Diese Beispiele sollen die negativen Folgen des Krieges keineswegs verkleinern; dafür aber eine differenzierte Betrachtung der äußerst vielschichtigen und zeitlich wie örtlich in ihren Auswirkungen höchst unterschiedlich wirkenden Ereignisse ermöglichen.

MARGARETE SCHWIND

Die deutschen Territorien nach dem Dreißigjährigen Krieg

Friedensfrüchte für Hoch und Nieder – Territoriale Zugewinne und verfassungsrechtliche Vorteile für die Fürsten – Interessenkonvergenz der ausländischen Partner und Fürsten – Schweden und Frankreich, Sieger aus dem Ausland – Sachsen, Brandenburg und Hannover – Die Reichsverfassung: des Reiches oder der Fürsten Herrlichkeit?

In summa, es war bei diesem Friedensactu unter hohen und niederen Stands-Personen eine unglaubliche Freude verspürt, also das ihrer viele darob geweint« vermelden die Zeitungen nach den Friedensschlüssen von Münster und Osnabrück 1648 und beschreiben damit ganz treffend Erleichterung und Freude darüber, daß der lange Krieg zu Ende war. Nach den Bedingungen fragte man noch nicht. Denn das Land war ausgeblutet, der Kriegsbrand hatte »Äcker, Reben, Wiesen, Wälder und alles Gepflanzte gefressen, daß, da zuvor die lieblichste und erfreulichste Gegend gewesen und alles dermaßen gestanden, daß es einen anlachen mögen, hernach solch einen Anblick gewonnen, der einen erschreckt und in die Gedanken bringen mögen, Bären und Wölfe hätten allda Wohnung«, wie Pfarrer Johann Georg Dorsch in Bad Peterstal im Schwarzwald seiner Gemeinde in diesen Tagen predigte.

Und er hatte dabei nicht übertrieben: Weite Gebiete waren furchtbar verwüstet, in Hauptzerstörungsgebieten war die Bevölkerung um 50 bis 70 Prozent dezimiert. Insgesamt war die Bevölkerungszahl in Deutschland von zirka 16,5 Millionen 1618 auf 10,5 Millionen 1648 gesunken. Südwestdeutschland rechts und links des Oberrheins, Württemberg, die Pfalz, Franken, Hessen, Thüringen, die Gebiete an der Mittelelbe, Brandenburg, Pommern – ein verwüsteter und ruinierter Landstreifen von der Ostsee bis zu den Vogesen!

Der Bauernstand, der einen Großteil der Kriegskosten zu tragen gehabt hatte, war durch die hohe Steuerlast total verarmt und seiner Existenzgrundlage weitgehend beraubt. Seine Äcker waren verwüstet, seine Rücklagen aufgebraucht, die Vorräte verzehrt. Sold und Verpflegung für die durchziehenden Soldaten hatten alles verschlungen. Mißernten , Seuchen und die seit Beginn des Jahrhunderts auf 50 Prozent

sinkenden Agrarpreise hatten die Bauern an den Rand ihrer physischen Existenz getrieben. Gras und Kadaver mußten vor dem Verhungern helfen – und das nicht nur in Deutschland, sondern übrigens auch in Frankreich. Dagegen waren die Preise für andere Güter im Krieg um 150 Prozent angestiegen, der Markt für bäuerliche Produkte eng geworden.
Bauern sanken zu Taglöhnern ab, Kriegsgewinnler kauften billiges Land auf, vermehrten ihren Grundbesitz und trugen zur Erstarrung des Wirtschaftslebens bei.

Verlierer und Gewinner

Auch mehr oder weniger wohlhabende Stadtbürger hatte es getroffen, denn sie mußten ebenfalls mit ihren Steuern die endlosen Kriege finanzieren. Ihre Städte waren in Brand gesteckt worden, darunter so bedeutende wie Magdeburg oder Prag. Schlimmer noch waren die Plünderungen gewesen und die Quälereien, die der Stadtbevölkerung von den durchziehenden Soldaten zugefügt worden waren. Nur wenige Städte schafften es, den Krieg unbeschadet zu überstehen. Durch eine geschickte Neutralitätspolitik, Zahlungen an schwedische Feldherren und Geschenke größeren Umfangs gelang es beispielsweise Oldenburg, unversehrt aus dem Krieg hervorzugehen – seine Pferdeschenkungen waren allerdings auch bis Wien und London berühmt.
Vertreibung und Massensterben, Flucht und Hunger hatten jahrzehntelang das Land beherrscht. Vertriebene irrten auf der Suche nach Nahrung und Wohnung durch das Land, mitunter Banden bildend. Polizei und hilflose Behörden konnten sie daran nicht hindern – und nun sollte auf einmal Frieden sein.
Die Herren wollten dies gehörig feiern: In Nürnberg tischte man deshalb den Fürsten und ihren Gesandten, den kaiserlichen Abgesandten, den Herren Grafen und zuletzt auch einigen vornehmeren Vertretern der Städte ein Friedensmahl auf, das vom Umfang und der Güte der dargebotenen Speisen her überwältigend war. Da gab es Suppen und Vorspeisen, gebratene Vögel und Wildbret, Fische, Pasteten und Gartenfrüchte auf silbernen Schüsseln. Zu jedem Gang trug man sage und schreibe »hundertfünfzig Speisen auf, welche alle auf das herrlichste und köstlichste zugerichtet waren«, wie der Chronist staunend berichtet. Zu Tische saßen die Gewinner des Krieges, feierten den Frieden und vor allem die Friedensbestimmungen. Denn diese sahen für viele von ihnen sehr positiv aus. Besonders für den Aufstieg Brandenburg-Preußens zum Großstaat waren die Bestimmungen des Westfälischen

Das Theatrum Europaeum schildert das Friedensfest in Nürnberg 1648

Nachdem der Herr Generalissimus Pfalzgraf Carl Ludwig den Friedensschluß von Münster durch einen von beiden Seiten unterschriebenen Interimsrezeß bestätigt, verschiedene Regimenter entlassen, viele Plätze geräumt und so den Dreißigjährigen Krieg nach und nach erfreulich geendet, hat er sich entschlossen, den Herren Angesandten ein Friedensmahl anzurichten und nächst schuldiger Danksagung für die göttlichen Gnaden den hochbesagten Herren Gesandten allermöglichste und Liebe zu erweisen und sie wohlmeinend zu versichern, daß man auf schwedischer Seite begierig sei, das Deutsche Reich in friedlichem Wohlstand und in langhergebrachter Freiheit zu hinterlassen.

Zu solchem Vorhaben ist der große Saal auf dem Rathaus zu Nürnberg als der geräumigste und bequemste Ort ausersehen und auf das Begehren seiner Hochfürstlichen Durchlaucht hin von einem edlen Rat zu besagter Mahlzeit mit aller Zubehör willigst überlassen worden. Auch sind dort alsobald drei große Kücher aufgerichtet worden. Dieser Saal ist sehr hochgewölbt, mit goldenen Rosen, Laub- und Malwerk verziert und zu diesem Friedensfest mit vielen großen Wandleuchtern, absonderlich aber mit drei großen Kronen zwischen Fruchtgehängen geziert worden, in die man dreißig Arten von Blumen und Früchten sowie Flittergold eingebunden hatte. An den vier Ecken hat man vier Chöre mit der Musik und dazwischen zwei Schenkstellen mit aller Zubehör angeordnet. Auch waren Küche und Keller mit aller Notdurft bestens versehen.

Die Herren Gäste sind gewesen: I. Die Herren kaiserlichen Abgesandten und seine Kurfürstliche Durchlaucht, der Herr Pfalzgraf zu Heidelberg [...]. II. Die Herren kurfürstlichen Abgesandten [...]. III. Die fürstlichen Personen, welche in Nürnberg anwesend waren [...]. IV. Die fürstlichen Herren Abgesandten. V. Die Herren Grafen, welche sich zur Zeit in Nürnberg aufhielten, und VI. die Herren städtischen Gesandten, unter ihnen auch die beiden ältesten Herren des edlen Rats der Stadt Nürnberg.

Am Dienstag, dem 25. September 1649, sind alle Herren nach 12 Uhr erschienen und haben sich in verschiedenen Zimmern versammelt. Nachdem man die Sitzordnung genau geprüft hat, bat der Herr Hofmarschall erst die städtischen Herren, dann die Grafen, die fürst- und kurfürstlichen Gesandten, wie auch endlich Ihre Exzellenz Generalleutnant Herzog von Amalfi und seine Kurfürstliche Durchlaucht in den Saal und stellte sie in der gleichen Ordnung auf, wie sie sitzen sollten, so daß nach dem Gebet jeder seinen Platz einnehmen konnte.

Während man das Handwasser in fünf silbernen Kannen und Becken herumreichte, haben die Musikanten das Tedeum und andere Psalmen und Loblieder gesungen, besonders auch den Gesang der Engel bei der Geburt des Friedensfürsten: Ehre sei Gott in der Höhe. Auf der Tafel standen zwei große Schaugerichte und zwischen denselben ein Springbrunnen mit Rosenwasser, das durch die Luft in die Höhe getrieben wurde. Jede Tafel war vierzig Schuh lang. Der erste Gang bestand in köstlichen Suppen, Olipatriden [Mischgericht aus verschiedenen

Fleischsorten und Gemüsen] und allerhand gekochten Speisen. Der zweite Gang bestand aus gebratenen Vögeln und Wildbret, der dritte aus Fischen und der vierte aus Pasteten. Bei jedem Gang wurden hundertfünfzig aufs beste zugerichtete Speisen aufgetragen. Der fünfte Gang bestand aus Gartenfrüchten, die teils in silbernen Schüsseln gereicht wurden, teils aber an lebenden Bäumen hingen, die man auf die Tafel setzte. Zwischen den Blättern aber hing Räucherwerk, das einen wunderbaren Geruch verbreitete, so daß nicht nur der Mund mit niedlichster Speise und Getränk, das Ohr mit lieblichem Getöne, das Auge mit sinnigen Schaugerichten, sondern auch der Geruch mit angenehmem Duft belustigt wurde. Dann hat man die Tafel abgedeckt, danach mit Tellern und Servietten neu gerichtet und mit allerhand in Zucker eingemachten Blumen bestreut. Danach folgte der sechste Gang, bestehend in Zuckerwerk, Konfekt und Marzipan in zwei großen Marzipanschalen, jegliche zwanzig Mark Silbers schwer. Dies wie auch alle anderen Gedecke waren mit schönen Blumen geziert und aufs prächtigste anzuschauen [...]. Christlich und hochlöblich ist es, daß man bei solchem Friedensmahl auch die Armen nicht vergessen, sondern unter dieselben zwei Ochsen nebst vielem Brot ausgeteilt hat.

Aus: Theatrum Europaeum Teil VI (vgl. dazu die Schlußbemerkung zu »Schlacht am Weißen Berg«, S. 29).
Sprachlich modernisiert

»Freud- und Friedebringender Postreuter«.
Alle Welt – auch Wien und Paris – soll die frohe Kunde hören, daß endlich Friede ist. Flugblatt von 1648.

Friedens ein wichtiger Meilenstein (siehe dazu auch das entsprechende Kapitel in diesem Band). Brandenburg bekam nicht nur Hinterpommern (das Schweden allerdings erst einige Jahre später abtrat), sondern dort auch das Reichsbistum Cammin, außerdem das Reichsbistum Halberstadt und Minden. Zusätzlich sollte 1680 noch das Erzbistum Magdeburg an Brandenburg übergehen. Damit war das Gebiet Brandenburgs westlich bis zur Saale und zum Harz erweitert, östlich dehnte es sich nun von der Oder bis in die Nähe der Weichselmündung aus. Allerdings hingen die Gebiete nicht zusammen, der Territorialstaat hatte noch keine flächendeckende Gestalt.
In den kommenden Jahrzehnten war die Politik aller preußischen Herrscher von der Notwendigkeit bestimmt, das Staatsgebiet zu arrondieren. Militärische Aktionen, aber auch geschickte Verhandlungsführung waren dabei ihre Mittel, Vorbild in gewisser Weise der Große Kurfürst Friedrich Wilhelm (1640–1688), dem es in den Friedensverhandlungen gelungen war, da Gebietszugewinne zu erzielen, wo auch Schweden große Interessen angemeldet hatte. Aber da Frankreich ein

Samuel Pufendorf beschreibt 1667
die Reichsverfassung nach dem Westfälischen Frieden

Es bleibt also nichts übrig, als Deutschland, wenn man es nach den Regeln der Politik klassifizieren will, einen unregelmäßigen und einem Monstrum ähnlichen Staatskörper zu nennen, der sich im Laufe der Zeit durch die träge Nachgiebigkeit der Kaiser, durch den Ehrgeiz der Fürsten und die Ruhelosigkeit der Pfaffen aus einer Monarchie zu so einer ungeschickten Staatsform umgestaltet hat. Jetzt ist daher Deutschland weder eine Monarchie, auch nicht einmal eine beschränkte, wenn auch in gewisser Beziehung der äußere Schein darauf hindeutet, noch auch, genau genommen, eine aus mehreren Staaten zusammengesetzte Föderation, sondern vielmehr ein Mittelding zwischen beiden. Dieser Zwitterzustand aber verursacht eine zehrende Krankheit und fortwährende innere Umwälzungen, indem auf der einen Seite der Kaiser nach Wiederherstellung einer monarchischen Herrschaft, auf der anderen die Stände nach völliger Unabhängigkeit streben. Und wie es die Natur aller Degenerationen ist, wenn sie einmal von dem ursprünglichen gesunden Zustand abgewichen sind, in schneller Entwicklung und gleichsam von selbst sich dem anderen Extrem zu nähern, während sie sich nur unendlich schwer auf ihre Urform wieder zurückführen lassen [...] so wird Deutschland ohne die erschütterndsten Bewegungen und eine gänzliche Verwirrung aller Verhältnisse sich nicht wieder in die Form einer Monarchie zwängen lassen, sondern es nähert sich mehr und mehr der Verfassung eines föderativen Staatssystems; und wenn von der gegenseitigen Renitenz [d. h. Widersetzlichkeit] des Kaisers und der Stände abgesehen wird, so ist es in der Tat schon jetzt eine Föderation von Bundesgenossen ungleichen Rechtes, indem die Stände die Hoheit des Kaisers gebührend anzuerkennen und zu ehren haben [...].
Wir werden demnach der Wahrheit am nächsten kommen, wenn wir sagen, Deutschlands Verfassung nähert sich der einer Föderation, in der ein mit monarchischem Scheine ausgestatteter Fürst als Bundesoberhaupt eine hervorragende Stellung einnimmt, daß aber diese Bundeskörperschaft von schweren Krankheiten heimgesucht wird.

Aus: »Über die Verfassung des Deutschen Reiches« von Samuel Pufendorf (siehe Porträt, Seite 85).
Übertragung aus dem Lateinischen von Harry Breslau

Fest für Diplomaten. *1649 rückten die Truppen ab. Es wurde gefeiert: Schweden lud die »gesamten hochansehnlichen Abgesandten« nach Nürnberg zu einem opulenten Mahl. Kupferstich von 1649.*

allzu starkes Schweden befürchtete, konnte der Große Kurfürst diese Rivalität der beiden Führungsmächte für eigene Ziele ausnützen.
Große territoriale Zugewinne machte auch Kursachsen, denn es erhielt die Markgrafschaften Ober- und Niederlausitz zugesprochen, die bisher wie Mähren und Schlesien zur böhmischen Krone gehört hatten. Hartzburg und Schwerin fielen an Mecklenburg.
Baiern bekam nun endgültig die Oberpfalz zugestanden und die rheinische Pfalz (die sogenannte Unterpfalz), deren Besitzer, der Sohn des Winterkönigs, Pfalzgraf Karl-Ludwig, noch zu allem Überfluß mit einer neugeschaffenen achten Kurwürde ausgestattet wurde.
Auch die Territorialherren von Württemberg, Hessen und Braunschweig-Lüneburg setzten kleinere Gewinne durch. Der Landgraf von Hessen-Kassel, während des Krieges ein treuer Handlanger schwedischer Interessen, wurde auf Fürsprache Schwedens hin entsprechend belohnt: Er bekam die wohlhabende Reichsabtei Hersfeld und jährlich 600 000 Reichstaler als Wiedergutmachung. Um den Bedürfnissen Braunschweig-Lüneburgs entgegenzukommen, vereinbarte der Kon-

greß, daß das Reichsbistum Osnabrück jeweils abwechselnd von einem katholischen Bischof und einem evangelischen Prinzen aus dem Hause Braunschweig besetzt werden sollte – ein seltenes Kuriosum!

Aus den Territorien werden souveräne Staaten

Weitaus einschneidender, und für die Zukunft des Deutschen Reiches prägend, waren jedoch in erster Linie die verfassungsrechtlichen Bestimmungen des Westfälischen Friedens. Sie erhoben nämlich mit einem Schlage die Fürsten zu völlig souveränen Herrschern, denen ein

Partikularismus

(von lat. particula = das Teilchen) ist spätestens seit dem Zerfall des Karolingerreichs ein wesentliches Kennzeichen deutscher Geschichte. Mit Partikularismus bezeichnet man im Mittelalter und in der frühen Neuzeit das Streben einzelner Stämme, Herzogshäuser oder Landesfürsten nach politischer Unabhängigkeit vom Reich, nach militärischen, politischen und sonstigen Sonderrechten. Dabei werden (im Unterschied zum neuzeitlichen Föderalismus) die Sonderinteressen fast immer über die politischen Notwendigkeiten des Gesamtreichs gestellt und ohne Rücksicht auf übergeordnete Reichsinteressen durchzusetzen versucht. Partikularismus kann bis zum Streben nach völliger staatlicher Unabhängigkeit gehen; man nennt ihn dann Separatismus (von lat. separare = trennen).

Anders als beispielsweise in Frankreich, wo seit dem Hochmittelalter starke Königspolitik partikularistische Bestrebungen zurückdämmte, können sich im Deutschen Reich die Fürsten mehr und mehr durchsetzen. Sie tragen so dazu bei, daß sich Deutschland nie zu einem modernen Machtstaat entfalten konnte. Andererseits hielt der Partikularismus regionale und kulturelle Besonderheiten und Vielfalt am Leben, förderte sie und bildete sie weiter aus. Das Fehlen einer Reichshauptstadt z. B. geht auf das Schuldkonto des Partikularismus – die Existenz vieler landesherrlicher Residenzen, mit Meisterleistungen der Architektur, Malerei und Plastik ausgestattet, Zentren der Musik und der Wissenschaften, ist die andere Seite des Partikularismus.

Der neuzeitliche Föderalismus der Bundesrepublik Deutschland ist bemüht, einerseits traditionell gewachsene, regionale Eigenarten zu bewahren und ihnen einen individuellen Entfaltungsspielraum (vor allem materiell) zu sichern, sie andererseits aber in einem gesamtstaatlichen, übergreifenden Rahmen einzubinden.

eigenes Heer, eine eigenständige Außenpolitik und damit Bündnisse mit ausländischen Mächten und eine völlig selbständige Innenpolitik zugestanden wurde (sie durften – obgleich eingeschränkt – immer noch ihren Landeskindern die Religion vorschreiben – wem es nicht paßte, hatte nur das Recht auszuwandern, sofern er nicht vertrieben wurde, wie es 20000 Salzburger Protestanten widerfuhr!).
In dieser oft kritisch bewerteten und beklagten Tendenz zum *Partikularismus (K, Seite 71)* waren die Fürsten ja seit dem hohen Mittelalter ihre eigenen Wege gegangen. Nun hatten sie endlich Brief und Siegel darauf und konnten auf der Basis einer vertraglich garantierten, vollen staatlichen Souveränität ihre machtbestimmte Interessenpolitik verfolgen. Natürlich wurde ein Vorbehalt formuliert: Außenpolitische Bündnisse der Fürsten durften sich nicht gegen Kaiser und Reich, gegen die im Westfälischen Friedensvertrag niedergelegte Reichsverfassung oder gegen den allgemeinen Frieden richten. Jedoch hielten sich in späteren Jahren die Reichsfürsten (die sogenannten Stände) nicht immer an diese Einschränkungen. Die kleineren und kleinsten Territorien allerdings hatten von ihren neuen rechtlichen Freiheiten sehr wenig: Eigene Heere kosteten enorm viel Geld. Deshalb konnten sie auch als Bündnispartner außer vielleicht unverbrüchlicher Treue nur sehr wenig anbieten. Überhaupt war die Kapitalarmut für die zahlreichen Landesherren ein Handicap ersten Grades. Um ihr abzuhelfen, mußte nach und nach alles verkauft werden, was nicht niet- und nagelfest war; die schönsten Gold- und Silbergeräte der Renaissance stehen heute nicht zufällig in schwedischen Landschlössern. Nur die mittleren und größeren Reichsstände wie Baiern, Sachsen, Brandenburg und Hannover waren im eigentlichen Sinn die Nutznießer der Friedensbestimmungen.

Das Ende der alten Kaiserherrlichkeit

Den Kaiser banden die von den Fremdmächten mehr oder weniger »diktierten« Friedensbedingungen in allen halbwegs wichtigen Reichsangelegenheiten an die Zustimmung der Fürsten, die ihm gegenüber größtmögliche politische Bewegungsfreiheit zugestanden bekommen hatten. So blieben im Grund nur noch die geistlichen Fürsten, die weitgehend durch die Bestimmungen des Friedensschlusses zur Kasse gebeten und seit der *Säkularisation (K, Seite 73)* vor allem im Norden des Reiches ihrer Selbständigkeit beraubt worden waren, als königliche Bündnispartner. Geistliche Fürsten, zahllose kleine und kleinste Territorien, aber auch viele Reichsstädte, vornehmlich in Süddeutschland, schlossen sich nun ziemlich eng dem katholischen Kai-

Säkularisation

(lat.: saecularis = hundertjährig, weltlich)

Im weiteren Sinn bedeutet der Begriff die Verweltlichung religiöser Vorstellungen und Begriffe, wie sie sich im 18. und 19. Jahrhundert im Zuge der Emanzipation des Bürgertums allmählich entwickelte. Im engeren Sinn umschreibt er von staatlichen Instanzen und Institutionen geplante und durchgeführte Maßnahmen zur Veränderung kirchlicher Vermögensrechte: Enteignung und »Verstaatlichung« geistlicher Besitztümer, Verwendung von Kirchengut zu weltlichen Zwecken. Säkularisationen kannte man schon in der Antike und im Mittelalter (z. B. vergab Karl Martell seinen Kriegern Kirchengut als Lehen), jedoch wurden die Säkularisationen großen Stils erst in der Reformationszeit, im Rahmen des Westfälischen Friedens und während der Französischen Revolution durchgeführt. Reiche Besitztümer der geistlichen Fürsten (Fürstäbte, Fürstbischöfe, Erzbischöfe etc.) gingen an weltliche Besitzer über und stärkten deren politischen und wirtschaftlichen Einfluß im Reich.

serhaus an. Ihr politisches Gewicht hatte sich enorm verringert. Durch die Aufwertung der Landesfürsten war auch der Niedergang der Städte, der schon um 1550 eingesetzt hatte, endgültig besiegelt: Unmittelbare und damit unabhängige »Freie Reichsstädte« verlieren diesen Status und fallen ins Territorium des Landesherren, der nicht nur die Religionszugehörigkeit der Bürger diktiert, sondern auch die wirtschaftliche und kulturelle Entwicklung von seinem Willen abhängen läßt. Die Städte konnten nun lediglich im Schlepptau des Kaisers dessen zahlenmäßigen Anhang im Reich und auf dem Reichstag unterstützen. Um seiner Klientel mehr politisches Gewicht zu geben, kreierte der Kaiser bisweilen einfach neue Fürsten. So erhob er die Thurn und Taxis (siehe Porträt, Band 5) 1695/1754 in den Stand der Reichsfürsten. Letztlich konnte dies nicht verhindern, daß dem Kaiser eine echte Regierung im Reich völlig unmöglich gemacht war.
Er herrschte über den oft zitierten Flickenteppich – eine Unzahl zersplitterter Klein- und Kleinstterritorien, die bis zum Ende des 19. Jahrhunderts bestehen sollten, als politische Handlungseinheiten ungeeignet waren und von vielen schon bald als unerträglich empfunden wurden. Georg Büchner z. B. läßt 1835 in seinem Theaterstück »Leonce und Lena« Valerio ausrufen, er sei nun schon »durch ein Dutzend Fürstentümer, durch ein halbes Dutzend Großherzogtümer und ein paar Königreiche gelaufen, und das in der größten Übereilung in einem halben Tag«. Prinz Leonces Ländchen, das Reich Popo, ist so klein, daß

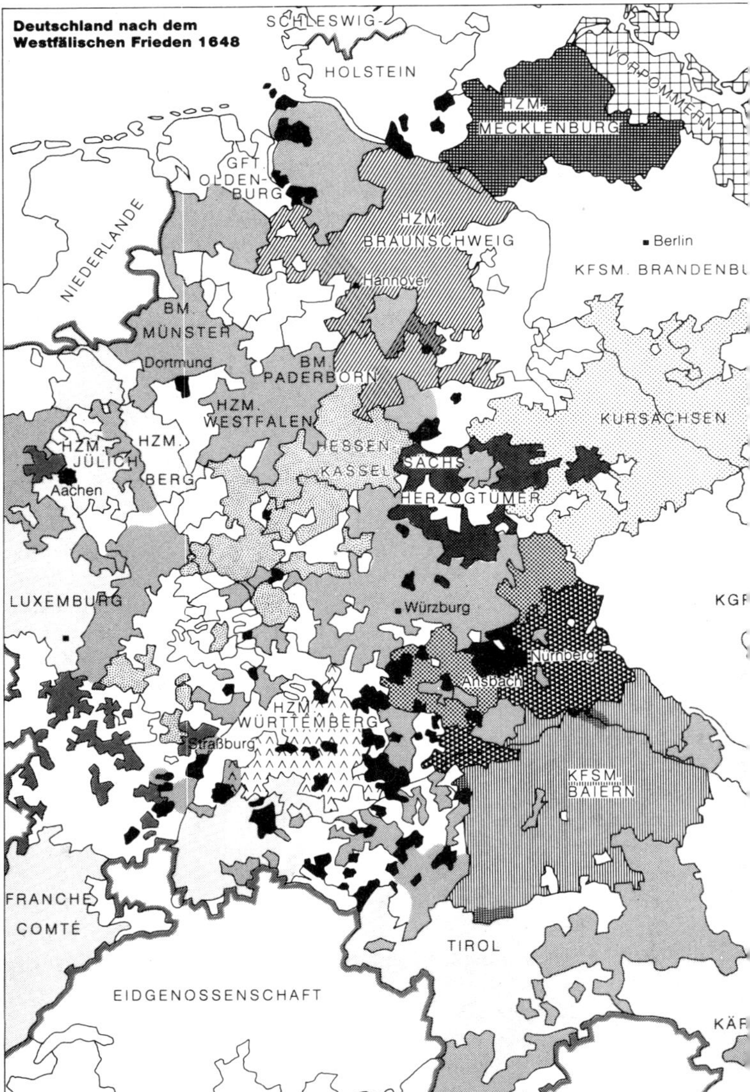
Deutschland nach dem Westfälischen Frieden 1648
SCHLESWIG-
HOLSTEIN
VORPOMMERN
HZM. MECKLENBURG
GFT. OLDENBURG
NIEDERLANDE
HZM. BRAUNSCHWEIG
Berlin
KFSM. BRANDENBU
Hannover
BM. MÜNSTER
Dortmund
BM. PADERBORN
HZM. WESTFALEN
KURSACHSEN
HZM. JÜLICH
HZM. BERG
HESSEN-KASSEL
SÄCHS. HERZOGTÜMER
Aachen
LUXEMBURG
Würzburg
KGF
Nürnberg
Ansbach
HZM. WÜRTTEMBERG
Straßburg
KFSM. BAIERN
FRANCHE COMTÉ
TIROL
EIDGENOSSENSCHAFT
KÄR

Bewertung der Bestimmungen.
»Was aber den Ausgang des Krieges angeht, wird er von den meisten als sehr erfreulich beschrieben, zum anderen aber für unzulänglich gehalten«, urteilte bereits 1699 der Historiker Arnold.
Die ärgsten Zweifler zitierten häufig das Sprichwort: »Mars gravior sub pace latet.« – Unter dem Frieden pflegt oft ärgerer Krieg zu lauern.
Dauerhafter Friede schien einem Häuflein hellsichtiger Zeitgenossen nur auf dem Grunde von Freundschaft der Menschen und Völker möglich. Erst dann – so träumten sie – würden Bauernhöfe reichlich sprießen und die betriebsamen Städte voll fleißiger Menschen sein, wenn die Güter in den Händen derer wären, die sie bewohnen und pflegen. Aber dies war Utopia.

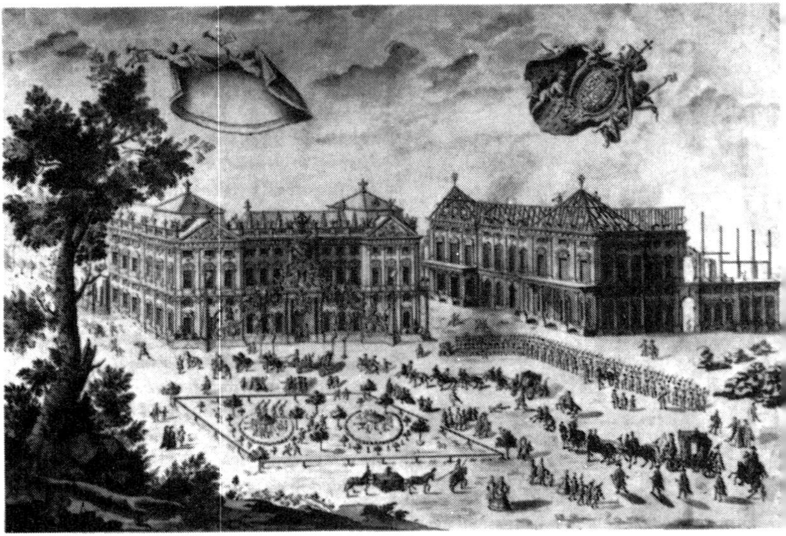

Schloßbau. *Die reichen Würzburger Fürstbischöfe aus der Familie Schönborn beauftragten Balthasar Neumann mit dem Bau ihrer Residenz. Federzeichnung von 1731.*

man von der Residenz aus ohne weiteres alle Grenzübergänge beobachten kann!
Eine gemeinsame Außenpolitik – etwa gegen den Nachbarn im Norden oder Westen – war einem derart zersplitterten Land nicht mehr möglich, zumal es den Fürsten ja eher um ihre eigenen Belange in ihren Territorien ging.

Die ausländischen Sieger

Genau das hatten die Nachbarstaaten des Deutschen Reiches im Sinn gehabt, als sie sich an den Verhandlungstisch setzten. Und damit außerdem ihren materiellen Vorstellungen Rechnung getragen werde, verlangten sie neben Geld auch noch Gebietsabtretungen: Schweden erhielt außer fünf Millionen Reichstalern das reiche Vorpommern, die wichtigen Ostseehäfen Stettin und Wismar, die Insel Rügen und das Territorium um Bremen – also die Kontrolle über die wichtigen deut-

schen Flußmündungen Elbe und Weser –, allerdings ohne die Hansestadt selbst. Schon 1709 verlor es Verden und Bremen an das expansive Haus Braunschweig-Lüneburg, Stettin fiel an Brandenburg.
Frankreich operierte geschickter: Es hatte durch den Westfälischen Frieden die Reichsbistümer Toul, Verdun und Metz und außerdem noch das habsburgische Ober- und Unterelsaß gewonnen. Dies war, verglichen mit der schwedischen Beute, recht wenig. Aber Frankreich nutzte die neugewonnenen Gebiete geschickt und schob systematisch seine Grenze allmählich an den Rhein vor. (Dem Deutschen Reich sollte nur von 1871 bis 1918 die Rückeroberung dieser Gebiete gelingen.) Außerdem standen Frankreich und Schweden – sie hatten sich offiziell als »Garanten des Friedens« anerkennen lassen – ständige Interventionsmöglichkeiten im Reich offen, von denen sie allerdings selten Gebrauch machen sollten. Auch die Niederlande und die Schweizer Eidgenossenschaft zogen Gewinn aus den Verhandlungen in Münster: Beide Staaten wurden nun ebenfalls rechtlich vom Deutschen Reich unabhängig, nachdem sie politisch schon lange eigene Wege gegangen waren.
Österreich hingegen, neben Baiern *die* Machtbasis der katholischen Liga (1609) im Kriege, blieb als Großmacht neben Frankreich und Schweden erhalten und ging Schritt für Schritt seinen Weg in Richtung Absolutismus – dies um so erfolgreicher, als die protestantischen Stände bald ausgeschaltet waren und die Königs- und Kaiserherrschaft von 1438 bis 1806 stets in den Händen der Habsburger lag. Die Residenzstadt Wien wurde allmählich heimliche Hauptstadt des deutschen Reiches.
Hauptaufgabe war die Türkenabwehr: »Wenn der Herrscher Österreichs zurückgedrängt oder auch nicht zum Kaiser gewählt wird, wird Deutschland bald zum Sklaven Frankreichs oder der Türkei herabsinken« – so formulierte Prinz Eugen 1682 den Anspruch Österreichs auf die Kaiserkrone. Er formulierte ihn teils als Menetekel, teils als Warnung. In Deutschland war die Macht der Habsburger in den Jahren nach 1648 allerdings gemindert. Aufs Ganze gesehen hatte das Deutsche Reich seine europäische Führungsrolle 1648 endgültig verloren; die Entwicklung der Geldwirtschaft war empfindlich gestört, die Handelswege zerstört, die Mündungen der großen Ströme in ausländischer Hand. Die damals festgelegte Reichsverfassung sollte bis zum Ende des alten Reiches, also bis 1803/06 gelten. Daß sie in veränderten sozialen und wirtschaftlichen Bedingungen sich als zu unflexibel und damit unbrauchbar erweisen würde, leuchtet unmittelbar ein. Die Erstarrung der Reichspolitik wurde unausweichliche Konsequenz: Kaiser und Reichstag versahen ihre Pflichten zunehmend wie Rituale.

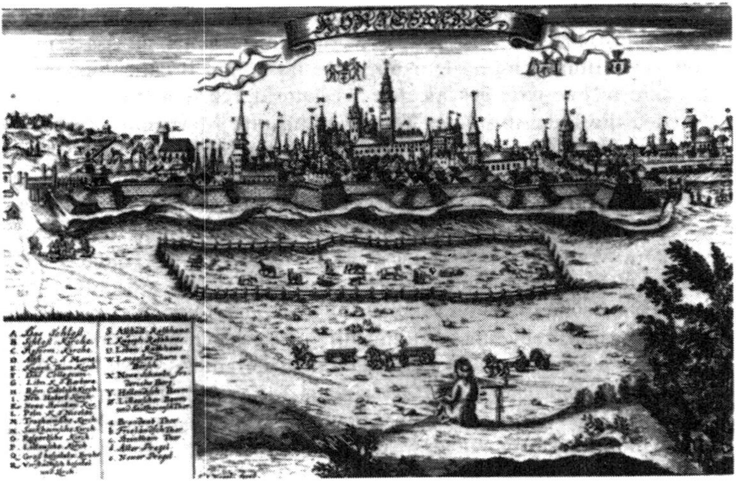

***Residenz und Reichsstadt.** Königsberg blühte schon 1525 als Residenz des Herzogs von Preußen auf (oben); die Freie Reichsstadt Gelnhausen (unten) stagnierte dagegen nach 1600 fast völlig.*

Sachsen-Gotha, Brandenburg und Hannover, Träger staatlicher Dynamik im Deutschen Reich

Dornröschenschlaf in den Kleinstaaten, Bewegung in den größeren – wenn man von Ausnahmen absieht, läßt sich der innenpolitische Zustand des Deutschen Reiches im 17. Jahrhundert sicherlich auf diese griffige Formel reduzieren. Und Bewegung, d.h. politische Tatkraft, war auch bitter nötig, wie am Beispiel Preußen zu sehen ist: hier war der territoriale Besitz verstreut, das landwirtschaftlich nutzbare Land (z.B. an der Unterelbe) wüst, sumpfig und unfruchtbar. Ein unübersichtliches Gewirr von Ländern, verschieden regiert, verwaltet und besteuert, verlangte dringend nach staatlicher Zusammenfassung, zumal das Finanzwesen überall gänzlich ungeordnet und die kurfürstlichen Einkommen so gering waren, daß man für den Unterhalt der Hofküche mitunter vom Magistrat borgen mußte.
Trotz aller ökonomischen Beschränktheit hatte man bei Hofe – und hier kann Preußen ruhig als Beispiel für die anderen landesherrlichen Zentren stehen – noch nicht gelernt zu sparen. Am Hof des preußischen Kurfürsten zu Königsberg wurden rund vierhundert Personen unterhalten, Nahrung und Kleidung selbstverständlich eingeschlossen. Fünfzig Leute hatten allein in der Hofküche, zehn im Weinkeller zu tun. Konditor und Hofmaler, Bettmeister, Leibschneider und Zeltmeister, Ärzte, Drechsler und Trompeter mit Gesellen und Hilfskräften hatten Tag und Nacht die Wünsche der Herrschaft zu erfüllen und mußten ihrerseits auch wieder bezahlt werden. Die kurfürstliche Kasse belastete besonders der zunehmende Konsum von importierten Luxusgütern; auf Ingwer und Safran, Pfeffer, Zimt, Muskat und Nelken wollte schon während des Dreißigjährigen Krieges keine Standsperson mehr verzichten. Und der Kurfürst – es muß wieder betont werden, daß er nur stellvertretend für seine Kollegen erwähnt wird – leistete sich 1641 einen Brillantring für 27000 Taler, obwohl die Kassen leer und die Schuldkonten hoch waren.
Neben dieser wirtschaftlichen Misere waren alle Territorien gleichermaßen von den Mängeln einer altmodischen, rückständigen Verwaltung betroffen. Spezialisten für bestimmte Ressorts wie Landwirtschaft, Bildung oder Finanzwesen gab es um 1650 nirgendwo. Die Zuteilung einzelner Angelegenheiten an landesherrliche Berater war dem Zufall und der Beliebigkeit überlassen. Daß ein Jahr später Graf Waldeck, ein Berater des Großen Kurfürsten, konkrete Vorschläge zur Reformierung der Verwaltung machte, kam einer kleinen Revolution gleich: Sitz der Entscheidungen sollte zukünftig das Kabinett sein, ein Geheimer Rat wurde zum ausführenden Verwaltungsorgan erklärt,

Französische Gartenkultur. *Abgezirkelte Linien, strenge Symmetrie und bewußter Verzicht auf allen Wildwuchs kennzeichnen den herrschaftlichen Park von 1750. Herrenhausen/Hannover, Schloßpark.*

eine eigene Kommission sollte sich um die zerrütteten Finanzen kümmern, Militär und Außenpolitik sollten zukünftig von Spezialisten fachmännisch geplant und geleitet werden.

Die Verhältnisse verdienen es, geändert zu werden

Auch in untergeordneteren Positionen waren überall Verwaltungsreformen bitter nötig, um die landesherrlichen Kassen allmählich wieder zu füllen. In Ämtern und auf Zollstationen war man bisher noch nicht daran gewöhnt, über Ein- und Ausgaben auch Buch zu führen. Abrechnungen mit höheren Stellen, Kontrollen und zentrale Kassen waren weitgehend unbekannt.
Auch die Ausbildung der Verwaltungsbeamten ließ kurz nach dem Großen Krieg fast überall noch zu wünschen übrig. Man vermehrte daher zielstrebig die Anzahl der Juristen, die sich im Römischen Recht exzellent auskannten und es anwenden konnten; denn es ging un-

gleich stärker als überlieferte germanische Rechtsformen von der zentralen Stellung des Landesherren und seiner unanfechtbaren Machtposition aus (siehe Band 5).
Im ganzen Lande befand sich das Militär unmittelbar nach dem Krieg in einer beklagenswerten Verfassung: Militärische Disziplin und Zucht waren angesichts der Notwendigkeit der Soldaten, auf eigene Faust die hungrigen Mägen zu füllen, stark in Vergessenheit geraten. Regelmäßiges Exerzieren, Drill und Übungen fanden schon lange nicht mehr statt. Das Bemühen der Landesherren ging in der Folgezeit besonders dahin, der organisatorischen und zahlenmäßigen Schwäche ihrer Heere abzuhelfen. Naturgemäß gelang dies den großen Territorialherren eher als den kleinen. In Brandenburg-Preußen stockte man die Heeresstärke von nur 8000 Mann 1660 auf ca. 30000 Mann 1688 auf; 1740 sollten schon 83000 und 1786 schließlich 188000 Mann unter Waffen stehen.
In den kleineren Territorien mußte man angesichts der vielseitigen und kostenaufwendigen Probleme meist kapitulieren. Selbst Kurfürst Ludwig von der Pfalz beispielsweise und Herzog Ernst der Fromme von Sachsen-Gotha (1620–1675) konnten, obwohl sie beide dynamische Persönlichkeiten waren, in den engen Grenzen ihrer Kleinstaaten wenig langfristig fruchtbare Arbeit leisten. Meist galt die Hauptsorge der Fürsten dem Aufbessern der zerrütteten Finanzen, insbesondere mit dem Ziel, durch Repräsentation und zur Schau gestellter Machtentfaltung den matten Glanz ihres Ansehens aufzupolieren. Vor allem hinsichtlich der beiden letztgenannten Ziele entwickelten sie eine rege Bautätigkeit (siehe Seite 286).
Neben Friedrich Wilhelm, dem Großen Kurfürsten, ragten noch Herzog Ernst der Fromme von Sachsen-Gotha und Herzog Ernst August von Braunschweig-Lüneburg (1692 Kurfürst von Hannover) hervor. Herzog Ernst erzielte bei der Reform des Schulwesens bahnbrechende Erfolge. 1697 wurde Kurfürst Friedrich August I. von Sachsen sogar König von Polen – hier kündigte sich eine Außenpolitik an, die auch Coburg-Gotha, lange eng liiert mit dem englischen Königshaus, verfolgte.
Stehendes Heer, zentrale Verwaltung und dynastische Machtpolitik – das waren die Hauptstützen erfolgreicher Politik in den großen Territorien. Daß die Maßnahmen Erfolg hatten, zeigte die Rolle, die gerade diese Länder auf der Bühne der europäischen Diplomatie und innerhalb des Deutschen Reiches in späteren Jahrhunderten spielen sollten. Nur: die Energie der Herrscher allein brachte diese Staaten nicht voran. Ohne die Tausende von Zuwanderern, die Geschick, Ehrgeiz und Elan mitbrachten, wäre beispielsweise Brandenburg-Preußen nie

der Aufstieg zur Großmacht gelungen. Aus religiösen Gründen wanderten 1699 ca. 2000 der in Frankreich als Ketzer bekämpften Waldenser nach Württemberg aus und machten hier große Gebiete landwirtschaftlich wieder nutzbar. Hugenotten kamen von Frankreich nach Preußen (20000) und nach Hessen, aus religiösen Gründen flohen Schweizer Katholiken in die Pfalz und das Elsaß, protestantische Schweden nach Vorpommern. Aber auch die Binnenwanderung darf nicht übersehen werden: ca. 150000 baierische, österreichische und pfälzische protestantische Emigranten wurden in Franken angesiedelt.
Nicht zuletzt trug der Bevölkerungszuwachs (1650: 10 Millionen, 1700: 15 Millionen in Deutschland) dazu bei, daß die Zerstörungen des Krieges nach und nach verschwanden.

Die Verfassungswirklichkeit im Deutschen Reich Versuch einer Bilanz

Eine kurzgefaßte Beschreibung der deutschen Territorien nach 1648 kann nur global ein paar Probleme umreißen, die überall nach Lösungen verlangten. Die Bedingungen dieser Lösungen hängen in allen

***Religiöse Toleranz,** Kennzeichen des aufstrebenden preußischen Staates. Am 30. April 1732 ziehen vertriebene Salzburger Protestanten durch das Hallesche Tor in Berlin ein. Zeitgenössischer Kupferstich.*

Territorien an personellen, religiösen, wirtschaftlichen, sachlichen, natürlichen und teilweise sogar die Mentalitäten berührenden Faktoren, die nur in umfangreicher Spezialliteratur befriedigend dargestellt werden können.

Leichter fällt dagegen die Beurteilung der Reichsverfassung, mithin also des allgemeineren rechtlichen Rahmens, in dem die Landesherren agierten. Die im Westfälischen Frieden aufgestellte Reichsverfassung hatte einige Grundsatzfragen offen gelassen und dem zukünftigen Reichstag, der 1654 zusammentrat, zur Lösung überantwortet. Dazu gehörten zentrale Fragen wie Kaiserwahl, Kreisverfassung, Reichssteuern und Reichsgerichte. Der Reichstag kam indes nie dazu, diese dringlichen Probleme zu lösen. In einigen Territorien dagegen war man schneller und regelte Teilbereiche alleine: Baiern, Anhalt und Brandenburg zum Beispiel fanden ohne Hilfe des »Reiches« einen Modus zur Entschuldung ihrer Grundbesitzer.

Für das Gesamtreich sollten langfristig die Bestimmungen der im Westfälischen Frieden festgelegten Reichsverfassung zerstörerische

Stadt und Land. *Noch im 17. Jahrhundert hielt man Schweine, Hühner und Vieh in den Städten; bäuerliche und städtische Lebensformen ähnelten sich noch. Am Rande Berlins gab es wie auch in anderen Städten Landwirtschaft.*

SAMUEL FREIHERR VON PUFENDORF

Wer sich an der Wende vom 17. zum 18. Jahrhundert für Politik, Geschichte und Staatslehre interessierte – und jeder gebildete Mensch nahm damals regen Anteil an diesen Fragen –, kannte sein Werk. Der Historiker und Staatsphilosoph, der heute fast vergessen ist, war zu Lebzeiten ein berühmter Mann. Seine kritische Schrift über die Verfassung des Deutschen Reiches, 1667 unter Pseudonym in Den Haag veröffentlicht, soll allein in Deutschland in über 300000 Exemplaren verbreitet gewesen sein!
Samuel Pufendorf wurde am 8. Januar 1632 als Sohn eines Pastors im sächsischen Dorfchemnitz geboren. Er wurde Professor für Natur- und Völkerrecht in Heidelberg und später im schwedischen Lund, dann Hofhistoriograph, also Geschichtsschreiber, im Dienst des Königs von Schweden und der brandenburgischen Kurfürsten.
Drei Jahrhunderte trennen uns von Pufendorfs Zeit und Werk, und doch wird hier Wissenswertes finden, wer die Geschichte der deutschen Nation von ihren Wurzeln her verstehen will. Das in Protestanten und Katholiken, geistliche und weltliche Landesherrschaften, Monarchien und Freistaaten zersplitterte, politisch wenig handlungsfähige Staatsgebilde erschien ihm wie ein »Monstrum«, dessen »Zwitterzustand« das Reich einer »zehrenden Krankheit« und »fortwährender innerer Umwälzung« auslieferte.
Das neuzeitliche Rechtsdenken ist von der Vorstellung geprägt, daß sich die Bindung des Menschen an Recht und staatliche Ordnung aus Vernunft und freiem Willen, aus der Natur des einzelnen ergibt. Indem Pufendorf das Naturrecht als Verpflichtung des einzelnen gegenüber dem Mitmenschen, also als soziale Verantwortung beschreibt, geht er weit über die Staatslehre seiner Zeit hinaus, die für eine Garantie größtmöglicher Freiheit eintrat, aber meist blind war für die soziale Aufgabe von Recht und Staat. Der streitbare Gelehrte, einer der bedeutendsten politischen Denker der Neuzeit, starb am 26. Oktober 1694 in Berlin. (C. R.)

Brauchtum und Fest.
Umzüge an Fastnacht gab es schon im 17. Jahrhundert.
Im Hintergrund: prächtige Augsburger Bürgerhäuser im Stil der Renaissance.

Folgen haben: Die Pflichten der Stände und Länder gegenüber Kaiser und Reich waren nämlich mit keinem Wörtchen festgelegt, dagegen waren ihre Rechte genau definiert und gesichert (siehe Seite 57 ff.). Ohne Heer, Finanz- und Verwaltungsbehörden konnte das Reich die Aufgaben eines modernen Machtstaates allerdings nicht erfüllen. Ideell jedoch schloß es bei aller ›realpolitischen‹ Schwäche die Nation zu einem politischen Körper zusammen. Nicht zuletzt ein kräftig entwickelter Reichspatriotismus und die Kaiserverehrung der Untertanen sicherten ein Einheit stiftendes Minimalprogramm, das der Entfremdung der auseinanderstrebenden Reichsteile stets wirksam entgegenstand. Auch die Landstände (siehe *K: Ständewesen bis zum 18. Jahrhundert, Seite 153)* fanden am Reich einen Rückhalt, weil der Kaiser immerhin einige, schon ältere landständische Verfassungen bestätigte, so die württembergische von 1514 und die mecklenburgische von 1621. Rechte der Stände blieben damit erhalten!
Und auch der einfache Untertan hatte am Reich zumindest de jure eine Stütze, obgleich man diese angesichts des Analphabetismus und

der Rechtsunkenntnis der unteren Stände nicht zu optimistisch einschätzen darf: Reichskammergerichte und Reichshofräte wachten über die (allerdings eingeschränkte) persönliche Freiheit der Untertanen, das Briefgeheimnis und die geordneten Gerichtsverfahren, sie kontrollierten auch in gewisser Weise die Einhaltung der zugesagten Religionsfreiheit und das damit verbundene Recht der andersgläubigen Untertanen auf Auswanderung. Insgesamt boten sie ein wenig Rechtsschutz gegen Willkür und Despotismus.

Eine abschließende Wertung des Verhältnisses von Reichsverfassung und Verfassungswirklichkeit fällt schwer. Mit der Frage nach den geistlichen Territorien (Bistümern und Erzbistümern) bringt der Historiker Gerhard Oestreich einen in den bisherigen Überlegungen vernachlässigten vergleichenden Gedanken ins Spiel. Er konstatiert, daß in diesen kleineren, meist recht wohlhabenden und teilweise – wie im Fall der Würzburger Fürstbischöfe aus dem Hause Schönborn – äußerst klug verwalteten Ländern »das Leben unter dem Krummstab behaglicher und vergnüglicher als unter der Zucht der deutschen Großstaaten (gewesen sei), aber die Sicherheit jener Länder doch ganz von der Fortdauer der alten Reichsverfassung« abgehangen habe.

Literatur

Brunner, Otto: Vom Gottesgnadentum zum monarchischen Prinzip. In: Das Königtum. Seine geistigen und rechtlichen Grundlagen, Lindau 1956

Erbe, Helmut: Die Hugenotten in Deutschland, Essen 1937

Haller, Johannes: Partikularismus und Nationalstaat, 13 Bde., Stuttgart 1926–1930

Hartung, Fritz: Staatsbildende Kräfte der Neuzeit, Berlin 1961

Hofmann, Hans Hubert (Hrsg.): Die Entstehung des modernen souveränen Staates, Köln 1967

Rörig, Fritz: Ursachen und Auswirkungen des deutschen Partikularismus, Tübingen 1937

Uhlhorn, Friedrich / Schlesinger, Walter: Die deutschen Territorien. In: Gebhard: Handbuch der deutschen Geschichte, Band 13, Hrsg. von Herbert Grundmann, München 1970

GERHARD SCHATT

Stadt und Land um die Mitte des 17. Jahrhunderts

Die Folgen des Krieges – Der Wiederaufbau – Die städtische Gesellschaft nach dem Krieg – Der Aufstieg der Residenzen – Juden in Stadt und Land – Die Lage der Bauern.

In wenigen Fragen gehen die Meinungen der Historiker so weit auseinander wie beim Urteil über die Folgen des Dreißigjährigen Krieges. Die nationalistisch gefärbte Geschichtsschreibung des vorigen und der ersten Hälfte unseres Jahrhunderts stellte ihn als die größte Katastrophe eines ganzen Jahrtausends dar. Für sie spielten die Schwächung der kaiserlichen Zentralgewalt, das zeitweise Ausscheiden des Reiches aus der Weltpolitik und der wachsende Einfluß, den die Friedensverträge von 1648 dem Ausland auf die deutschen Angelegenheiten gaben, eine entscheidende Rolle. Ist aber die Betrachtung der Geschichte aus dem Blickwinkel des Machtstaates zeitgemäß? Auch die wirtschaftlichen und gesellschaftlichen Veränderungen, die der Krieg mit sich brachte, wurden von der nationalistischen Geschichtsschreibung beklagt. Galten ihr doch die Verhältnisse der Vorkriegszeit teilweise als Ideal. Waren sie es aber wirklich? Dazu gesellten sich Klagen über das Zunehmen ausländischer Kultureinflüsse, vor allem aus Frankreich. Waren seine Folgen aber für Deutschland tatsächlich negativ? Heute wird anerkannt, daß französische Kultur die deutsche Geisteswelt außerordentlich bereichert hat. Es wird auch gesehen, daß die politischen Umwälzungen nicht nur negative Aspekte hatten.

Statistische Angaben zu den Kriegsfolgen

In der älteren Literatur wird der Dreißigjährige Krieg auch oft undifferenziert als *die* materielle Katastrophe schlechthin dargestellt. Nun sollen die Verluste, die er forderte, durchaus nicht verniedlicht werden. Nur müssen wir viel mehr Schattierungen in das Bild bringen, als das die älteren Darstellungen in der Regel taten. Generelle Aussagen

sind nicht möglich. Der Krieg wütete in den einzelnen Teilen des Landes unterschiedlich hart und lang. Schleswig-Holstein und Niedersachsen zum Beispiel wurden wenig betroffen, während die Bevölkerungsverluste in anderen Regionen 50 Prozent erreichten oder vielleicht sogar überschritten, wie in Württemberg. Dabei kosteten die Seuchen mehr Menschenleben als die Kriegshandlungen. Die Pestwelle von 1634 bis 1640 konnte sich wegen der verstärkten Wanderungsbewegungen durch Flüchtlinge und Soldaten schnell ausbreiten. Die gebietsweise schlechte Ernährungslage förderte die Ausbreitung der Seuche. Wir dürfen aber nicht vergessen, daß auch vor dem Krieg schätzungsweise die Hälfte der deutschen Bevölkerung periodisch von Hungersnot bedroht war. Wenn wir die Bevölkerungszahlen vor und nach dem Krieg vergleichen, dann ist schwer zu entscheiden, wie viele Menschen durch Krieg und wie viele durch Pest umkamen.
Wir wissen heute, daß die Bevölkerungsverluste auch nicht immer mit der Zahl der Toten identisch sind, denn Krieg und Seuchen setzten große Flüchtlingswanderungen in Gang, die statistisch sehr schlecht erfaßt sind. Teilweise hat der Krieg auch nur einen sozialen und wirtschaftlichen Strukturwandel beschleunigt, der bereits im 16. Jahrhundert vorhanden war und zu Bevölkerungsverschiebungen führte. Deshalb ist nicht jedes verlassene Dorf, jede Wüstung, die wir 1648 finden, eine Folge des Dreißigjährigen Krieges.
Das Zahlenmaterial ist sehr lückenhaft, teilweise auch noch nicht ausreichend erforscht. In manchen Fällen geben die Quellen auch ein falsches Bild. Sie können verfälscht worden sein, um dadurch Steuererleichterungen oder sonstige Hilfe zu erhalten. Andere Quellen berichten nur nach dem Hörensagen und übertreiben unbewußt. So haben wir es bei Quellen und Interpretationen oft mit lückenhaften und einseitigen Darstellungen, ungeprüften Berichten und unzulässigen Verallgemeinerungen zu tun. Die Tendenz geht heute dahin, die Verluste nicht mehr als allgemein so katastrophal anzusehen wie bisher, so schlimm sie im Einzelfall auch waren. Am härtesten wurden die Gebiete an den Durchzugsstraßen der Heere getroffen, und hier wieder die ländlichen Bezirke mehr als die Städte; denn die bäuerlichen Milizen waren den Berufssoldaten und den Räuberbanden fast immer unterlegen. Die Dörfer hatten also durch Plünderungen mehr als die Städte gelitten, die Großstädte weniger als Kleinstädte. Allen Städten aber war gemeinsam, daß der Krieg ihr wirtschaftliches und soziales Gefüge zutiefst erschüttert hatte. Das gilt auch für jene, die ihn äußerlich unbeschadet überstanden oder sogar von ihm profitierten. Teils waren neu entstandene Probleme schuld, teils hatte der Krieg schon früher vorhandene Strukturschwächen verschärft.

Gebot der Stunde: Mobilisierung aller Energien für den Wiederaufbau

Der Krieg hatte alte Gewerbe zerschlagen (beispielsweise Bergbau und Metallverhüttung), denen nun der Zugang zu Rohstoffen oder Absatzmärkten fehlte. Auch wurden Produktionsstätten durch direkte Kriegseinwirkung vernichtet und gesuchte Fachkräfte wanderten aus gefährdeten Gebieten ab. Andererseits hatte der Krieg rüstungswichtige Gewerbe gefördert und neue Wege und Märkte geöffnet, wie z. B. zwischen den norddeutschen Städten und den Niederlanden.
Insgesamt ging Deutschland geschwächt aus dem Krieg hervor: die Bevölkerung war erheblich dezimiert, die Wirtschaft lag darnieder, viele Einzelbürger, Reichsstädte und Fürsten waren hoffnungslos verschuldet, die Währungen zerrüttet. Kaiser, Reichsorgane und Fürsten versuchten deshalb, Ordnung in die Finanzen zu bringen. So wurde vom Reichstag 1654 ein Höchstzins von fünf Prozent angeordnet, was bei der damaligen Kapitalknappheit viel zu niedrig war. Außerdem wurden aufgelaufene Zinsen auf ein Viertel zusammengestrichen, die Kündigung von Privatdarlehen auf drei Jahre ausgesetzt, sowie die Rückzahlungsfristen gestreckt. Erst ab etwa 1675 normalisierten sich die Kapitalmärkte.

***Auf dem Rücken der Bauern** wurden die Kriegsfolgen ausgetragen. Jacques Callot kritisiert mit seinen Bildern das Elend auf dem Land, das plündernde und kämpfende Soldaten verursachten. Radierung von 1633.*

Die Beseitigung der sichtbaren Schäden dauerte in stark betroffenen Gebieten etwa 50 Jahre. Magdeburg hatte 1683, also 35 Jahre nach Kriegsende, bei 1030 bewohnten Häusern noch 443 Ruinen aus dem Krieg.
Die Geburtenzahlen stiegen nach Friedensschluß stark an, sanken aber nach wenigen Jahren wieder. Erst in der ersten Hälfte des 18. Jahrhunderts war in den meisten Gebieten die Bevölkerung wieder so groß wie vor dem Krieg.
Im Krieg waren die Straßen meist verfallen. Daneben erschwerten die im Krieg stark erhöhten Finanzzölle den Handel, denn sie wurden wegen der Geldnot der Städte und Fürsten nach 1648 meist nicht wieder gesenkt. Erst um 1670 wurde der Vorkriegsstand in Handel und Gewerbe wieder erreicht. Aber schon 1677 begann Frankreich mit der planmäßigen Verwüstung der Pfalz, und neue Kriege belasteten Teile Deutschlands, wie zum Beispiel das Vordringen der Türken, dessen Höhepunkt die Belagerung von Wien 1683 war.
Diesen negativen Punkten standen auch positive gegenüber: Die Fürsten sahen ihr Land nicht mehr als zufällige Summierung wirtschaftlich voneinander unabhängiger Landstücke unter einheitlicher politischer Leitung an, sondern als gewerbliche Einheit. Sie versuchten daher, den Strukturwandel in ihrem Sinne zu steuern. Das Ziel hieß:

Stärkung der Fürstenmacht durch Vereinheitlichung und Förderung der Wirtschaft. Als Mittel dienten Maß-, Münz- und Gewichtsreformen, die den Wirrwarr wenigstens ansatzweise einschränkten und damit Voraussetzung für die großen Reformen des 19. Jahrhunderts waren. Binnenzölle baute man ab und verstärkte dafür die Grenzzölle. Auch sie behinderten zwar den Handel, doch entstand wieder eine Vorstufe für die Reformen des 19. Jahrhunderts. Landeszünfte unter staatlicher Kontrolle ersetzten die autonomen Stadtzünfte. Sie milderten meist die Einschränkungen, denen die alten Zünfte die Handwerker unterworfen hatten. Von den Fürsten ins Leben gerufene Landzünfte achteten auf Qualitätssteigerung beim Dorfhandwerk. Rohstoff- und Arbeitskräftepolitik kamen hinzu – aber all diese Maßnahmen wären ohne die energischen Aufbauleistungen aller Gesellschaftsschichten sinnlos gewesen.

Das Kernstück der fürstlichen Aktivitäten lag bei Gewerbe-, Handels- und Verkehrspolitik. Manufakturen entstanden; gelegentlich waren sie mit technischen Lehranstalten verbunden, die für die Verbreitung von Kenntnissen sorgten. In der Physik trat das Experiment seinen Siegeszug an; die praktischen Ergebnisse ließen nicht auf sich warten. Die Technik machte jetzt erstmals größere Schritte über den Stand der Antike hinaus. Pfiffige Erfinder aber auch Scharlatane sammelten sich an den Höfen. In der zweiten Hälfte des 17. Jahrhunderts entstand auf allen Gebieten der Technik eine deutschsprachige Fachliteratur, zunächst unter dem Einfluß Italiens, später Frankreichs. Sie sorgt für schnelle Verbesserung der Produktionsmethoden und für die Verbreitung neuer Ideen.

Die Arbeitsteilung, erstmals in den Manufakturen verwirklicht, erhöhte die Produktivität des Gewerbes. Da die Fürsten aus militärischem und wirtschaftlichem Interesse Postwesen und Straßennetz verbesserten, beschleunigten sich die ökonomischen Abläufe. Neue Wagentypen, größere und schnellere Schiffe erhöhten die Transportkapazität. Auch der Ausbau der Binnenwasserstraßen begann nach dem Vorbild Frankreichs (Bau des Spree-Oder-Kanals 1662–1668). All diese Maßnahmen erfolgten noch nicht systematisch und aufeinander abgestimmt, sondern man tat jeweils das, was aus der Lage des Augenblicks heraus als geeignet erschien, die Kasse des Fürsten aufzubessern. Nach der fürstlichen Rechnungskammer benannte man deshalb auch diese Art der Politik als Kameralwissenschaft oder Kameralismus.

Hat der Kameralismus die Wirtschaft wirklich gefördert? Manche Autoren bezweifeln es und meinen, alle Entwicklungen wären ohne ihn noch schneller gekommen, weil der durch den Krieg verursachte Wan-

Menschliche Arbeit – Motor der Wirtschaft.
Illustrierter Bericht vom Bergwerk Zellerfeld, 1617 (oben),
Glashütte in Reichenau, 18. Jahrhundert (unten).

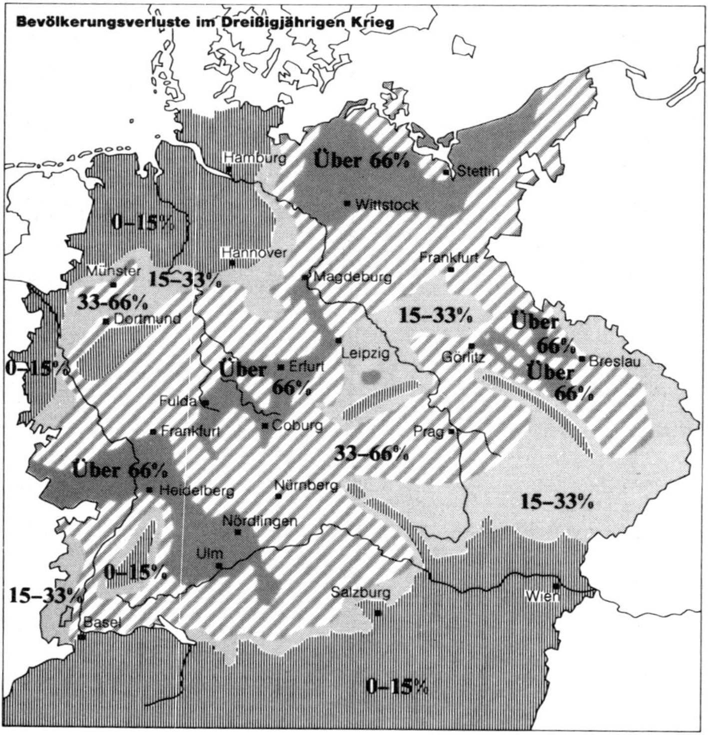

del durch Beseitigung einiger überkommener Strukturen so viele neue Wege freigelegt habe, daß neue Entwicklungen fast von selbst eingetreten wären. Die Mehrzahl der Historiker ist aber der Ansicht, der Kameralismus habe den Gang der Dinge durchaus gefördert, wie sich an der Entwicklung der fürstlichen Städte ablesen lasse, während die selbständigen Städte im allgemeinen eine negative Entwicklung genommen hätten.

Eindeutig haben kameralistische Maßnahmen jedenfalls die selbständigen Städte in ihrer Bewegungsfähigkeit immer mehr eingeengt, sie immer mehr unter die Botmäßigkeit der Territorialherren gezwungen, bis schließlich nur noch wenige von ihnen als Freie Reichsstädte übrigblieben, Reste einer vergangenen politischen Ordnung. Einzelne konnten ihre Position behaupten, weil besondere Umstände sie begünstigten, wie z. B. Hamburg, Frankfurt und Bremen die Verkehrslage.

Die städtische Topographie bleibt mittelalterlich. *Ausschnitt aus dem Stadtmodell von Braunschweig um 1670: Hagenmarkt und Katharinenkirche. Braunschweig, Städtisches Museum.*

Städtische Gesellschaft im Umbruch

Der Krieg hatte tüchtigen Soldaten und wendigen Geschäftsleuten die Chance zum wirtschaftlichen und gesellschaftlichen Aufstieg gegeben. Das galt in besonderem Maße für die Juden. Wilde Spekulationen mit Waren, Grundbesitz und Krediten ließen riesige neue Vermögen entstehen. Bekannte alte Häuser dagegen verschwanden, weil sie ihre wirtschaftliche Basis verloren oder sich den veränderten Bedingungen nicht anpassen konnten. So mußten die Fugger ihr Bankgeschäft 1650 schließen. Aktive Unternehmer nutzten dagegen die Gunst der Stunde

und entwickelten Rüstungsbetriebe oder stießen in Versorgungslükken, die durch Störung alter Handelsverbindungen entstanden waren.
Der Umschichtung im Besitzbürgertum stand wachsendes Massenelend gegenüber. Im Durchschnitt dürfte um die Mitte des Jahrhunderts die Hälfte aller Stadtbewohner ohne Besitz gewesen sein. Bettelei war an der Tagesordnung. Die durchschnittliche Lebenserwartung der Menschen lag bei etwa 40 Jahren. Schon im 16. Jahrhundert hatte sich die soziale Lage der unteren Schichten verschlechtert. Der Dreißigjährige Krieg verschärfte diesen Trend. Nicht erst die Industrielle Revolution schuf die sozialen Probleme der Neuzeit.
Wenn in manchen Städten schon bald nach dem Krieg wieder Kleiderordnungen erlassen wurden (wie in Nürnberg 1657), die den Aufwand begrenzen wollten, dann dürfen wir dies nicht unbedingt als Indiz dafür sehen, daß der Wohlstand breiter Bevölkerungsschichten überhand nahm. Es ist wohl vielmehr ein Anzeichen dafür, daß versucht wurde, die ins Wanken geratenen Standesgrenzen zu stabilisieren und dadurch etwas von der ›alten‹ Welt zu retten. Die Neureichen scheinen solche Bestrebungen kräftig unterstützt zu haben, da ihre gesellschaftlichen Ideale nach rückwärts orientiert waren.
Im großen und ganzen können wir in den Städten jener Zeit sechs verschiedene soziale Schichten feststellen: alten Stadtadel, aufsteigenden Stadtadel, Mittelstand, vor allem größere Kaufleute – Handwerker und Kleinhändler – Stadtarme, wie Arbeitslose, Bettler, Schausteller, Hausierhändler usw.

Die fürstlichen Residenzen Keimzellen neuen Wohlstands

Wenn wir auf einer politischen Landkarte Deutschlands die Ergebnisse des Krieges anschauen, dann sehen wir die starke Zersplitterung des Reiches in viele quasi-souveräne Staaten. Während sich einerseits das Reich auflöst, festigen sich die fürstlichen Territorien. Dabei erkennen wir als wichtigsten Faktor zunächst die Entwicklung zentraler Behörden in den Landeshauptstädten. Von hier aus wird das Land jetzt verwaltet, während der Fürst des Mittelalters noch durch sein Land zog, um die auftauchenden Probleme in der Regel an Ort und Stelle zu lösen. Damit bekommt die Residenzstadt zahlreiche neue Funktionen, entsteht als neuer Typ. In ihrem Zentrum steht das Schloß des Fürsten, dazu kommen die Bauten der neuen Behörden. Es entsteht die regelmäßig geplante Barockstadt. Ihre volle Entfaltung erfährt sie wegen der wirtschaftlichen Kriegsfolgen erst im 18. Jahrhundert, doch sehen wir die ersten Ansätze schon bald nach dem Dreißigjährigen Krieg: Bau des Poppelsdorfer Schlosses in Bonn, des Schlosses in Herrenhausen bei Hannover, Erweiterung der Schlösser in Celle und Mainz, um nur einige Beispiele zu nennen. Durch Bautätigkeit und Mäzenatentum befruchten die Fürsten Kultur und Aussehen ihrer Residenzen.

Da aus technischen Gründen die volle Zentralisierung der Verwaltungen noch nicht möglich war, entstanden in den meisten Territorien Nebenresidenzen. So wurde Deutschland schließlich mit einer Fülle von Klein- und Mittelzentren überzogen, deren Entstehung wir bis heute den großen kulturellen Reichtum unseres Landes mit verdanken.

Ein Teil des Adels schloß sich eng an die Fürsten an und trat in Offizierskorps und Beamtenschaft ein. Auch er bereicherte die Residenzen durch seine Bautätigkeit. Die stehenden Heere, die wir ab 1680 überall finden, schufen dann noch den Typ der Garnisonstadt mit Kasernen, Zeughäusern und Rüstungsbetrieben, vor allem in Form der Manufaktur. Dieser neue Unternehmenstyp produzierte noch gemäß den überkommenen handwerklichen Methoden, aber schon nach den Gesetzen der rationelleren Arbeitsteilung. Als fürstlich privilegierter Privatbetrieb oder als staatlicher Regiebetrieb erzeugte die Manufaktur standardisierte Rüstungsgüter oder Luxuserzeugnisse für die fürstliche Hofhaltung. Die Porzellanmanufakturen von Ludwigsburg, Meißen oder Nymphenburg zeugen heute noch davon. Manchmal entstand die Garnisonstadt in Verbindung mit der Residenz, manchmal aus strategischen Gründen unabhängig von ihr, immer aber von starken Befestigungen umgeben – eine Folge der leistungsfähig gewordenen Artillerie.

Da der Aufwand für Heer, Verwaltung und Hofhaltung groß war, prägte er das Bild der fürstlichen Residenz- und Garnisonsstädte entscheidend. Aber auch deren gesellschaftliche Struktur wurde wesentlich bestimmt, denn neben Handwerker, Kaufleute und Patriziat traten nun Beamte, Offiziere und Soldaten als neue gesellschaftliche Schichten. Durch ihre Verbindung zum Hof gaben sie und ihre Lebensweise vielfach ein Vorbild ab, und auch als Wirtschaftsfaktor waren sie von großer Bedeutung für die übrigen Bürger der fürstlichen Städte. *Ein* bereichernder Faktor für das Wiederaufleben von Gewerbe, Handel und Konsum in den Städten waren die ausländischen Glaubensflüchtlinge, besonders die aus Frankreich kommenden Hugenotten. Sie stammten meist aus Städten und siedelten sich in neu gegründeten Vierteln deutscher Städte an (z. B. in Erlangen und Kassel). Ihre Bedeutung lag nicht in ihrer Zahl, sondern darin, daß sie unbekannte Kenntnisse und Fertigkeiten, wie Handschuhmacherei und Strumpf-

Handwerk. *Bierbrauer und Schneider gab es in Stadt und Land. Kupferstich von Christoph Weigel. Wien, Österreichische Nationalbibliothek.*

wirkerei, und neue Produktionsverfahren mitbrachten, zum Beispiel den Akkordlohn bei scharfer Arbeitsteilung. Aber auch ihre Wirkung auf die Wirtschaftsgesinnung und auf die städtische Kultur ist nicht zu verkennen.

Wirtschaftliche Emanzipation: Chancen für Teile der jüdischen Bevölkerung

Schon vor dem Krieg hatte die Zahl der Juden zugenommen. Sie wohnten damals vorwiegend in geschlossenen städtischen Ghettos. Kirche und Zunftordnung unterwarfen sie starken beruflichen und gesellschaftlichen Einschränkungen, denn wer nicht Mitglied einer Religionsgemeinschaft war, konnte auch nicht Glied der bürgerlichen Gesellschaft werden. Das begann sich im Krieg zu ändern.
Noch im 17. Jahrhundert galt das kirchliche Verbot, das Christen untersagte, für Kredite Zinsen zu verlangen. So konzentrierten sich die Geldgeschäfte in den Händen der Juden, die diesem Verbot der Kirche

nicht unterlagen. Zum Teil sehr ansehnliche Geldvermögen konnten sich so bei ihnen konzentrieren. Als nun der Dreißigjährige Krieg und dessen Folgen die deutschen Fürsten in ständig wachsende Geldnot stürzten, suchten diese Hilfe bei jüdischen Geldverleihern. Es entstand die Schicht der »Hoffaktoren«, d.h. jüdischer Bankiers, die die Organisation und Finanzierung des Staatskredites übernahmen. Auch als Heereslieferanten wurden manche Juden im Krieg unentbehrlich, da sie infolge ihrer weitgespannten internationalen Beziehungen oft Rüstungsgüter schneller und in größeren Mengen besorgen konnten als andere Geschäftsleute, die allen möglichen rechtlichen und religiösen Einschränkungen unterlagen.
So entstand in den Städten der Fürsten eine wohlhabende und einflußreiche jüdische Oberschicht. Sie war nicht mehr an die Ghettos gebunden und paßte sich teilweise in den Lebensgewohnheiten den christlichen Mitbürgern an. Den Fürsten war sie unentbehrlich. Der Wiener Hof schuldete zum Beispiel im Jahr 1700 alleine seinem Oberhoffaktor Samuel Oppenheimer die für damalige Zeiten ungeheuere Summe von etwa sieben Millionen Gulden! Der Einfluß der Hoffaktoren war entsprechend groß. So gelang es im Dreißigjährigen Krieg einigen reichen Juden in den Adelsstand aufzusteigen und die Fürsten auch im Interesse ihrer ärmeren Glaubensgenossen zu beeinflussen. Als Folge verbesserte sich die Stellung der Juden in den fürstlichen Territorien von Jahrzehnt zu Jahrzehnt.
Anders sah es in den Reichsstädten aus. Vor allem in den Kleinstädten wuchs die Judenfeindschaft im und nach dem Krieg. Schuld waren die sozialen Krisen, und verschärft wurde die Stimmung durch die Einwanderung von Ostjuden, die von der ansässigen Bevölkerung als besonders wesensfremdes Element empfunden wurden, zumal Ausländer als Folge des Krieges allgemein nicht beliebt waren. Aus den meisten Reichsstädten wurden die Juden daher während des 17. Jahrhunderts völlig verdrängt und gezwungen, in die fürstlichen Territorien oder auf die Dörfer auszuwandern. Auf dem Land zogen sie vor allem den Handel mit Vieh und Ackerbauprodukten an sich, wobei ihre weitgespannten Beziehungen hilfreich waren. Dadurch entstand ein zäher Antisemitismus auf dem flachen Lande, da viele Bauern ihre wirtschaftlichen Probleme als Schuld der jüdischen Händler ansahen.

Die Lage der Bauern

Während die Fürsten der städtischen Wirtschaft große Aufmerksamkeit schenkten, interessierten sie sich für die Landwirtschaft nur we-

***Des Bauern Not.** In Kriegszeiten waren die Bauern plündernden Soldaten wehrlos ausgesetzt. Auch Körperverletzungen waren nicht selten. Radierung von Hans Ulrich Franck. 1645.*

nig. Die Nahrungsmittelproduktion erholte sich nach dem Krieg schnell. Es war also nicht nötig, sie besonders zu fördern. Wie in den Städten bewirkte der Krieg auch auf dem Land starke soziale Umschichtungen. Verarmte Freibauern sanken zu Tagelöhnern ab, Angehörigen des Landproletariats gelang es, in den Bauernstand aufzusteigen.

Die Produktion stieg bald schneller als die Bevölkerung, die Agrarpreise waren daher niedrig. Die Akzise, eine im Krieg eingeführte Art von Umsatzsteuer, belastete die Bauern, da sie bei dem Überangebot an Nahrungsmitteln von den Erzeugern nicht auf die Verbraucher abgewälzt werden konnte.

So spitzte sich die Lage der Bauern langfristig zu, vor allem östlich der Elbe, wo die Grundherren Inhaber der niederen Gerichtsbarkeit und der Polizeigewalt waren. Die Rechtsstellung der Bauern wurde schlechter, sie wurden gezwungen, ihre Leistungen an den Adel zu steigern. Über die Abgaben hinaus konnte der Adel die Bauern auch indirekt ausbeuten, wie durch Ausnützung von Mühlen-, Back-, Brau- und

Ländliches Idyll. *Trappen, begehrtes Federwild, waren schwer zu fangen. Man benutzte Tierattrappen zur Tarnung. Aus dem »Vollständigen Jagd- und Weydbüchlein«. Wien, Österreichische Nationalbibliothek.*

Brennmonopolen oder durch Vorkaufsrechte für die Erzeugnisse der Bauern.

Neben diesen negativen Bildern dürfen wir nicht übersehen, daß es auch Inseln bäuerlichen Wohlstands gab, wie in Südbayern, Hessen, Schleswig-Holstein und weiteren kleineren Gebieten, und daß es den Bauern in manchen Ländern möglich wurde, sich von den landesherrlichen Diensten freizukaufen, so in Kurbaiern ab 1665/1668.

Der durch reichgewordene Offiziere und Kriegsgewinnler vermehrte Landadel paßte sich den veränderten Gegebenheiten besser an als die Bauern, wurde dadurch als Konkurrent überlegen und kaufte den sehr billigen Boden auf. Vor allem in Ostdeutschland entstanden Großgüter. In Baiern entwickelten die finanzkräftigen Klöster beträchtlichen Großgrundbesitz.

In der Landwirtschaft entstanden mit der sogenannten »Hausväterliteratur« die ersten Fachbücher; wesentliche technische Neuerungen gab es aber noch nicht. Allerdings brachten einwandernde Glaubensflüchtlinge, vor allem Hugenotten, neue Produkte mit, besonders im

Obst- und Gemüsebau. Die Kartoffel (im Elsaß ab 1623, in Westfalen ab 1640 bekannt) spielte noch keine wirtschaftliche Rolle. Insgesamt kann man sagen, daß die Landwirtschaft sich von den Kriegsfolgen schneller erholte als die Städte, daß sie jedoch mehr dem Herkömmlichen verhaftet blieb, so daß jenes Sozialgefälle zu entstehen begann, das erst in unserer Zeit abgebaut wurde.
Betrachten wir zusammenfassend Stadt und Land um die Mitte des 17. Jahrhunderts, dann kommen wir zu dem Schluß, daß jene wirtschaftlichen und sozialen Strukturen entstanden, die das Bild der Städte bis weit in das 19. Jahrhundert hinein bestimmten. Auf dem Land dagegen blieben die alten Zustände noch weitgehend erhalten, wobei sich die Rechtsstellung der Bauern tendenziell verschlechterte.

Literatur

Engelsing, Rolf: Sozial- und Wirtschaftsgeschichte Deutschlands, Göttingen 1973

Kulischer, Josef: Allgemeine Wirtschaftsgeschichte des Mittelalters und der Neuzeit, 2 Bde., München 1965

WERNER DETTELBACHER

Hexenwahn und Hexenverfolgungen

Hexenbegriff und Teufelsglaube – Systematisierte Qualen – Hexenbulle und Hexenhammer – Die Hexenprozesse – Prozeßverfahren und Hinrichtungen – Öffentlichkeit des Verfahrens – Abschreckung und Kontrolle.

Das Wort Hexe hatte sich bis zum 13. Jahrhundert als Sammelname für zauberkundige Frauen eingebürgert, die über dämonische Kräfte verfügten, meist durch ihr Aussehen (rote Haare, grüne Augen, bleicher Teint) oder Verhalten (Aggressivität, Hysterie, Menschenscheu) auffielen oder wegen ihrer Schönheit, ihres Erfolges oder der Kenntnis von Heilkräutern und Liebestränken Anstoß erregten.
Zusammengeflossen waren in diesem Begriff die Vorstellungen von der römisch-italienischen Hexe, der »strega«, und der germanisch-deutschen »Hexe«. Während die strega vor allem Liebe oder Haß zwischen Mann und Frau erregte, verkuppelte, vergiftete, abtrieb und mit dem Zauberer konkurrierte, war aus dem germanischen Gespensterglauben die Fahrt durch die Luft, der Hexensabbat, der Besitz schädigenden Zaubers und die Verwandlung in Tiere (Katze, Hase, Werwolf) entnommen. Hexen besaßen auch die Eigenschaften von Druden, von Frauen, deren Seele durch Ritzen in Schlafzimmer eindringen und, auf der Brust Schlafender hockend, ihn drücken und peinigen. Dabei unterschied man zwischen dem Incubus, dem männlichen Dämon und Buhlteufel, und dem Succubus, dem weiblichen Dämon, der den Schlafenden zum Liebesverkehr nötigte.

Der Glaube an Hexerei und Zauber
Eine tödliche Gefahr für Frauen

Gefährlich wurden diese wahnhaften Vorstellungen erst, als von den Vertretern der scholastischen Philosophie (siehe Band 4) Hexerei als besonderes Verbrechen (lat.: maleficium), als Bündnis mit dem Teufel definiert wurde. Er allein konnte seinen Anhängern übernatürliche Fä-

Hexensabbat. *Von Hans Breughel d. Ä. stammt die geheimnisvolle Darstellung einer Walpurgisnacht aus dem 16. Jahrhundert. Sie half mit, die frauenfeindlichen Tendenzen der Zeit zu stärken.*

higkeiten verleihen, wofür sie ihm ihre Seele zu übereignen hatten. Er trieb mit ihnen Unzucht, nahm an ihren Luftfahrten teil, saß dem Hexensabbat in der Walpurgisnacht (vom 30. April auf den 1. Mai) etwa auf dem Blocksberg (d. h. dem Brocken) im Harz vor. Weil Buhlschaft und Bündnis mit dem Teufel Gott verleugneten und den Glauben verriet, wurde Hexerei zur schweren Form der Ketzerei, die von der Inquisition zu untersuchen und hart zu bestrafen war. Da Feuer die Seele wie Gold zu läutern vermochte, wurden überführte Hexer und Hexen verbrannt. Der erste beglaubigte Fall eines Teufelsbündnisses wurde 1239 in Mont-Aimé verhandelt, wo eine Frau zugab, vom Teufel zu den Katharern nach Mailand entführt worden zu sein, dieweil ein Succubus ihrem Mann beiwohnte.

Die Kirche, die bisweilen Aberglaube und Magie verdrängt und verboten hatte, schürte nun durch die Ketzerinquisition den Hexenwahn und sorgte, weil die Bestrafung dem weltlichen Arm übertragen wurde, für das zähe Andauern dieser Massenpsychose. Selbst Thomas von Aquin, bis heute als erhabener Geist gepriesen, ist nicht nur von der

Aberglaube und Fanatismus *spiegeln sich in diesem nach einem Kupferstich von Michael Heer gefertigten Gemälde eines Zauberfests auf dem Blocksberg.*

Satansbuhlschaft überzeugt, sondern schuf in seiner »Summa Theologiae« ein ausgeklügeltes System der Dämonenlehre, die für zwei Jahrhunderte verbindlich blieb. Zwar verbot 1325 Papst Johannes XXII. aufs strengste die Lehre vom Teufelsbündnis und drohte den Verbreitern die Exkommunikation an, doch ließen sich geistliche wie weltliche Gerichte in ihrem Verfolgungseifer nicht stören.

Ein Papstspruch als Anlaß der wilden und systematischen Hexenjagden?

Hatten Hexenwahn und Hexenbrand meist in Bergländern wie Schottland, Schweiz, Savoyen und Lothringen kurze Zeit gewütet, um 1400 den französischen Königshof und 1461 Arras heimgesucht, so wurde die Verfolgung 1484 durch die Bulle »Summis desiderantes« des Papstes Innozenz VIII. in ein System gebracht. In Paragraph 1 der Bulle ließ der Aussteller wissen, daß trotz der Tätigkeit der Inquisitoren Jacob Sprenger und Heinrich Institoris (»Krämer«) vor allem in den Hochstiften Mainz, Köln, Trier, Salzburg und Bremen Männer und Frauen vom Glauben abirrten und mit Dämonen Unzucht trieben. Daher wurde allen Inquisitoren befohlen, gegen alle zauberischen Personen ohne Ansehen des Standes vorzugehen und nach freiem Ermessen über deren Besserung, Inhaftierung und Bestrafung zu entscheiden. Wer sich dagegen stelle, beschwöre den Zorn Gottes und der Heiligen Petrus und Paulus auf sich herab. Diese Bulle, die nie ein »Dogma« war, hat die großangelegten Hexenjagden in Deutschland gerechtfertigt. Kein Humanist, aber auch kein Reformator wandte sich entschieden gegen den Hexenwahn, so herb auch sonst ihre Kritik am Papsttum ausfiel.

Die systematische Abhandlung des Hexenwesens und des weltlichen Prozesses besorgten die beiden Dominikanermönche Institoris und Sprenger 1487 mit dem »Malleus maleficarum« (»Hexenhammer«), der in den beiden ersten Teilen Existenz, Natur und Wirkungen der Hexen beschrieb, im dritten Teil praktische Anweisungen für die geistlichen und weltlichen Gerichte enthielt, wie Hexenprozesse zu führen seien. Neu war, daß eine Denunziation für die Anklage genügte und daß Beweise durch die Folter gesichert werden konnten. Wer verhaftet und vor einen Richter gestellt wurde, war in der Regel verloren, denn es war nur eine Frage der Zeit, wann die Widerstandskraft eines Gefolterten zusammenbrach und er alles gestand, was man von ihm wissen wollte. Um künftige Schmerzen zu vermeiden, waren die Opfer bereit, ihren Bekanntenkreis zu denunzieren, so daß »Hexennester« ausgehoben werden konnten. Richter wie Folterknechte sahen darin keinen Rechtsbruch, denn die »Hexe« wurde außerhalb des allgemeinen Rechts gestellt, in ihr auch der Teufel gepeinigt.

Das erste Reichsstrafgesetz, das materielles und formales Strafrecht verband, die »Peinliche Gerichtsordnung« (Constitutio Criminalis Carolina) Kaiser Karls V. von 1532, kennt die Todesstrafe nur auf schädliche Zauberei, doch ging man in der Praxis darüber weit hinaus. Bestärkt wurden die Gerichte in ihrem Vorhaben, alle Hexen zu verbrennen, auch wenn ihnen kein Pakt mit dem Teufel nachgewiesen werden konnte, durch zwei juristische Autoritäten.

Jean Bodin setzte sich in seinem Buch »Daemonomania« (1580), das Johann Fischart schon 1581 ins Deutsche übersetzte, leidenschaftlich für die Hexenfolter ein und verurteilte milde Richter, weil sie mit Begnadigungen das Wohl der ganzen Menschheit gefährdeten. Deutsche Juristen folgten blindlings dem Leipziger Professor Benedikt Carpzow, der sich an seinem Lebensende (1666) rühmen konnte, die Bibel 53mal durchgelesen und rund 20000 Todesurteile unterzeichnet zu haben. In seiner »Practica nova rerum« (1635) verteidigte er das unbarmherzige sächsische Recht und beruft sich auf den »Hexenhammer«, dessen Verfasser er neben die Kirchenlehrer Augustinus, Hieronymus und Isidor stellt. Verheerend wirkte sich sein Grundsatz aus, bei verborgenen Verbrechen sei der Richter nicht verpflichtet, sich an das ordentliche Beweisverfahren zu halten. Als Richtschnur galt: »Die Zauberer sollst Du nicht leben lassen!« (Mos. II, 22, 18).

Das Zeitalter der Hexenprozesse

Die Wirkungszeit des »Hexenhammer«, der bis 1669 immerhin 29 Nachdrucke erlebte, begrenzt die Zeit des Hexenwahns, der zwischen 1490 und 1700 ungezählte Opfer fand. Da nur in wenigen Landstrichen Deutschlands die Hexenakten aufgearbeitet sind, so für weite Teile Hessens, Frankens, Pommerns, die Städte Danzig und Nördlingen, konnte der Eindruck entstehen, das Hexenbrennen habe sich auf diese Landschaften konzentriert. Unbekannt blieb wegen mangelhafter Erforschung auch die Zahl der Opfer, die zwischen 200 000 und einer Million angegeben wird, wobei jede Hinrichtung ein Mord zuviel war. Ob man in Hamburg im 15. Jahrhundert nur vier Hexen verbrannte oder in Heidelberg 1446 nur zwei, in Gerolzhofen zwischen 1615 und 1618 jedoch 261 hexische Personen zum Feuertod verurteilte und unter Fürstbischof Philipp Adolf von Ehrenberg (1623–1631) im Hochstift Würzburg gar 900 Hexenleute, darunter 219 aus der Stadt Würzburg verbrannte – der Unterschied lag nur in der Zahl, nicht in der Methode. Den Anteil der in protestantischen Gebieten verbrannten Opfer schätzt man auf 25 Prozent bis 30 Prozent der allerdings unbekannten Gesamtzahl. Selbst im 18. Jahrhundert kamen noch einzelne Hexenverbrennungen vor, so 1749 in Würzburg, 1751 in Endingen, 1775 in Kempten, 1782 in Glarus und 1793 in Posen. Die Tortur (Folter) als legales Mittel der Geständniserpressung wurde in Preußen 1740, in Österreich 1776 und in Baiern erst 1806 abgeschafft.

Die epidemisch auftretenden Verfolgungen hat man seither auf vielerlei Ursachen zurückgeführt. Da man sich Naturkatastrophen wie Hochwasser, Dürre, Waldbrand in einer mit Dämonen randvollen Welt nur als Teufelswerk erklären konnte, hielt man sich damals an die »Hexen« als seine Werkzeuge. Daß vor allem Frauen denunziert wurden, kann mit der asketisch-scholastischen Geringschätzung der verheirateten Frau zusammenhängen. Besonders gefährdet waren Hebammen bei Mißbildungen von Neugeborenen und kräutersammelnde Frauen, die als Giftmischerinnen verdächtigt wurden – gibt es doch bis

Friedrich von Spee
berichtet über Hexenverfolgungen

Wenn sich die Angeklagte über Nacht bedacht hat, stellt man sie am folgenden Morgen wieder vor die Richter. Wenn sie dann bei ihrer gestrigen Antwort bleibt, so liest man ihr das decretum torturae vor [...]. Ehe sie aber gefoltert wird, führt sie der Henker zur Seite und besieht sie genau, ob sie sich etwa durch Zauberkraft unempfindlich gemacht habe. Damit ja nichts verborgen bleibe, schneiden sie ihr die Haare allenthalben ab, auch an dem Orte, den man vor züchtigen Ohren nicht nennen darf.

Wenn nun die Angeklagte gesengt und enthaart ist, so wird sie gefoltert, daß sie die Wahrheit sage, das heißt, sich als eine Zauberin bekennen soll [...]. Man foltert sie aber gleich auf die schärfste Manier. Bekennt sie nun, so gibt man vor, sie habe gutwillig und ohne Folter geantwortet [...]. Auch macht man sich dann weiter keine Gedanken oder Beschwerden, sondern man führt sie zum Tode, wie man auch getan haben würde, wenn sie nichts bekannt hätte. Wenn der Anfang mit der Folter gemacht ist, so hat man das Spiel gewonnen, sie muß bekennen, sie muß sterben.

Bekennt sie, so ist die Sache klar, und sie wird getötet, denn Widerruf gilt hier nicht. Bekennt sie nicht, so martert man sie zum zweiten, dritten und vierten Mal, denn bei diesem Prozeß gilt allein, was dem Kommissario beliebt, und es wird nicht gefragt, wie lange, wie scharf, wie oft man die Folter gebrauchen darf. Verdreht nun etwa die Angeklagte in der Folter vor Schmerzen die Augen, so sind das neue Beweise [...] so sagen sie: Sehet, wie schauet sie nach dem Teufel um! Starrt sie geradeaus, so hat sie ihn gesehen. Wird sie dann härter gefoltert und will doch nicht bekennen, verstellt sie ihre Gebärden wegen der großen Marter oder fällt gar in eine Ohnmacht, so rufen sie: Die lacht und schläft auf der Folter, die hat etwas gebraucht, daß sie nicht schwatzen kann, die soll man lebendig verbrennen [...]. Und da saget männiglich und auch die Geistlichen und Beichtväter, sie habe keine Reue gehabt, habe sich nicht bekehrt, noch ihren Buhl verlassen, sondern denselben Glauben halten wollen. Ergibt sich's aber, daß die eine oder die andere auf der Folter stirbt, so sagt man, der Teufel habe ihr den Hals gebrochen. So kommt dann Meister Hans Knüpfauf her, schleppt das Aas hinaus und begräbt's unter dem Galgen.

Kommt aber die Angeklagte auf der Folter davon und wird sogar der Richter nachdenklich, daß er sie ohne neue Beweise nicht weiterfoltern will, auch nicht hinrichten lassen darf, da sie noch nicht bekannt hat, so läßt man sie dennoch nicht los, sondern legt sie in ein härteres Gefängnis, wo sie dann wohl ein ganzes Jahr liegen und gleichsam einbeizen muß, bis sie mürbe werde. Denn das wäre für die Inquisitoren eine große Schande, daß sie eine Person, die sie einmal in Haft genommen haben, wieder loslassen sollten. Wen sie einmal ins Gefängnis gebracht haben, der muß schuldig sein [...]. Manchmal schickt man ungestüme Priester zu der Gefangenen, die ihr oft mehr zusetzen als die Folterknechte selbst. Die plagen das arme Mensch so lange und so viel, bis sie endlich bekennt [...]. Sie rufen und schreien immer wieder, daß, wenn sie nicht bekennen werde, sie nicht selig oder der heiligen Sakramente teilhaftig werden könne. Darum hüten sich die Herren Inquisitoren mit allem Fleiß, daß sie keine solchen Priester bei dem Prozeß einsetzen, [...] die Verstand im Herzen haben, damit ja nicht jemand in das Gefängnis komme, der den Gefangenen guten Rat geben oder gar die Fürsten von dem Handel unterrichten könne. Denn ihnen ist vor nichts mehr bange, als daß die Unschuld auf eine oder andere Weise zutage kommen möchte.

Wenn nun eine die Marter nicht ertragen kann und unschuldigerweise bekennt, so geht das Elend erst an, da es kein Mittel gibt, sie loszubekommen. Im Gegenteil, sie muß andere, obgleich sie von ihnen nichts Böses weiß, anzeigen und gerade jene nennen, deren Namen ihr von den Inquisitoren in den Mund gelegt werden. Werden dann auch diese gefoltert, so müssen sie wieder andere nennen, die aber erneut andere, und so ist hier kein Ende oder Aufhören. Auf diese Weise kommt es soweit, daß die Richter entweder den Prozeß fallen lassen oder aber gar die Ihrigen [...] verbrennen müssen.

Aus: »Cautio criminalis« des Friedrich von Spee (1591–1635). Der Jesuitenpater, der vielen verurteilten Hexen beigestanden hatte, schrieb diese mutige Anklage gegen die Hexenverfolgungen auf Grund eigener Erfahrungen und Beobachtungen.
Modernisierte Übertragung nach Soldan-Heppe »Geschichte der Hexenprozesse«. Bd. II, München 1912

heute 60 Pflanzen, die mit »Hexe« und 30, die mit »Teufel« zusammengesetzte Namen tragen! Nahezu jeder Ort hatte zwei, drei Frauen, die man bei Unglücksfällen in Haus und Stall zur Rechenschaft zog. Der häufigste Vorwurf war das Verkalben bei Kühen und Hagelschlag aus heiterem Himmel. So wurden 1504 in Bretten/Nordschwarzwald mehrere Unholde verbrannt, die von Söldnern beschuldigt wurden, ein Hagelwetter ausgelöst zu haben; der Schultheiß Georg Schwarzerdt, Melanchthons Bruder, wehrte sich dagegen, daß noch weitere Unholde aus seiner Gemeinde geholt würden. Kätherle Guldemann, die Mutter des Astronomen Johannes Kepler, wurde 1615 in Weil der Stadt der Hexerei bezichtigt, weil sie unter anderem durch verschlossene Türen gegangen sei und Vieh behext habe, das sie nie gesehen noch berührt hatte. Als ihr Sohn, eigens aus Linz angereist, sich über die Tortur seiner Mutter beschwerte und den berüchtigten Beweis angriff, daß ihr gutes Leben nur daher komme, weil sie mit dem Teufel zusammensei, berief sich der Mann der Klägerin Reinhold darauf, daß man bei Hexen keiner Beweise bedürfe; im Ellwangischen seien »mehr als 100 Hexen verbrannt worden, ohne daß die Beschuldigungen bewiesen worden seien«.
Die Massenhysterie wurde durch zahlreiche Landesherren in »geordnete Bahnen« gelenkt, die sich, vor allem in den geistlichen Staaten, als Vater ihrer Untertanen fühlten, als verantwortlich für ihr Seelenheil, das auch um den Preis mancher Verbrennung unbedingt gesichert werden mußte. Ein Teil der Urteile entstand wohl auch aus dem Drang, die Staatskasse aufzufüllen, denn das Vermögen der Hexenperson verfiel dem Fiskus. Da die Gefangenen sowohl die Haft wie die Hinrichtung zu begleichen hatten, vergriff man sich mehr an wohlhabenden als armen Personen. Überhaupt wird gerade in den letzten Jahren, seit mehr und mehr Quellen aufgearbeitet sind, von manchen Forschern das wirtschaftliche Motiv unterstrichen: Hexenverfolgung (wovon gleichermaßen Männer und Frauen betroffen waren!) als Mittel, unliebsame Konkurrenz auszuschalten. Die Stadt Lemgo/Lippe ist ein gutes Beispiel; die zu Dutzenden nach Bielefeld geflohenen Leineweber sind Indiz für den städtischen ökonomischen Machtkampf, geführt mit den »Argumenten« der Hexerei und den Waffen der Tortur. Da der Denunziant in der Regel unbekannt blieb und keine Gegenüberstellung stattfand, konnte man nachbarliche oder wirtschaftliche Streitigkeiten oft auf schnelle Weise schlichten.
So einleuchtend diese Motive sind – versetzt man sich in jene Zeit, so bleibt doch unerklärlich, warum man auch Kinder »brannte«, die mit ihren vier bis zwölf Jahren weder vermögend, noch sexuell attraktiv, noch abstoßend häßlich, noch naturkundig waren. Strafmündig waren

Scheinbare Wissenschaftlichkeit
der Schriften über die Hexerei beschleunigte den Hexenwahn.
Titelblatt zu einer »Dämonenlehre«, 1596.

Jugendliche erst ab zwölf oder 14 Jahren. Bei den 29 Bränden in Würzburg 1627–1629 traf es drei Mägdlein und 14 Knaben unter 14 Jahren, im Hochstift Salzburg wurden 1678 97 der »erschröcklichsten Zauberer und Hechsen«, darunter Kinder von 10–14 Jahren, mit Feuer und Schwert hingerichtet.

Die Methode des Wahnsinns: Prozeßverfahren und Hinrichtung, genau geregelt

Ganz rational und ›neuzeitlich‹ verfuhr man mit den Angeklagten: Eingeleitet wurde das Verfahren, sobald ein Denunziant einen brauchbaren Anlaß lieferte, wobei die Verweigerung der Osterkommunion genauso ausreichte wie ein später Frost im Mai. Damit der Eifer der Denunzianten nicht nachlasse, bekamen sie zehn Gulden für eine erfolgreiche Anzeige, oft nach dem Brand auch einen Anteil am konfiszierten Vermögen der »Hexe«. Für weitere Prozesse sorgten auch die Gefolterten, die oft fünfzig und mehr Namen nannten, nur um kurzfristig von ihrer Qual befreit zu werden.
Noch Papst Gregor XV. machte es 1623 zur Pflicht, Hexen und Zauberer beim zuständigen Bischof oder Inquisitor anzuzeigen. Gelegentlich denunzierten daher Kinder ihre Eltern oder andere Erwachsene. Bestand Fluchtgefahr, so wurde der Angezeigte verhaftet und in ein Gefängnis gelegt. War man seiner sicher, so wurde er vor Zeugen in seinem Haus vor Gericht geladen. Floh ein Verdächtiger, so wurde er exkommuniziert und sein Inventar beschlagnahmt. Lag jemand wegen eines vermeintlichen Teufelsbündnisses im Gefängnis, so mußte laut »Hexenhammer« (III, 2. Teil, 6. Frage) sein Haus durchkämmt werden, ob sich nicht Hexenwerkzeug wie Schmiere, Kräuter, Besen und Gabeln als Beweise finden ließen. Dabei wurden nicht nur Schornsteine und Betten besonders sorgfältig durchsucht, sondern auch alle Gegenstände und Barmittel notiert. Dann sollte der Nachrichter (Scharfrichter) unauffällig die Häftlinge auf Hexenmale untersuchen. Wurde ein solches Muttermal (Naevus) gefunden, gar noch auf dem Schulterblatt, so war erwiesen, daß der Teufel hier ein Drudenzeichen angebracht hatte.
Solange der Richter Indizien sammelte, mußten die gefangenen Druden von ihren Angehörigen ernährt und gekleidet werden. War die Familie arm oder saß wegen Teufelsbündelei selbst ein, so schmachteten sie zwei, drei Jahre bei Hunger, Durst und Kälte. Heimgesucht wurden alle von Ratten, Mäusen, Läusen und zudringlichen Folterknechten. Der Besuch von Angehörigen war strikt untersagt; wer Nachrichten

aus dem Gefängnis schickte, wurde in Ketten gelegt. Auf dem Sternplatz zu Würzburg wurde 1627 der Bürger Christian Übelacker enthauptet, weil er zwei wegen Hexerei Gefangenen Beihilfe zur Flucht geleistet hatte.
Das Hauptverfahren wurde mit der Anklage eröffnet, die der bevollmächtigte Kläger des Landesherrn vorbrachte. Das Gericht war, den Artikeln 46 und 47 der »Carolina« folgend, mit einem Richter, zwei Schöffen und einem Gerichtsschreiber besetzt. Um sich vor den Umtrieben des Teufels zu schützen, hatte das Gericht für Reliquienpartikel, geweihte Wachsbilder, Amulette oder wenigstens für Zettel mit den sieben Worten Christi am Kreuze gesorgt, die Termine auf heilige Tage gelegt. Die Angeklagten wurden nach bewährten Frageschemata befragt, die 50 bis 60 Suggestivfragen enthielten, so daß die Frauen immer wieder dasselbe gestanden, so die Luftfahrt, Teilnahme am Hexensabbat, Teufelsbuhlschaft und Schädigung von Mensch und Vieh.

Geständnis und Strafe

Das Geständnis wurde dann verlesen und eigenhändig unterschrieben. Selten war die Freilassung wegen erwiesener Unschuld, doch waren die Entlassenen nicht sicher vor neuerlicher Anklage, denn wegen desselben Delikts durfte man mehrfach belangt werden. Auf jeden Fall trieb man ihnen durch einen Exorzismus einen möglichen Teufel aus. Etwas milder gab man sich bei einer geldschluckenden Magd zu Frankfurt/Oder, für die Martin Luther 1538 gutachtete, es genüge zur Rettung, sie fleißig zur Kirche zu führen und bei Gott für sie zu bitten.
Wurde kein Geständnis abgelegt, so mußte nach dem »Hexenhammer« die Zeugenaussage von drei gut beleumundeten Männern beschafft werden. Wer als Zeuge nicht erschien oder nicht den Eid ablegte, sollte laut »Hexenhammer« wie ein Ketzer behandelt werden. Sagte er falsch aus, so wurde er mit einer Geldstrafe, selten mit der Todesstrafe belegt. Einer solchen Gefahr waren die Zeugen nicht ausgesetzt, wenn der Landesherr ein Schnellverfahren betrieb, wie Herzog Ernst von Baiern, der die Geliebte seines Sohnes, die Baderstochter Agnes Bernauer, als Zauberin aburteilen und 1435 vor der Donaubrücke in Straubing ertränken ließ.
Lagen weder Geständnis noch Zeugenaussagen vor, hatte die Haft die Hexe nicht zermürbt, so wurde die Folter angewandt. Als erster Grad wurden die Marterinstrumente vorgewiesen und erläutert, beim zweiten Grad zwar angelegt, aber nicht in Bewegung gesetzt, erst beim dritten Grad durften die Folterknechte die mechanischen Ausgeburten ei-

Hexenverbrennung.
Wie überall kamen auch in Dernburg/Harz die meisten Verfolgten auf den Scheiterhaufen. Flugblatt von 1555.

ner höllischen Fantasie in Gang setzen. Jetzt renkte man die Arme aus, beschwerte die Füße mit Gewichten von 20 Pfund und das dreieinhalb Stunden lang, ließ die Störrischen auf Nagelbretter knien, band sie auf Böcke, peitschte sie aus, trieb ihnen brennende Schwefelhölzchen unter die Fingernägel, goß ihnen Branntwein auf den Rücken und zündete ihn an. Gestand die »Hexe« auch dann nicht, wurde die Folter erst wieder nach Heilung der Wunden angewendet. Wer sein Geständnis unter der Folter widerrief, sobald er wieder zu Kräften kam, zeigte nur an, daß der Teufel erneut in ihn gefahren war. Wer, wie Philipp Krämer aus Dieburg, das ganze Verfahren anzweifelte, der wurde enthauptet; im Jahr 1627 wurden außer ihm 36 Personen in Dieburg hingerichtet. Ausgenommen von der Tortur waren nur Offiziere, Amtleute, Richter und Schöffen, Ratsherren und deren Kinder, Doktoren und Professoren, solange sie ihre Würden besaßen. Schwangere konnte man erst sechs Wochen nach der Entbindung foltern. Gebrechliche, Aussätzige und Taubstumme wurden verschont, Blinde und alte Leute hingegen nicht.

Das Urteil wurde öffentlich und in feierlicher Form gesprochen. Es lautete für die kleineren Vergehen von Zauberei auf öffentliche Buße, Geldstrafen oder Güterkonfiszierung, Landesverweisung, Auspeitschung und ewiges Gefängnis. Für die schweren Fälle, das waren die meisten, gab es nur die Hinrichtung durch Feuer. Als landesherrliche Gnade gewertet wurde die Enthauptung vor der Verbrennung. Um die Seele der Verurteilten zu retten, konnten sie drei Tage vor der öffentlichen Hinrichtung beichten und kommunizieren, wurden auf ihrem letzten Gang von einem Geistlichen begleitet. In manchen Städten und Ländern war es Pflicht, Hexenbränden zuzusehen, damit jedermann drastisch abgeschreckt wurde.

Literatur

Hansen, Joseph: Quellen und Untersuchungen zur Geschichte des Hexenwahns und der Hexenverfolgung im Mittelalter, Bonn 1901
Hoffmann-Krayer, Eduard / Bächtold-Staubli, Hanns: Handwörterbuch des deutschen Aberglaubens, Band III, Berlin / Leipzig 1930/31
Honegger, Claudia: Die Hexen der Neuzeit, Frankfurt 1978
Knieper, Rolf: Zwang, Vernunft, Freiheit. Studien zur juristischen Konstruktion der bürgerlichen Gesellschaft, Frankfurt 1972
Kunze, Michael: Straße im Feuer, München 1982
Merzbacher, Friedrich: Die Hexenprozesse in Franken, München 1957
Schmidt, Eberhard: Inquisitionsprozeß und Rezeption, Leipzig 1940
Schormann, Gerhard: Hexenprozesse in Deutschland, Göttingen 1981
Soldan, Wilhelm Gottlieb / Heppe, Heinrich / Bauer, Max: Geschichte der Hexenprozesse, 2 Bde., München 1912

WINFRIED STADTMÜLLER

Münzwesen und Preispolitik im 17. Jahrhundert

»Münzverruf« und »Schlagschatz« – Das Chaos des deutschen Geldes – Goldpartei, Silberpartei und Habenichtse: Schacher um die Münzeinheit – Münzordnung und die fatalen Folgen – Der Staat als Falschmünzer: Die Inflation der »Kipper und Wipper« – Im Spekulationsfieber – Inflationsgewinnler und Inflationselend – Der lange Weg zur Einsicht.

Wenn es das Glück in früheren Zeiten mit einem Menschen gut meinte, ließ es ihn einen Schatz finden. Schätze und Schatzsuche haben seit alters her die menschliche Phantasie beschäftigt – bis auf den heutigen Tag: Allein im ersten Jahrzehnt nach dem Zweiten Weltkrieg wurden im Rheinland über 600 Schätze geborgen! Die meisten der in Deutschland gehobenen Funde stammen aus dem 17. Jahrhundert. Während des Dreißigjährigen Krieges haben Bauern und Bürger ihren wertvollen Besitz, nicht selten Ersparnisse von Generationen, vor der plündernden Soldateska zu retten versucht. In irdenen Töpfen wurden Gold- und Silbermünzen in Gewölbewinkeln vermauert oder im Wurzelwerk markanter Bäume vergraben – und aus unerfindlichen Gründen oft nicht wieder hervorgeholt. Aus Grimmelshausens »Simplizissimus« wissen wir, mit welch »peinlichen« Verfahren die Marodeure die geheimen Verstecke aus den Bauern »herauszukitzeln« verstanden. – Lange hat es indes gedauert, bis das Rätsel gelöst war, warum ausgerechnet die wertvollsten Funde zweifelsfrei auf die Jahre vor Kriegsbeginn datiert werden müssen: Zu Anfang des Dreißigjährigen Krieges wurde Deutschland von einer beispiellosen Inflation erschüttert.

Teuerung und Teufelswerk

Die Menschen der damaligen Zeit haben in dieser Teuerung das Werk des Teufels gesehen. In Wirklichkeit hatten skrupellose Geschäftemacher sich die Schwächen des deutschen Münzwesens zunutze gemacht und eine wirtschaftliche Krise ausgelöst, die in ihren Auswirkungen auf den »gemeinen Mann« einen Vorgeschmack von den Schrecknissen und dem Elend des kommenden Krieges gab.

Kredite werden unerschwinglich.
Oder – wie ein satirisches Flugblatt von 1642 formuliert:
»Was Jammer/o was grosse Noth! Credit ligt auff dem Sarck/ist todt«.

Das Geld wird weniger wert

Das deutsche Geldwesen der frühen Neuzeit spiegelt in seiner regionalen Zersplitterung ziemlich genau den trostlosen politischen Zustand des Reiches wider. Seit dem Mittelalter hatten die deutschen Könige das ihnen eigentlich allein zustehende Münzrecht in einer Großzügigkeit ohnegleichen an kleine und kleinste Herren weiterverliehen, bald durften auch viele Städte eigenes Geld prägen und in Umlauf bringen – das Münzprivileg erwies sich als eine ganz vorzügliche Finanzquelle. In bestimmten Zeitabständen wurden die umlaufenden Münzen jeweils »verrufen«, das heißt, außer Kraft gesetzt und eingeschmolzen. Die Neuprägungen zeigten dann regelmäßig verringertes Gewicht und verminderten Feingehalt. Der Gewinn aus solcher »Münzverschlechterung« – nicht selten mehr als zehn Prozent! – floß als »Schlagschatz« in die Schatulle des Münzherrn; Leidtragender bei dieser schleichenden Geldentwertung war immer das Volk: »So oft eine neue Münze, so oft ein Heerzug durch das Land!« kommentierte bitter das

*»**Wir schlagen waydlich drauff**«, sagen die Gesellen des Münzmeisters und mindern so den realen Geldwert. Kupferstich auf einem Flugblatt von 1622.*

Sprichwort. Bis ins 17. Jahrhundert hinein existierten innerhalb des Deutschen Reiches die verschiedenartigsten Münzsorten in den unterschiedlichsten Qualitäten nebeneinander: Einzig die Geldwechsler fanden sich noch in diesem Chaos aus Gulden, Taler, Schilling, Kreuzer, Batzen, Albus, Stüber, Groschen, Pfennig, Heller zurecht und wurden dabei reiche Leute!

Für die deutschen Großhändler war dieser Zustand unerträglich: Mit ›ihrem‹ Geld konnten sie auf den internationalen Märkten, die von den stabilen Goldwährungen des venezianischen Dukaten und des Florenzer Florenen beherrscht wurden, nicht konkurrieren. Goldvorräte gab es in Deutschland nur in begrenztem Maße. Die ersatzweise geprägten Silber-Gulden – der seit 1519 aus Joachimsthal kommende »Taler« wurde bald Leitmünze – mußten in ihrem Wert ständig den Preisschwankungen angepaßt werden. Die dringlich geforderte Geld-Einheit für das Deutsche Reich scheiterte letzten Endes immer wieder an den münzpolitischen Gegensätzen der Fürsten: die rheinischen Bischöfe beharrten auf ihrem Goldgulden; die »Silberreichen« (die Kur-

fürsten von Sachsen und Böhmen, die Herzöge von Tirol und Schwaben) bestanden aus eigensüchtigen Interessen auf einem hohen Silbergehalt der Münzen und diktierten dabei den Metallpreis – und die »restlichen« Herren mußten begreiflicherweise das genaue Gegenteil wollen. Wie mißlich die Lage dieser »Habenichtse« war, zeigt das Beispiel des Würzburger Bischofs, für dessen Prägungen nach zeitgenössischem Bericht »die Silberheiligen und Kirchenkleinodien, desgleichen der Bürger Silbergeschirr folgend draufgangen« sind.
Als schließlich im 16. Jahrhundert doch noch »Reichsmünzordnungen« zustande kamen, bewirkten sie zwar in der Praxis nichts, weil die mächtige sächsische »Silberpartei« nicht mitspielte, lösten aber fatalerweise jene Entwicklungen aus, die geradewegs in die große Inflation hineinführten.

Kleingeldmangel, ein Indiz für Inflation

In Deutschland war 1559 eine Doppelwährung geschaffen worden: Gold und Silber wurden in ein festes Wertverhältnis zueinander gesetzt. Als dann gegen Ende des 16. Jahrhunderts der Silberpreis anzog – die Minen im Erzgebirge und in Tirol begannen sich allmählich zu erschöpfen – überstieg der Edelmetallwert von Taler und Gulden rasch die aufgeprägten Nennwerte: Die Münzen wurden heimlich von Spekulanten eingeschmolzen und gewinnbringend ins Ausland »verschoben« – dem Volksvermögen gingen wertvolle Silbervorräte verloren!
Das eigentliche Verhängnis aber begann beim Kleingeld. Die »Münzordnungen« hatten den Feingehalt von Groschen, Pfennig, Kreuzer viel zu hoch angesetzt: Die Prägekosten überstiegen so zum Teil erheblich den Gewinn – die Herstellung von Kleinmünzen wurde zum Verlustgeschäft und daher meist eingestellt oder nur ganz nebenbei betrieben.
Für den alltäglichen Krämerhandel bedeutete das eine schwere Behinderung: Es fehlten die notwendigen »Scheidemünzen«, jene Geldstücke, die Käufer und Verkäufer bei ihren Geschäften ohne Rest voneinander »schieden«. Zu Beginn des 17. Jahrhunderts mußten die Hausfrauen bei Bäcker und Metzger »anschreiben« lassen, bis eine runde Summe aufgelaufen war: Auf Holzleisten wurden entsprechende Markierungen angebracht – »etwas auf dem Kerbholz« zu haben, war damals durchaus nicht ehrenrührig, es war schlichte Notwendigkeit. Auf den schlechtesten aller schlechten Auswege aber verfielen die Münzherren selbst: sie fälschten ihr eigenes Geld!

Kipper und Wipper.
Die »Münzverschlechterer« waren wenig geliebt, dafür oft karikiert. Kupferstich um 1620.

Staatliche und private Falschmünzerei

Die Falschmünzerei ist sicher nicht viel jünger als die Münzerei selbst – zu allen Zeiten aber war sie bisher von den Münzherren unnachsichtig verfolgt worden. Seit dem Mittelalter drohte den »Beyschlägern« eine der schrecklichsten Todesstrafen: das Sieden in Öl; in der Rechtspraxis wurde dies aber meist in Verbrennen bei lebendigem Leibe ›abgemildert‹. Die Unzahl der deutschen Geldsorten und ihre schlechte Prägequalität forderten illegale Nachahmungen geradezu heraus. In großem Stil wurde Falschmünzerei schon kurz vor Beginn des 17. Jahrhunderts betrieben: In die Spanischen Niederlande geschmuggelte gute Münzen wurden eingeschmolzen, umgeprägt und als »schlechtes Geld« wieder in den deutschen Handel eingeschleust – auf 56000 Gulden bezifferte man den jährlichen Gewinn aus solchen Transaktionen! In Würzburg konnte eine ganze Falschmünzerbande dingfest gemacht und dem Henker zugeführt werden, und 1618 nahm man in Nürnberg gar den »ehrenwerten« Münzmeister in Arrest.

Verglichen aber mit dem, was sich in den ersten Jahrzehnten des 17. Jahrhunderts abspielte, müssen diese Münzverbrechen eher als Bagatellen erscheinen. Um dem Mangel an Kleingeld abzuhelfen, waren nämlich immer mehr Münzherren dazu übergegangen, entgegen den Reichsverordnungen minderwertige Stücke zu prägen; zur Rechtfertigung deklarierte man sie dann einfach als »Landesmünzen«. Nachdem dieses Verfahren sich als recht einträglich erwiesen hatte und die Nachfrage ständig stieg, begann die Entwicklung bald auszuufern – unter Herzog Friedrich Ulrich von Braunschweig-Wolfenbüttel nahm sie seit 1617 kriminelle Formen an.

Überall im Territorium des Fürsten – »in Stätten, Clostern, Clausen... auf Dorffen auch woll im Felde« – entstanden jetzt Münzstätten, die treffend als »Hecken-Münzen« bezeichnet wurden. Ihr Betrieb war, wie es später in den Gerichtsakten heißt, an »allerley loß Gesindelein« verpachtet, an falsche Münzmeister, heruntergekommene Goldschmiede, Schuster, Schneider, Alchimisten, Zöllner, ja selbst an Abdecker und Schinder! Daß es solche ›Münzbeamten‹ einzig auf betrügerischen Gewinn abgesehen hatten, liegt auf der Hand: Sie rafften überall im Land die guten Münzen, alles greifbare Silber zusammen und schmolzen es zu minderwertigem Geld um. Das Volk nannte diese Leute – nach der Schaukelbewegung ihrer Balkenwaagen – seit 1620 allgemein »Kipper und Wipper«. Bei ihren Machenschaften hielt sich der Herzog diskret im Hintergrund – er begnügte sich mit dem Kassieren; als Münzbilder erscheinen Phantasiewappen, anstelle der Herrscherumschrift fromme Sprüche: »Ahn Gottes segen ist alles gelegen«.

Die Praxis der staatlichen Falschmünzerei von Braunschweig begann sich rasch in allen Teilen des Reiches zu verbreiten – selbst so redliche Münzherren wie die Reichsstadt Nürnberg oder der Bischof von Würzburg mochten sich da nicht ausschließen: die ungeheueren Kosten des beginnenden Großen Krieges ließen oft gar keine andere Wahl. Die Grafen von Mansfeld errichteten in ihrem kleinen Ländchen über 40 Kipper-Münzen! 1622 verpachtete der Kaiser aus Geldmangel alle seine Prägestätten in Österreich, Böhmen und Mähren gegen einen Zins von sechs Millionen Gulden an ein Konsortium, dem neben reichen »Münzjuden« auch General Wallenstein angehörte.

Anfänglich suchte man bei der Ausgabe des Kipper-Geldes noch den »Schein« zu wahren: Die minderwertigen Stücke wurden mit allerlei Essenzen »geschönt«, so daß sie wenigstens äußerlich für kurze Zeit Silberglanz vortäuschten. »Das neue Geld«, berichtet eine zeitgenössische Chronik, »war fast lauter Kupfer, nur gesotten und weiß gemacht, das hielt etwa acht Tage, dann wurde es zunderrot«. Das Volk sprach verächtlich von den »roten Seufzern«!

Haupttätigkeiten der Münzverschlechterer: *Einschmelzen und Schlagen der Kippermünze, Wechseln am Tisch mittels Münzbuch und Waage. Zeitgenössischer Kupferstich.*

Galoppierende Inflation, Spekulationsgewinne und wirtschaftliche Scheinblüte

Der durch die starke Nachfrage beständig steigende Silberpreis und die dadurch immer minderwertiger werdenden Prägungen ließen den Wert des Geldes zusehends verfallen. Im März 1621 wurde der Gulden in Böhmen um die Hälfte herabgesetzt, ein halbes Jahr später war er auf ein Viertel seines ursprünglichen Wertes gefallen. Erhielt man im April 1621 für einen Reichstaler in Braunschweig drei Kipper-Taler, so waren es im September bereits acht. Die Inflation galoppierte!
Diese stürmischen Bewegungen am Geldmarkt erzeugten ein wildes Spekulationsfieber: Für ein naives Gemüt mußte es beglückend sein, für einen alten Taler fünf oder sechs ›neue‹ zu erhalten – daß sie nichts wert waren, merkte man erst später. »Die Ärzte verlassen ihre Kranken«, klagt eine Streitschrift, »und denken viel mehr an den Wucher als an Hippokrates und Galenus, die Juristen vergessen ihre Akten...« Nicht minder hektisch wurde Jagd gemacht auf das »Verschnittme-

tall« Kupfer. Hausfrauen verhökerten ihre Pfannen und Kessel, und »wo eine Kirche ein altes kupfernes Taufbecken hatte, das mußte fort zur Münze und half ihm keine Heiligkeit; es verkauften's, die darin getauft waren«.
Der Kreis der echten »Inflationsgewinnler« blieb dennoch klein. Die Mitglieder des österreichischen Münzkonsortiums kauften mit ihren enormen Gewinnen die Güter des vertriebenen protestantischen Adels in Böhmen auf. Viele wurden auf billigste Weise ihre Schulden los oder konnten jetzt alte Steuerrechnungen begleichen. Nicht wenige aber hatten in ihrem »Geldrausch« in kürzester Zeit das Sparvermögen von Generationen durchgebracht.
Die allgemeine Ernüchterung war um so schmerzlicher: der Scheinblüte folgte zwangsläufig eine Teuerung von ungeahnten Ausmaßen. In Dresden stiegen die Getreidepreise von 1620 auf 1622 um das Fünffache; die Bauern weigerten sich schließlich ganz, ihre Produkte gegen Kipper-Geld abzugeben. In Mansfeld mußte der Rat 1621 Vieh aufkaufen und an die Bevölkerung verteilen, da Fleisch und Fisch in den Geschäften nicht mehr angeboten wurden. Am härtesten waren die Empfänger fester Bezüge, Beamte und Rentner, von den Preissteigerungen betroffen. Im Erzgebirge wurden öffentliche Sammlungen veranstaltet, um Geistliche und Lehrerfamilien vor dem Verhungern zu bewahren! Verständlicherweise richtete sich bei dieser Lage der Volkszorn in aller Schärfe gegen die Kipper und Wipper. In unzähligen Flugschriften wurden ihre Praktiken angeprangert und sie selbst als »letzte Bruth und Frucht des Teufels« beschimpft; es finden sich gar öffentliche Aufforderungen zum Mord! Bei einem Aufstand am 26. Februar 1622 plünderten mansfeldische Bergleute die Hecken-Münzen ihrer Gegend. Nicht zu Unrecht aber konnten sich die »armen Kipper und Wipper« in einer anonymen Schrift damit verteidigen, daß »alles mit Wissen, Willen und Beifall der Obrigkeit« geschehe.

Die staatliche Währungsreform von 1623: Rückkehr zur Reichsmünzordnung

Auf die Fürsten fiel ihr eigener Betrug dann schließlich auch wieder zurück: Als sie die Wertlosigkeit der eingehenden Steuergelder erkennen mußten, setzten sie noch 1623 überall in Deutschland Reformen ins Werk – kurioserweise machte dabei jener Friedrich Ulrich von Braunschweig den Anfang, der das ganze Übel eigentlich erst verursacht hatte. Die Hecken-Münzen wurden aufgehoben, die schlimmsten Kipper vor Gericht gestellt. Münzverpachtung war fortan strikt

Johann Heberle berichtet 1621 über die Kipper- und Wipperzeit

Anno 1621 ist das Schachern angegangen und hat ein jeder wollen reich werden. Der eine ist da, der andere dort hinausgeloffen, bis sie das gute Geld vertragen und das böse, lose Geld, das nichts gewesen dann lauter Kupfer und Glockenspeis, in unser Land darfürgebracht, dadurch alle Länder sind verderbt worden und alle Waren auf das Höchste gestiegen. Alle Kaiser und Könige, Fürsten und Herren [...] Städt und Flecken, Keßler und Landfahrer haben gemünzet und münzen dürfen, daß einer ein gelehrten Zungen und ein gut Gesicht hat haben müssen, der alle Überschriften hat können lesen und sehen. Es ist ein leichtes und falsches Geld gewesen, das keinen Bestand gehabt, denn von Anfang an war es schön, als wann es lauter Silber wär, aber hernach in 3, 4, 5 oder aufs längst in die 8 Wochen ist es abgefallen und rot worden, wie das Kupfer [...]. Weil aber ein solcher Jammer und Not ist mit dem Geld worden, so haben etliche Ständ und Städt im Römischen Reich sich miteinander vereiniget, wie sie der Ungelegenheit möchten ein wenig wehren; da haben sie Geld gemünzet und habens genannt Landmünz oder Scheidegeld, ein schlechtes und ein verachtetes Geld, welches man nirgend genommen hat dann in deren Herrschaft, welcher Herr gemünzet hat.

Aus: Aufzeichnungen des Bauern Johann Heberle aus Weidenstetten. (Abgedruckt in K. Wild: Zustände während des 30jährigen Krieges = Teubners Quellensammlung II, 46.)

Aus einem Kipp-, Wipp- und Münzerlied um 1625

1.
Horch, itzt wollen wir singen
Ein neues Liedelein
Von Kipp- und Wippers-Gesinde
Was das für Vögel sein.
Die Kip, die Wip!
Sie sind gar hoch geflogen,
Bald wie geschwinde werd sie doch –
Wer hoch steigt, der fället hoch
Runter wieder fallen!

2.
Wollt ihr aber wissen, wer sie seind
Fürwahr keine fremde Leut,
In Städtn und Dörfern man sie findt
All in der Christenheit.
Die Kip, die Wip!
Aber ihren Glauben verleugnen sie;
Denn der Kipp- und Wipper-Ordn
Sind nur Judn und Zöllner worden,
Das ist kein christlich Lieb.

3.
Sie mauscheln ja und wechseln ein
Nichts darf sich blecken lan.
Es mögen Groschen oder Taler sein,
Keins für ihn bleiben kann.
Die Kip, die Wip!
Sie liefern's in die Münz geschwind,
Kippens nach der Mark dahin
und nehmen zehenfachn Gewinn
Mit dem losen Münzer-Gsind.

4.
Welcher sonst auf dem Schemel gesessn,
Der muß ein Roß jetzt han,
Tut seines Handwerks gar vergessn,
Die Gassen reit er 'ran.
Die Kip, die Wip!
Die Leut ans Fenster laufen tun,
Jedermann es Wunder nimmt,
Was doch für ein Reuter kömmt,
So ist's ein Kippers-Mann.

Aus: J. Opel/A. Cohn: Der 30jährige Krieg, Halle 1862

Inflation: *Geld regiert die Welt (oben) – Geldverleiher sind die wahren Gewinner (Mitte) – Der Handel kann sich nicht entfalten (links). Flugblätter aus dem 17. Jahrhundert.*

untersagt. Die meisten Territorien kehrten zu den Festlegungen der alten »Reichsmünzordnung« zurück. Das Problem der noch umlaufenden Kipper-Münzen konnte nur durch einen »harten Schnitt« gelöst werden: Sie wurden gegen einen geringen Teil ihres ursprünglichen Wertes von den fürstlichen Kassen umgetauscht – der »gemeine Mann« hatte doch letztlich die Zeche zu zahlen! Nach Schätzungen von Richard Gaettens hat die Inflation der Kipper und Wipper »den materiellen Wohlstand Deutschlands stärker zerstört als der Dreißigjährige Krieg«.
Die große Krise hatte aber auch ihre positiven Auswirkungen. In Nürnberg wurde 1621 als erste süddeutsche Bank die Banco Publico gegründet: Durch bargeldlosen Zahlungsverkehr sollten jene Schwierigkeiten in der Münzwirtschaft umgangen werden, die sich eben so verderblich ausgewirkt hatten. Die Banco Publico stieg später zu einer der vier größten Banken Europas auf.
Durch die »Währungsreformen« des Jahres 1623 hatten sich in den deutschen Territorien die Geldverhältnisse weitgehend beruhigt, so daß – wenn die Ereignisse des Krieges dies zuließen – Handel und Wirtschaft ganz langsam wieder in Gang kamen. Wie weit Deutschland jedoch von einer Münzhoheit entfernt war, zeigt die Tatsache, daß König Gustav II. Adolf von Schweden auf seinen Feldzügen eigenes Geld prägen und als vollwertige Münzen in Umlauf setzen konnte. Und als Kardinal Richelieu 1640 in Frankreich mit dem »Louis d'or« (frz., etwa: Ludwig aus Gold) eine neue Goldwährung münzen ließ, glaubten deutsche Fürsten sogleich, auch ihre eigene Bedeutung durch Prägung von Max d'ors, August d'ors oder Wilhelm d'ors gebührend herausstellen zu müssen.
Die Übernahme der Spindelpresse aus Frankreich hingegen brachte für die Prägetechnik der Münzstätten einen bemerkenswerten Fortschritt: Mit Recht werden die vielfältigen Münzen des 17. Jahrhunderts zu den ästhetischen Höhepunkten deutscher Prägekunst gezählt.
In der Münzpolitik der deutschen Staaten werden solch schöne Fortschritte indes nicht erkennbar. Als die kriegerischen Verwicklungen mit Frankreich und der Türkei in der zweiten Hälfte des 17. Jahrhunderts große finanzielle Aufwendungen erforderten, griffen einzelne Landesherren unbedenklich wieder zu eben den zweifelhaften Methoden der Geldbeschaffung, die jene verhängnisvolle Inflation von 1622 verursacht hatten; daß jetzt eine ähnliche Katastrophe ausblieb, ist wohl nur glücklichen Umständen zu danken. Wie sehr deutsche Fürsten in kurzsichtiger Gewinnsucht befangen waren, erhellt am Rande auch ihre einfältige »Laune«, sich mit aller Macht jene Scharlatane an die Höfe zu holen, die vorgaben, Gold machen zu können. – Erst seit

der »Münzkonvention« von 1753 sollte sich allmählich die Einsicht durchsetzen, daß die Währungsprobleme des Deutschen Reiches nur im Zusammenwirken aller Stände gelöst werden konnten!
So unheilvoll die große Münzkrise das schicksalhafte und kriegerische 17. Jahrhundert eröffnet hat, so hoffnungsvoll markiert eine der schönsten Münzen deutscher Prägung sein Ende – der »Lämmleinsdukaten« der Nürnberger Bürgerschaft zum Jahr 1700 spricht die alte Sehnsucht der Menschen aus: »Kröne, o Herr, durch Gewährung des Friedens unsere Zeiten.«

Literatur

Friedensburg, Ferdinand: Die Münze in der Kulturgeschichte, Berlin 1909
Gaettens, Richard: Inflationen. Das Drama der Geldentwertung vom Altertum bis zur Gegenwart, München 1955
Gebhart, Hans: Numismatik und Geldgeschichte, Heidelberg 1949
Grasser, Walter: Münzen des Mittelalters und der Neuzeit, München 1976
Kochs, Hermann: Geprägtes Gold, Stuttgart 1967
Nau, Elisabeth: Epochen der Geldgeschichte, Stuttgart 1972
Veit, Ludwig: Das liebe Geld. Zwei Jahrtausende Münz- und Geldgeschichte, München 1969

WINFRIED STADTMÜLLER

Zeitungen und Nachrichtenwesen im 17. und 18. Jahrhundert

Die erwachende Neugier des Bürgers – Geburt der »Presse« – Neue Zeitungen: Sensationsblätter des 16. Jahrhunderts – Von der Meß-Relation zum Aviso – Im Zeichen des »fliegenden Postreuters« – Wider die Zeitungs-Sucht – Druck der Zensur – Intelligenzblatt und Vermischtes – Höhepunkt des deutschen Feuilletons.

Man streitet sich noch über den ersten Erfinder der Zeitungen. Wer es auch sein mag, ich schätze ihn so sehr, als den Erfinder irgend eines Dinges der Welt [...]«, schrieb 1780 der Wiener Kulturhistoriker Johann Pezzl. Man hat diesen Erfinder bis heute nicht ausmachen können, man wird ihn wohl auch nie aufspüren: die Zeitung ist das Kind menschlicher Neugier – und damit im Grunde so alt wie die Menschheit selbst!

Das Wort »Zeitung« bedeutet denn auch seinem ursprünglichen Sinn nach nichts anderes als »Neuigkeit«, eben das, was die menschliche Neugier befriedigt. Bis ins späte Mittelalter hinein gab sich diese Neugier verhältnismäßig bescheiden: Zwar waren Kaiser und Fürsten durch ihre berittenen Kuriere recht gut informiert, Klöster und Universitäten tauschten längst schon über ihre Botendienste untereinander Nachrichten aus; die meisten Bürger aber waren mit dem zufrieden, was innerhalb der engen Stadtmauern unter ihren Augen geschah, was sie im nachbarlichen Gespräch erfuhren und mitteilen konnten. Erst als fremde Länder entdeckt wurden, als die Religionsstreitigkeiten in das private Leben eingriffen, als die heranrückenden Türken als schreckliche Gefahr empfunden wurden, überstieg die bürgerliche Neugier die Stadtmauer: man wollte jetzt genau wissen, was draußen in der Welt vor sich ging.

Kurioses und Ernsthaftes aus Politik und Wirtschaft
Vom Brief zur Zeitung

So wurde es zu Beginn des 16. Jahrhunderts mehr und mehr üblich, im amtlichen und persönlichen Briefverkehr auch alle Neuigkeiten mitzuteilen, deren man habhaft werden konnte: Ein Anhang zum Brief oder ein beigelegter Zettel enthielten als »geschriebene Zeitung« Nachrichten aus aller Welt, die dann häufig kopiert und im Bekanntenkreis weitergereicht wurden. Eine Sammlung solcher »Zettel-Zeitungen« aus dem Kloster Tegernsee vermittelt einen lebendigen Eindruck von dem, was damals als interessant galt: Da werden wundersame Begebenheiten erzählt, da wird etwa berichtet von den Greueltaten des Fürsten Dracol aus der Wallachei – ein früher Gruß von Dracula!

Der Inhalt der »geschriebenen Zeitung« erschöpfte sich jedoch keineswegs in Kuriositäten. Denn hier wurden vor allem auch wichtige politische und wirtschaftliche Informationen weitergegeben. Das Augsburger Handelshaus Fugger orientierte sich bei seinen geschäftlichen Unternehmungen maßgeblich an solchen Nachrichten: die »Fugger-Zeitung« wurde von einem Agentennetz beschickt, das sich fast über die ganze Erde erstreckte; Gewährsmänner waren dabei Gesandte und Kaufleute ebenso wie Studenten und Landsknechte. Einer Rechnung aus dem Jahre 1588 ist zu entnehmen, daß der »Zeitungsschreiber« Crasser innerhalb von zwei Monaten 61 Bogen mit Nachrichten an die Familie Fugger lieferte; für jeden Bogen wurde ihm ein Honorar von vier Kreuzern gezahlt. Damit unterschied sich die »geschriebene Zeitung« eigentlich nur wenig von den »vertraulichen Informationsdiensten« unserer Tage.

Es geht wohl auf die richtige Einsicht von Buchdruckern und Formschneidern zurück, daß sich solcherart Neuigkeiten mit Gewinn auch einem größeren Interessentenkreis verkaufen ließen. Um 1500 tauchen allenthalben gedruckte »Neue Zeitungen« auf – Nachricht und Druckerpresse waren jenes Bündnis eingegangen, das bis heute das Wesen der Zeitung ausmacht: die »Presse« war geboren! Gutenbergs Erfindung erst hatte die Voraussetzungen für die massenhafte Verbreitung von Neuigkeiten geschaffen.

In ihrer äußeren Aufmachung ahmten diese mehrseitigen Zeitungen die »Flugblätter« nach, in denen die politischen und religiösen Händel der damaligen Zeit ausgefochten wurden. In reißerischen Titelbildern wurden wüste Schlachtenszenen ausgemalt, die Überschriften versprachen Abenteuerliches: »Von den neuen Inseln und Landen, so itzt kürzlich erfunden worden sind.« Zweifelsohne wird in diesen »Neuen Zeitungen«, die auf den Märkten vertrieben wurden, der Vorläufer unserer Sensationspresse faßbar!

So wundert es nicht, daß die »sehr greulichen, erschrecklichen Zeitungen« die »glücklichen und sieglichen« bei weitem überwiegen. Da geht es um Türkenkrieg und Mord, um Mäuseplagen und Mißgeburten; da toben sich Hexenhysterie und Wundersucht aus: In Straßburg

Druckerhandwerk und Druckerkunst. *Satz und Druck mit beweglichen Lettern, 17. Jahrhundert (oben), Titelblatt einer Zeitung aus den Anfangsjahren dieses Mediums (unten).*

Der hinckende Bothe /
So den 7. Septembris / Anno 1631, Abends halbweg zehen Uhr / von Halle nacher Franckfurt am Mayn abgangen.

mußte 1533 der Rat einschreiten, als ein Zeitgenosse seine Erfahrungen im Umgang mit dem Teufel zum besten geben wollte. Grausamkeit wurde genüßlich serviert: Das Titelblatt der »Erweiterten Unholden-Zeitung« zeigt einen Verbrecher im siedenden Pechkessel, während die Schergen eifrig nachheizen. Hier flattern auch die ersten Zeitungs-»Enten« auf, so wenn etwa vermeldet wird »von dem Papst zu Rom, wie er sich zu Tode gefallen hat von seinem Stuhl« – je unglaubwürdiger die Geschehnisse, um so nachdrücklicher wird ihre »wahrhafftigkeit« betont. Es ist sicher bezeichnend, daß einzelne Exemplare nur unter der Ladentheke gehandelt wurden! In diesem Genre waren schon damals Prozesse wegen obszöner Darstellungen oder wegen Beleidigung von Kaiser und Papst nichts Ungewöhnliches. Die Herausgeber der »Neuen Zeitungen« – man vermutet heute Gelehrte und Postmeister, Geistliche und Stadtschreiber – blieben aus begreiflichen Gründen meist anonym.

Auf dem Weg zu Periodizität und Aktualität
Die Meßrelationen

Zeitungen in unserem heutigen Sinn waren diese Neuigkeiten-Blätter jedoch nicht: es fehlten ihnen Aktualität und regelmäßige Erscheinungsweise. Die ersten periodischen Publikationen gehen in Deutschland wohl auf den Wiener Michael von Aitzing zurück, der seit 1583 jeweils zu den großen Frühjahrs- und Herbstmessen seine »Relatio historica« auflegte. Aitzing distanzierte sich im Anspruchsniveau seiner »Relationen« deutlich von den »Neuen Zeitungen«: Er wollte über die »großen Ereignisse« berichten und nicht, »daß sich eines Prädicanten Weib erhängt habe«.
Der verlegerische Zusammenhang mit den Handelsmessen war geschickt gewählt – das internationale Publikum gab einen vorzüglichen Umschlagplatz für Nachrichten ab und bildete gleichzeitig den besten Markt für die »Meßrelationen«: Welcher Kaufmann ließ es sich schon entgehen, gedruckte Neuigkeiten mit nach Hause zu bringen? So ist es nicht verwunderlich, daß das Unternehmen des Michael von Aitzing zu einem großen geschäftlichen Erfolg wurde und bald Nachahmer und Konkurrenten fand. Die »Frankfurter Meßrelationen« hatten immerhin bis weit ins 19. Jahrhundert hinein Bestand.
Der Erfolg der »Meßrelationen« mag den Anstoß gegeben haben, Zeitungen nun auch »wochentlich« erscheinen zu lassen. Im Jahre 1609 tauchen unabhängig voneinander die beiden wohl ersten deutschen Wochenzeitungen auf: die »Straßburger Relation« des Druckers Jo-

Avisa I.
Relation oder Zeitung.
s sich begeben vnd
n hat / in Deutsch: vnd Welsch-
nien / Niederlandt / Engellandt / Franck-
gern / Osterreich / Schweden / Polen /
in allen Provintzen / in Ost: vnnd
West Indien etc.
alhie den 15. Januarij angelangt.
Gedruckt im Jahr / 1609.

Continuatio XX
Gründlicher Bericht /
von Krieges vnd andern Sachen / als
in Böhmen / Märhen / Schlesien / Oesterreich.
Auch seind hierbey die Namen der Kriegs-Obersten vnd Befelchshaber / vnd was ein jeder für Volck bey sich hat.
Gedruckt zu Güstrow / im 1618. Jahre.

Noua Nova Antiqua Continuationis
Der Newen Zeitungen
Von unterschiedlichen Orten:
Das ist /
Die alte Warheit mi
ein newen Titul.
Vermehret vnd auch verbessert.
EDITIO TERTIA.
Gedruckt in der Parnassischen Trucker
Anno MDCXXI.

tze RELATION
seit Ihr. Königl. Mayst.
hweden Marche auß Pommern
anhero nacher Crackaw passiret
vnd fürgan-
gen.
ruckt im Jahr Anno 1655.

Zeit-Büchlein
vom itzigen
Türcken-Kriege
wider
Das Königreich Vngarn / Siebenbürgen und die Kayserliche Erb-Länder.
Kürtzlich / was von Monat zu Monat ...
abgefasset
von
G. G. C. N. P.
Gedruckt im Jahr 1663.

Anno 1664. Num. 50.
ORDINARI
Post-Zeitung /
Was in- und ausserhalb des H. Römis
Reichs wochentlich anhero berichtet wird.

Titelblätter früher Zeitungsausgaben. *»Aviso. Relation oder Zeitung« nannte man 1609 noch unsicher die vielleicht früheste Wochenzeitung der Welt. Sie brachte sogar Nachrichten aus Ost- und Westindien (oben links). Nach 1618 war der Krieg ein Hauptthema der Gazetten, daneben allerhand Kurioses und Unterhaltendes. Ein Exemplar von 1663 berichtet über die Türkenkriege. 1664 ein schon sehr »standardisiertes« Titelblatt mit laufender Nummer und Hinweis auf die Periodizität, mit Zeitungsname und Zeitungskopf (unten rechts).*

hann Carolus und der »Aviso«, als dessen nicht genannter Erscheinungsort heute Wolfenbüttel angenommen wird. Deutschland gilt damit als Ursprungsland der Zeitung! Die ersten periodischen Blätter lassen sich in Holland 1618, in England und Frankreich 1620 nachweisen; Rußland erhielt seine erste Zeitung um 1703.

In rascher Folge wurden nun auch – unter oft bombastischen Titeln – in anderen deutschen Städten »Wochentliche Zeitungen« aufgelegt: in Frankfurt 1615, Hamburg 1616, Hildesheim und Nürnberg 1620, Wien 1623, Magdeburg 1626, Augsburg 1627, München 1628 und Leipzig 1630.

Das Nachrichtenangebot dieser frühen deutschen Zeitungen bestand aus einem kunterbunten Gemisch wahllos zusammengefügter Meldungen. So berichtete die erste Nummer des »Aviso« vom böhmischen Landtag und von mährischen Gesandten, von verheerenden Sturmfluten in Holland und von Übergriffen des Pöbels gegen das Albrechtskloster zu Breslau. In solchem Aktualitäten-Wust findet sich allerdings gelegentlich auch ein echter »Treffer«: Unter dem 4. September 1609 meldet die »Straßburger Relation«, daß ein »Signor Gallileo« von Florenz ein Fernrohr erfunden habe, »durch welches man auf 30 Meil entlegene Ort sehen kann, als wäre solches in der Nah«. Die Berichterstattung beschränkte sich ausschließlich auf »einkommende«, das heißt auswärtige, möglichst ausländische Neuigkeiten – die Ereignisse des Dreißigjährigen Krieges etwa spielten erstaunlicherweise oft nur eine untergeordnete Rolle! Kommentare und lokale Interna wurden strikt ausgespart: kein Drucker oder Verleger wollte die Konzession des Rates oder des Stadtherrn leichtfertig aufs Spiel setzen.

Die Nachrichten wurden in den meisten Fällen wohl von eigenen Agenten bezogen. Als um 1633 ein Leipziger Buchdrucker bei der städtischen Behörde um eine Zeitungslizenz nachsuchte, berief er sich darauf, daß er »in vielen Orten mit Hochangesehenen vom Adel, auch Liebhabern der Historien, vornehmen Handelsleuten und Amtspersonen in guter Correspondenz« stehe. Nicht selten wurde jedoch, wie sich leicht nachweisen läßt, bedenkenlos bei Konkurrenzzeitungen abgeschrieben: der Zuverlässigkeit der Meldungen war dieses Verfahren indes nicht unbedingt förderlich. Der Herausgeber der »Straßburger Relation« appellierte denn auch an die Nachsicht des »großgünstigen Lesers« und bat ihn, er möge Fehler »seinem vernünfftigen wissen nach unbeschwert selbsten corrigiren, Endern und verbessern«. In der Entschuldigung für solche Irrtümer, daß nämlich »bey der Nacht eylend gefertigt werden muß«, schwingt schon etwas von der sprichwörtlichen Journalisten-Hektik unserer Tage mit.

Dabei waren die ersten Zeitungen in ihrer äußeren Aufmachung keineswegs sonderlich anspruchsvoll gestaltet. Die Schreibheftgröße hatte sich als Format weitgehend durchgesetzt; eine Ausgabe umfaßte selten mehr als acht Seiten. Die Auflagenhöhe dürfte im 17. Jahrhundert zwischen 100 und 200 Exemplaren geschwankt haben. Verhältnismäßig früh schon war das Abonnementsystem verbreitet, eigene Zustelldienste existierten jedoch noch nicht. Bald gingen einzelne Zeitungen dazu über, zwei oder mehr Ausgaben pro Woche erscheinen zu lassen. Am 1. Januar 1660 brachte der Leipziger Buchhändler Ritzsch seine »Neueinlaufende Nachricht von Kriegs- und Welthändeln« als erste deutsche Tageszeitung heraus!

Merkur mit Flügelschuhen – Der Postreiter

Jede Änderung der Erscheinungsweise wurde in der Regel auch dazu benutzt, den Titel umzugestalten oder gar zu wechseln – die nachmals berühmte »Vossische Zeitung« ist unter annähernd 30 verschiedenen Namen erschienen! Um so größerer Beständigkeit erfreuten sich dagegen die Titelvignetten: Mit wenigen Ausnahmen führten die Zeitungen des 17. Jahrhunderts in ihren Kopfleisten den »fliegenden Postreuter« oder seinen göttlichen Vorläufer aus der Antike, Merkur mit den Flügelschuhen.

Das Bild des Postreiters symbolisiert auch die enge Verbindung der Post mit der Entstehung und Entwicklung des deutschen Zeitungswesens. Als der Kaiser 1595 dem Geschlecht der Taxis (siehe Porträt, Band 5) das Reichspostregal als erbliches Lehen übertrug, entstand in kurzer Zeit entlang der Hauptverkehrswege ein Netz von »Posten«, von Relaisstationen, an denen die Pferde der Postkuriere gewechselt und die Sendungen entsprechend ihrer Bestimmung weitergeleitet wurden. Die wöchentlichen »Posttage« wurden nun maßgeblich für die Zustellung auch der Zeitungen und bestimmten damit lange deren Erscheinungsweise – einzelne Blätter bezeichneten sich ausdrücklich als »Posttäglich einkommende Zeitungen«.

Nicht wenige Postmeister (Vorsteher der Poststationen) nutzten die Gunst ihrer Stellung, um selbst als Zeitungsherausgeber in Erscheinung zu treten. In den Poststationen liefen Nachrichten und Neuigkeiten zusammen wie sonst wohl kaum an einem anderen Ort; der Zeitungsvertrieb ließ sich leicht und praktisch unentgeltlich über das postalische Verteilungsnetz leiten; und überdies erfreuten sich die Postmeister als Amtspersonen einer besonderen Glaubwürdigkeit: »Post-Zeitung« oder »Zeitung aus dem Posthause« sind die im 17. Jahrhundert am meisten verbreiteten Titel! Einzelne Postmeister verstanden es

Die Zeitung und ihr Publikum.
Das Neueste aus aller Welt, gesungen, vorgelesen und auf dem Markt verkauft.
Radierung von Jan Georg van Vliet.

– so etwa in Frankfurt –, sich kaiserliche Zeitungsprivilegien zu verschaffen und damit jede Konkurrenz auszuschalten. Auf die erbitterten Eingaben der Nichtprivilegierten hin mußte der Rat der Stadt schließlich erklären, daß die Zeitung »kein Annexum oder Pertinenz des Postwesens« sei – der Kampf gegen Zeitungsmonopole hat in Deutschland offenkundig eine lange Geschichte.

Richtschnur aller Klugheit oder Objekt staatlicher Zensur?

Auch die unerschöpfliche Diskussion um die verderbliche Wirkung der Massenmedien ist keineswegs neu: Schon im 17. Jahrhundert wetterten Gelehrte und Geistliche gegen »eitles, unnötiges, unzeitiges und daher arbeitsstörendes, mit unersättlicher Begierde getriebenen Zeitungslesen«; um 1679 kanzelte der Superintendent von Rotenburg die »Neue Zeitungssucht« gar als »sündlich« ab. Zum einsamen Anwalt der Presse machte sich der Barockdichter Caspar Stieler: »Die Zeitungen sind der Grund, die Anweisung und Richtschnur aller Klugheit, und wer die Zeitungen nicht achtet, der bleibt immer und ewig ein elender Prülker und Stümper in der Wissenschaft der Welt und ihrem Spielwerk. [...]«
Das Gezeter ihrer kulturbeflissenen und frömmelnden Kritiker hat die Entwicklung der Zeitung denn auch nicht aufzuhalten vermocht; verhängnisvoller wirkten sich hier schon die Auflagen und Eingriffe der staatlichen Zensur aus. Besonders seit dem 18. Jahrhundert zwangen die absolutistischen Fürsten die Blätter zu totaler politischer Abstinenz. Ein Dekret des sächsischen Kurfürsten verordnete all denen, die sich »unterständen und angemaßet, Zeitungen zu schreiben«, sich »unzulässigen Raisonnements [...] zu enthalten oder widrigen Falles harter, unnachbleiblicher Bestrafung dafür, nach Befinden mit Gefängnisse, Verweisung von der Stadt oder Festungs-Baue« gewärtig zu sein.
Auch das vielzitierte Wort Friedrichs II. von Preußen bei seinem Regierungsantritt 1740 – »Gazetten, wenn sie interessant seyn sollten, müßten nicht geniret (behindert) werden« – blieb in der politischen Wirklichkeit lediglich eine schöne Absichtserklärung: kaum zehn Jahre später hat der König »gnädigst gut befunden, die ehemalige seit einiger Zeit in Abgang gekommene Censur wiederherzustellen«. Einen Kölner Zeitungsmann, der nicht eben im friderizianischen Sinne schrieb, ließ er – für damalige Verhältnisse keineswegs ungewöhnlich! – gegen ein »Honorar« von 50 Dukaten so gründlich verprügeln, daß es fortan keine Anstände mehr gab. Dabei verstand es Friedrich gut,

Kritik am neuen Medium.
Verleger mit Narrenkappe, Marktforschung mittels Astrologie. Propagandaschrift, 17. Jahrhundert. Ulm, Stadtbibliothek.

sich einzelne Zeitungen als »Sprachrohre« zur Rechtfertigung seiner Politik dienstbar zu machen – Feldzugsberichte eines anonymen »preußischen Offiziers« stammten aus der Feder des Königs selbst!

Inserate, Feuilletons und Vermischte Seiten im Schutz der Zensurbehörden

Die strengen Zensurbestimmungen haben die innere Gestalt der deutschen Zeitung im 18. Jahrhundert grundlegend verändert. Als Prototyp des gänzlich unpolitischen Journals entstand jetzt das meist in staatlicher Regie herausgegebene »Intelligenzblatt«: Neben amtlichen Bekanntmachungen wurde hier den Lesern gelehrte Unterweisung geboten; Zwangsabonnements sicherten die hohen Auflagen. In diesen Blättern erschienen auch die ersten geschäftlichen Anzeigen. Der Staat hatte sich dabei das einträgliche Inseratenmonopol gesichert!
Unter den gegebenen Umständen verlagerte sich der Schwerpunkt der journalistischen Darstellung allgemein auf den kulturell-geistigen Bereich. Die »Vossische Zeitung« in Berlin gewann 1751 Lessing als Redakteur für Literatur; in Königsberg schrieben Kant und Herder für die Tagespresse; Matthias Claudius redigierte in Hamburg den »Wandsbecker Boten«: erster Höhepunkt des deutschen Feuilletons!
In diesen Jahren schärfster staatlicher Überwachung bildeten sich auch die unverfänglichen »Vermischten Seiten« heraus: Hier stehen

fortan die »Curieusitäten«; unter der Rubrik »Avertissements« finden sich Familienanzeigen; hier tauchen als »Eingesandtes« Leserbriefspalten auf – und 1789 erscheint die erste Wettervorhersage.
Die Zeitung des 18. Jahrhunderts war bunt geworden, interessant war sie nach dem Urteil scharfsichtiger Zeitgenossen gleichwohl nur sehr bedingt. Leicht konnte der Freiheitsdichter Friedrich Christian Daniel Schubart (1739–1791) die angepaßten Journalisten verhöhnen: »Unter allen kriechenden Kreaturen des Erdbodens ist der Zeitungsschreiber die kriechendste.« Allenfalls in der liberaleren Luft des hanseatischen Hamburg war es noch – wie dies der »Unparteiische Correspondent« herausstreicht – eher möglich, den Lesern »das Neueste so in der politischen Welt vorgehet, kund zu machen, als [...] ihnen anzusagen, daß ein Schriftsteller in Gnaden entbunden worden ist und die gelehrte Welt mit einer neuen Schrift erfreut hat«. Kritische politische Meinungsäußerung nahm jetzt wieder Zuflucht zur »geschriebenen Zettel-Zeitung«. – Der Kampf um die »Preß-Freiheit« sollte erst von den folgenden Generationen geführt werden!
Die große Tradition des deutschen Zeitungswesens ist im 20. Jahrhundert jäh abgerissen: Die bedeutenden Blätter aus der Frühzeit der deutschen Presse – die »Vossische«, die »Königsberger«, »Magdeburgische«, »Leipziger«, die »Schlesische« – haben allesamt den Nationalsozialismus und den Zweiten Weltkrieg nicht überlebt. Die älteste Zeitung der Bundesrepublik, die »Hildesheimer Allgemeine«, hat 1980 ihr 275jähriges Jubiläum gefeiert.

Literatur

Bogel, Else / Blühm, Elger (Bearb.): Die deutschen Zeitungen des 17. Jahrhunderts, 2 Bde., Bremen 1971
d'Ester, Karl: Die papierene Macht, München 1950
Fischer, Heinz-Dietrich (Hrsg.): Deutsche Zeitungen des 17. bis 20. Jahrhunderts, Pullach 1972
Schöne, Walter (Hrsg.): Die deutsche Zeitung des siebzehnten Jahrhunderts in Abbildungen, Leipzig 1940
Schöne, Walter (Hrsg.): Der Aviso des Jahres 1609 (Faksimiledruck), Leipzig 1939
Schöne, Walter (Hrsg.): Die Relation des Jahres 1609 (Faksimiledruck), Leipzig 1940
Schottenloher, Karl: Flugblatt und Zeitung, Berlin 1922

Im Mittelpunkt: der Herrscher. *Schloßanlagen, wie die von Mannheim, versinnbildlichen den absolutistischen Grundsatz.*

WOLFGANG WEISMANTEL

DAS REICH VOM WESTFÄLISCHEN FRIEDEN BIS ZUM ENDE DES NORDISCHEN KRIEGES

Was folgt auf den Friedensschluß? – Europa als Spielball französischer Diplomatie – Siegeszug der absoluten Monarchie – Merkantilismus, ein Wirtschaftsmodell für die deutschen Territorien? – Zwei ungleiche Partner – Holländisch-schwedischer Krieg – Französischer Überfall auf die Niederlande mit europäischer Rückendeckung – Reichskrieg gegen Frankreich – »Reunionen« als neue Variante französischer Außenpolitik – Ohnmächtige Reaktion im Reich – Pfälzischer Krieg und Isolierung Frankreichs – Spanischer Erbfolgekrieg, ein weltumspannender Konflikt – Nordischer Krieg: Preußen und Rußland neue Herren im Ostseeraum – Der Aufstieg Brandenburg-Preußens – Von der Streusandbüchse zur Großmacht – Große Staatsmänner – Türkenüberfälle auf Österreich – Die Kunst des Barock – Literatur, Musik und Theater – Das Leben am Hofe – Mode und Modetorheiten im 17. Jahrhundert.

Unter den Augen einer vieltausendköpfigen Menschenmenge wurden am 18. Februar 1649 in Münster die Worte »Vivat pax« (Es lebe der Friede!) mit Pechfackeln zu einem Freudenfeuer entzündet. Man hatte die Buchstaben an einem Seil über die Rathausgasse gespannt und genoß unter lautem Jubeln die lodernden Flammen. Anlaß war der Austausch der Ratifikationsurkunden, die unwiderruflich das Ende des Dreißigjährigen Krieges besiegelten. Ein Freudentaumel erfaßte die Stadt, denn noch immer hatten sich Ungewißheit und Furcht nicht verflüchtigt, war der Krieg in seinem Grauen sichtbar.
In vielen Teilen des Deutschen Reiches standen fremde Truppen weiterhin kampfbereit. Erst als allmählich alle ausländischen Einheiten abrückten, glaubte man in Stadt und Land an den Neubeginn. Man feierte ihn mit Psalmen und Lobliedern, allerorten ertönte das »Te Deum«. Üppige Tafeln ließ die Stadt Nürnberg für den kaiserlichen Gesandten anrichten und selbst der gemeine Mann sollte am Tage der Befreiung von fremder Herrschaft Milde und Wohltaten erfahren.
Die nun anbrechende Zeit, lange herbeigesehnt, brachte erstaunlich rasch Bewegung in die verschiedenen politischen Kräfte. Sie schienen wie aus einer Erstarrung gelöst. Zwar mahnten die Pfarrer von den Kanzeln, das Feuer des Krieges habe »den größten und besten Teil Deutschlands gefressen«, weil »übergroßer Stolz, Hoffahrt und Übermut« die Menschen erfaßt hätten. Doch die politisch überlebenden Fürsten und Herren waren bereits der Zukunft zugewandt. Sie orientierten sich nach vorn, um bei den zu erwartenden Entwicklungen die eigenen Interessen ins Spiel zu bringen. Mit welcher Fortune und machtpolitischen Unterstützung des europäischen Auslandes sie diesen Gedanken verfolgten, hatten ja bereits die Vereinbarungen des Westfälischen Friedens bewiesen (siehe dazu auch Seite 64 ff.).

Die neuen Realitäten und die Folgen für das Reich

Nur wenige von ihnen dürfte dabei der Gedanke nachdenklich gestimmt haben, daß in der getroffenen Friedensvereinbarung und angesichts der Schwäche des Deutschen Reiches bereits der Funke neuer Kriege sichtbar wurde. Dies war nur einigen Politikern der Zeit bewußt. Sie brachten ihre Bedenken in Warnungen zum Ausdruck, die daran erinnerten, daß der verderbliche Krieg gezeigt habe, wie »fremde Helfer endlich den Gewinn davontragen«, wenn man gegen die eigenen Landsleute mit Gewalt einen Vorteil zu erreichen sucht. Mahnende Worte dieser Art mußten zurücktreten hinter die akuten Probleme in den deutschen Territorien, die, wenngleich in unter-

***Immerwährender Reichstag.** 1653 von Kaiser Ferdinand III. einberufen, tagte er nach 1663 als Gesandtenkongreß in Regensburg und hatte, wie schon vorher, grundsätzlich unbeschränkte Gesetzgebungskompetenz.*

schiedlichem Ausmaß, unter einem erschreckenden Wirtschaftsverfall und verheerender Entvölkerung litten. Optimismus und Selbstbewußtsein der Städte waren an vielen Orten gebrochen. Als Beispiel mag die einst blühende Handelsstadt Magdeburg stehen, die nie mehr an ihre großen Zeiten vor dem Krieg anknüpfen konnte. Vor dem Hintergrund der neuen politischen Realitäten übernahmen die Fürsten eine unbestrittene Führungsrolle beim Wiederaufbau des Landes. Daß der Friedensvertrag ihre Stellung noch entschieden gefestigt hatte, kann zweifellos als begünstigende Sicherung ihrer Aufbaupläne angesehen werden.

Trotz allem blieb der Reichsgedanke weiterhin wach. In der Realität haben ihn Libertät und Souveränität der Fürsten zwar ausgehöhlt, aber die vorhandenen verfassungsmäßigen Institutionen trugen durchaus zu einem übergreifenden Reichsverständnis bei. Daß die sichtbar auseinanderstrebenden Kräfte überwogen, war nur zu verständlich. Schließlich war selbst der Kaiser als Territorialfürst auf die Entfaltung seiner eigenen Territorien bedacht, während die Verantwortung für

das ganze Reich erst an zweiter Stelle rangierte. Wer sollte es den übrigen Fürsten verdenken, wenn sie den Anreiz, sich eigene Machtbereiche zu schaffen, über andere Pflichten stellten.
Die Verfechter einer Politik mit dem Ziel, das Reich bewußt zu stärken, blieben in der Minderheit. Man konnte sie unter den Reichsbeamten, an den Universitäten und in den Reihen der gelehrten Reichsjuristen finden (siehe Porträt »Pufendorf«, Seite 85). Die praktischen Versuche des Kaisers andererseits, den verblaßten Glanz der Krone wieder aufzupolieren und die kaiserliche Machtstellung zu erneuern, schlugen fehl. Dies zeigte sich unmißverständlich, als Kaiser Ferdinand III. (1637–1657) im Juni 1653 in Regensburg den Reichstag zusammentreten ließ. Die Fürsten gaben deutlich ihren Willen zu erkennen, die einmal gewonnene Libertät auch weitgehend zu nutzen. Deshalb gelang es dem Kaiser dann nicht, einen Antrag durchzusetzen, demzufolge Mehrheitsbeschlüsse in Fragen der Steuerbewilligung für alle Mitglieder des Reiches bindenden Charakter haben sollten. Finanziell mangelhaft ausgestattet konnten so weder ein schlagkräftiges Heer noch eine effektive Reichsverwaltung aufgebaut werden. Damit hatte sich der Reichstag als Barometer erwiesen, das eindeutig die politische Stimmungslage widerspiegelte. Zwar blieb er weiterhin eine zentrale Einrichtung, konnte jedoch nicht politisch richtungsweisend wirken, da er viel zu schwerfällig arbeitete. Selbst wenn nach langwierigem Verfahren, das die Zustimmung der drei Kollegien (Kurfürsten, Fürsten und Städterat) voraussetzte, eine Entscheidung getroffen war, und der Kaiser zugestimmt hatte, waren die einzelnen Beteiligten völlig ungebunden. Sie konnten die Durchführung der getroffenen Vereinbarung nach Belieben akzeptieren oder in ihrem Herrschaftsbereich unterbinden!

Hohe Schule der Diplomatie
Frankreichs Rolle in der Reichspolitik

Besondere Bedeutung gewann diese machtpolitische Konstellation im Deutschen Reich angesichts der vollkommen anders gearteten Verhältnisse in den europäischen Nachbarländern. Strebten in deutschen Landen die Territorialherren nach Festigung ihrer Teilgewalten, so konnte man in Frankreich, England oder Holland beobachten, wie die staatliche Gewalt im Innern systematisch ihre Machtposition ausbaute – und dies trotz unterschiedlicher Regierungssysteme in den genannten Ländern! Diese Staaten schufen sich damit die Grundlage, um auf internationalem Parkett als Mächte von Rang in ihrem Sinne politisch

zu wirken. Deutsche Fürsten traten dagegen vielstimmig und nicht selten uneinig auf, da sie ihre Stellung als Landesherren auch nach außen durch selbständige Aktionen dokumentieren wollten.
Mögliche Folgen solcher Politik sollten sich bald einstellen, als der frühe Tod Kaiser Ferdinands III. hektische Aktivitäten auslöste. Ermuntert durch das wenig überzeugende Auftreten der Reichsfürsten sah der französische Kardinal Mazarin, bereits 1648 als souveräner Wahrer französischer Interessen hervorgetreten, eine Chance, den eigenen Einflußbereich auszudehnen. In einem schwer durchschaubaren Spiel aus Intrigen und Diplomatie gelang es ihm zwar nicht, seinen Favoriten, Ferdinand Maria von Baiern, als Kaiser krönen zu lassen, dennoch setzte die französische Diplomatie mit ihrem dreisten Auftreten neue Maßstäbe im Rahmen internationaler Verhandlungsführung. Es sollte sich erweisen, daß sie für die Zukunft bestimmend würden.

Interessen am Rhein

Einstweilen begnügten sich die Franzosen mit der Zusicherung, der neue Kaiser Leopold I. (1658–1705) dürfe sich nicht mit Spanien verbinden, also die beiden Zweige des Hauses Habsburg vereinigen. Einen weiteren Eingriff in die deutsche Politik stellte daneben die Gründung eines Rheinbundes dar, dem Frankreich beitrat. Diese Allianz, ins Leben gerufen von kleinen Ländern wie Mainz, Köln, Hessen-Kassel und anderen, verstand der französische Nachbar zunehmend zum Instrument eigener politischer Vorstellungen umzugestalten.
Es beginnt sich damit ein Konzept abzuzeichnen, das mit Raffinesse und Augenmaß das Aufwertungsbedürfnis der selbständig handelnden deutschen Kleinstaaten gegenüber dem Gewicht Habsburgs unterstützt, ohne dabei französische Interessen am Rhein und gegenüber Schweden zu vernachlässigen. Willkommene Voraussetzung dazu war freilich die Territorialisierung des Reiches, das neben Österreich lediglich Sachsen, Brandenburg und Baiern als europäisch ernstzunehmende Partner aufweisen konnte.
Für die Zeitgenossen stand es dabei außer Frage, daß die französische Überlegenheit in ihrem Kern auf der monarchischen Herrschaft beruhte, die unter dem Schlagwort Absolutismus in die Geschichte eingegangen ist. Wenn in historischen Darstellungen immer wieder davon die Rede ist, der Kaiser und die Fürsten des Reiches hätten diese Regierungsform im 17. und 18. Jahrhundert nachzuahmen versucht, muß einschränkend betont werden, daß dies in sehr unterschiedlichem Maße geschah.

Kaiserliches Festbankett. *An der Tafel Ferdinands III. in Wien: Hochadel und Träger der Erzämter in prächtigen Gewändern. Für ihre Sicherheit umringten sie bewaffnete Wächter.*

Absolutismus, ein französisches Staatsmodell für Europa?

Am schärfsten hatte der englische Philosoph Thomas Hobbes (1588–1679) die absolutistische Staatstheorie formuliert. Da der Mensch von Natur aus böse und auf gegenseitige Vernichtung aus sei, müsse er sich schon aus Selbsterhaltungstrieb einer uneingeschränkten Macht unterwerfen, die ihm Schutz und Wohlergehen gewährleiste. Die im Anschluß an derartige Überlegungen in Frankreich etablierte und nun nach ganz Europa ausstrahlende Staatsform des Absolutismus fand deshalb in ihrem Ursprungsland deutlichste Ausprägung.

Bereits im 16. Jahrhundert hatte der französische Philosoph Jean Bodin (1530–1596) die Forderung gestellt: »summa potestas (regis) legibus (ab) soluta est« (lat., Die höchste Gewalt des Königs ist nicht an Gesetze gebunden) – der König kann unbeschadet von Gesetz oder Vorschrift regieren. In diesem Sinne stärkten ab 1624 die Kardinäle Richelieu (1585–1642) und Mazarin (1602–1661) als Berater und erste Minister der französischen Könige die Macht des Staates nach innen und außen. Während Mazarin für den unmündigen Ludwig XIV. (1643–1715) die Staatsgeschäfte leitete, schuf er durch außenpolitisches Geschick und innenpolitische Härte die Voraussetzungen, daß Ludwig XIV. 1661 unangefochten seine Regierung antreten konnte.
Sofort konfrontierte er seine Umgebung mit seinem neuen Regierungsstil: »In Zukunft werde ich selbst mein erster Minister sein. Sie werden mich mit ihren Ratschlägen unterstützen, wenn ich sie befrage.« Mit diesen, an seinen Staatsrat gewandten Worten soll er seine Selbstregierung begonnen haben, die sich an der Maxime Bodins orientierte. Jeder Einflußnahme ledig, fühlte sich der König allein Gott verantwortlich. Der absolute Herrscher »von Gottes Gnaden« war eine geheiligte Person, die stellvertretend für Gott von Fürsten wie gemeinen Untertanen vollkommenen Gehorsam forderte, da der Herrscher mit seiner Macht auch die nötige Einsicht empfangen habe, die dem Staat und den Untertanen zum Wohle gereichen sollte. Seine uneingeschränkte Macht war aber eingebunden in die Verantwortung gegenüber Gott, wodurch Tyrannei und Willkür ausgeschlossen sein sollten.
Wie der absolute Herrscher seine gesamte Tatkraft in den Dienst Gottes zu stellen versprach, sollten die Untertanen alle Kräfte zum gottgefälligen Ruhme des Herrschers aufbieten. So konnten auch unzumutbare Anstrengungen zur Stärkung des Landes und vor allem zur Ausgestaltung höfisch repräsentativen Lebens gerechtfertigt werden (siehe auch Seite 284 ff.). Gleichzeitig bot Frankreich als Flächenstaat mit traditionell starker Königsherrschaft günstige Bedingungen für die wichtigen Säulen absolutistischer Herrschaft. Gesetzgebung, Verwaltung und Rechtsprechung waren ebenso in der Hand des Königs wie der Oberbefehl über das Heer, die alleinige Verantwortung für außenpolitische Entscheidungen und die staatlich gelenkte Wirtschaft. In all diesen Bereichen hatten die Kardinäle uneigennützig den Boden bereitet und die Machtstellung des Adels, der jetzt auf eine symbolische Größe zusammenschrumpfte, schon stark eingeschränkt. Ein zentralistisch organisierter Beamtenapparat verwaltete in königlichem Auftrag alle zivilen und militärischen Angelegenheiten. Er sicherte damit dem absoluten Herrscher die uneingeschränkte Verfügungsgewalt über alle Hebel der Macht.

Deutsche und europäische Geschichte in Daten

	Deutschland	Europa
1618	Herzogtum Preußen zu Brandenburg	
1619–1637	Ferdinand II., Kaiser	
1633		Galilei vor der Inquisition
1637–1657	Ferdinand III., Kaiser	
1640–1660		Langes Parlament in England
1640–1688	Friedrich Wilhelm von Brandenburg, der Große Kurfürst	
1642–1645		Bürgerkrieg in England
1643–1715		Ludwig XIV., König von Frankreich
1648	Westfälischer Friede	
1649		Hinrichtung Karls I.
1651		Navigationsakte legt den Grundstein zu Englands Aufstieg als Seemacht
1653–1658		Cromwell als Lordprotektor
1654		Ende der schwedischen Wasa-Dynastie
1654–1660		Schwedisch-polnischer Krieg
1654–1667		Russisch-polnischer Krieg
1655–1660		Cromwells Militärdiktatur
1658–1705	Leopold I., Kaiser	
1660	Friede von Oliva; Ende des Schwedisch-polnischen Krieges; Souveränität Brandenburgs über Preußen	Restauration der Monarchie in England
1661		Ludwig XIV. vollendet absolute Monarchie, französisches Hegemonialstreben
1673		Testakte; Katholiken in

		England von Staatsämtern ausgeschlossen
1675	Schlacht bei Fehrbellin: Aufstieg Brandenburg-Preußens	
1681	Besetzung Straßburgs durch die Franzosen	Neue Hugenottenverfolgungen in Frankreich
1683	2. Türkenbelagerung Wiens	
1683–1699	Kriege zwischen Österreich und den Türken	
1685		Aufhebung des Edikts von Nantes
1688		Glorreiche Revolution in England
1688–1697	Pfälzischer Erbfolgekrieg	
1689–1725		Peter der Große Zar von Rußland
1692		Seesieg der Engländer bei Kap Hogue
1697	Prinz Eugen siegt bei Zenta über die Türken	Kurfürst Friedrich August II. König von Polen
1700–1721	Nordischer Krieg	
1701	Kurfürst Friedrich III. König in Preußen	
1701–1714	Spanischer Erbfolgekrieg: Kaiser/England/Holland/Schweden gegen Frankreich/Baiern/Kurköln/Portugal/Savoyen	
1704	Schlacht bei Höchstädt	
1705–1711	Joseph I., Kaiser	
1709		Schlacht bei Poltava: Niederlage Schwedens
1711–1740	Karl VI., Kaiser	
1713	Friede von Utrecht beendet Spanischen Erbfolgekrieg	
1716–1618	Türkenkrieg	
1717	Prinz Eugen siegt bei Belgrad	Rußland erobert Finnland
1718	Friede von Passarowitz beendet den Krieg zwischen Kaiser und Türkei	

Staatsauffassung und Gesellschaft im Absolutismus

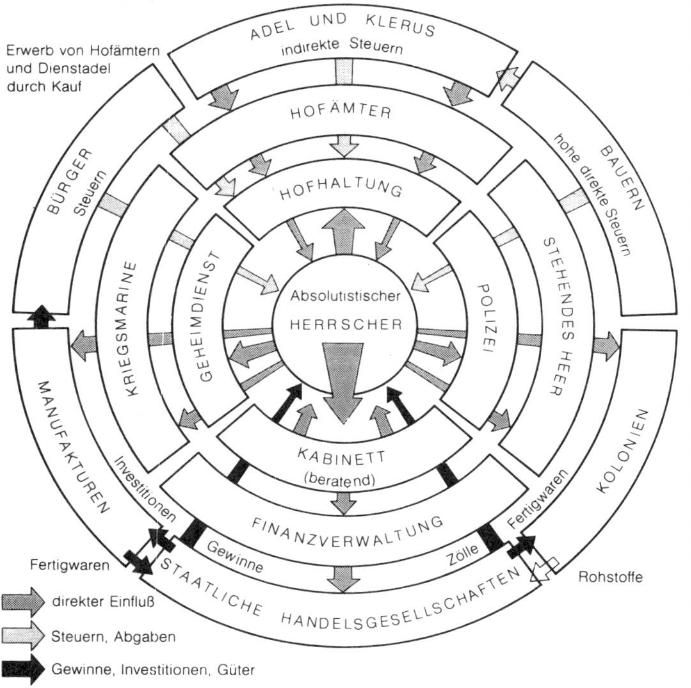

Wirtschaftliche Stärke bedeutet politische Macht

Kostspielige Schloßbauten mit ausschweifendem Hofleben einerseits und der Ehrgeiz ein stehendes Heer zu unterhalten, das nach modernsten Gesichtspunkten ausgerüstet und geführt sein sollte, zwangen die absolutistischen Herren dazu, ihre Einnahmen ständig zu steigern. Heer wie Hofhaltung repräsentierten dabei das Selbstverständnis der Herrscher, innen- wie außenpolitisch dem Kult ihrer Person und ihrem Machtbedürfnis Rechnung zu tragen, wenn nötig auch mit Gewalt.

Zur Lösung finanzieller Schwierigkeiten versuchte Ludwigs XIV. Wirtschaftsminister Jean Baptiste Colbert (1619–1683) ein System zu entwickeln, das von der These ausging, wirtschaftliche Macht bedeutet gleichzeitig auch politische Stärke. Nach seinen Vorstellungen wurde

***Produktion.** Schon drei Jahre nach der Entdeckung der chemischen Zusammensetzung von Porzellan durch den Alchimisten Böttger (1707) entstand die erste Porzellanmanufaktur in Sachsen.*

eine ausgedehnte staatliche ›Planwirtschaft‹ angestrebt, die Frankreich allmählich zu einer Nation weiterentwickeln sollte, die ihren Reichtum aus dem Handel mit meist hochwertigen handwerklichen Erzeugnissen erlangen sollte. Er erkannte, daß arbeitsteilig organisierte Werkstätten, Manufakturen, Güter in hoher Qualität und Stückzahl fertigen konnten. Wenige qualifizierte Handwerker lernten rasch billige Arbeitskräfte für einfache Handgriffe an und ermöglichten so effektive Produktion bei niedrigem Preis.
Man warb handwerkliche Spezialisten aus ganz Europa an, verbot andererseits die Auswanderung und beseitigte die Binnenzölle. Nach au-

ßen wurde Frankreich durch Einfuhrzölle gegen billige Importwaren geschützt, während man die Ausfuhr eigener hochwertiger Produkte in jeder Weise förderte. Rohstoffe sollten möglichst preiswert aus den Kolonien kommen und die Landwirtschaft auf geringem Preisniveau eingefroren werden, um die Lebensmittelversorgung preisgünstig zu halten. Wenn ein Land diese Politik des »Merkantilismus« geschickt betreibe, so Colberts These, dabei auf die Einfuhr von Luxuswaren wie etwa Seife, Spitzen, Seidenwaren usw. verzichte, aber auch Kanonen und Militärausrüstung selbst herstelle, ließe sich leicht Reichtum anhäufen.

Diesen Gedanken einer aktiven Handelsbilanz verfolgte der französische Absolutismus mit großer Konsequenz und unterstützte die wirtschaftlichen Maßnahmen durch gezielte Verkehrspolitik. Die deutschen Fürsten beobachteten, wie Frankreich im 17. Jahrhundert rasch zu einer, wenn auch nicht andauernden wirtschaftlichen Blüte gelangte, an der aber weite Teile der ländlichen Bevölkerung keinen Anteil nahmen, und die in einem Land stattfand, das insgesamt viel weniger als das Deutsche Reich unter den Folgen des Dreißigjährigen Krieges zu leiden gehabt hatte. Die so gewonnene Überlegenheit drängte natürlich nach außenpolitischer Bestätigung, zumal auch auf diesem Felde die Kardinäle bereits die Weichen für eine Expansion Frankreichs gestellt hatten.

Der richtige Zeitpunkt für neue Konzepte

Erleichtert wurde der Plan, den französischen Einfluß auf das Reich auszuweiten, insbesondere durch die Bereitschaft mit der sich Kaiser und Fürsten an absolutistischen Herrschaftsidealen zu orientieren begannen. Die sich im Reich herausbildende Staatslehre wurde in dieser Zeit wesentlich beeinflußt durch den seit 1660 in Heidelberg lehrenden Professor des Natur- und Völkerrechts Samuel Pufendorf (siehe Porträt, Seite 85). Für ihn war, anders als bei Hobbes, der Mensch zugleich gut und böse veranlagt, was ihn einerseits befähige, andererseits jedoch auch zwinge, sich freiwillig zum Wohle aller der souveränen Gewalt eines Fürsten zu unterwerfen.

Die Einmütigkeit, mit der im Europa des 17. Jahrhunderts der Absolutismus als Regierungsform akzeptiert wurde, überrascht den Betrachter nur scheinbar, denn wenn man die politische Situation vor allem im Deutschen Reich etwas näher ansieht, lassen sich zahlreiche erklärende Gesichtspunkte feststellen. War eine monarchische Regierung, die keine andere Gewalt neben sich duldete und kompromißlos gegen

Ständewesen bis zum 18. Jahrhundert

Seit dem Mittelalter bis etwa zur Französischen Revolution wird die Gesellschaft in den deutschen Territorien nach einer durchgehenden ständischen Ordnung gegliedert.

Der Begriff Stand bezieht sich dabei auf eine Gruppe von Personen, die durch Abstammung, Besitz, Beruf und Bildung oder politische Stellung innerhalb der Gesellschaft einen hervorgehobenen Rang bekleiden. Die nach diesen Gesichtspunkten abgestufte Ordnung war in der Realität sehr undurchlässig und fest gefügt. An der politischen Macht beteiligte das standesstaatliche System ausschließlich die drei führenden Stände Adel, Klerus und Patriziat der Städte. Als rechtlich gesichert galt die Mitwirkung an landesherrlichen Entscheidungen seit Friedrich II., der dies 1231 in einem Reichsgesetz niedergelegt hatte.

Den größten Einfluß übten die Reichs- und Landstände aus, Institutionen mit jeweils drei Kurien (Adel, Klerus, Städte), da unter den Reichsständen selbst Landesherren und unter den Landständen Grundherren vertreten waren. Sie repräsentierten allerdings nicht im modernen Sinn ihre Bevölkerung, sondern nahmen ihren Platz aufgrund ihres Besitzes ein. Ständische Institutionen konnten entsprechend ihren regional unterschiedlichen Privilegien in die Regierung des Landesherrn eingreifen und seine Machtausübung begrenzen, etwa durch Steuerbewilligung, Verwaltung der Steuereinnahmen und Mitsprache bei ihrer Verwendung, Mitgestaltung bei der Gesetzgebung, Recht auf Anhörung im Beschwerdefall, ja sogar durch bewaffneten Widerstand bei erwiesenem Unrecht.

Dualistischer Ständestaat Da die landständischen Vertretungen in bestimmten politischen Entscheidungsbereichen mit gleichem Rechtsanspruch auftraten, ging daraus der sogenannte Dualismus des Ständestaates hervor. Als sich in den deutschen Territorien absolutistische Herrschaftsvorstellungen immer stärker durchsetzten, wurden ständische Vertretungen notgedrungen zurückgedrängt, vollkommen beseitigt werden konnten sie jedoch nicht.

*»**Türkenlouis**«. Markgraf Ludwig Wilhelm von Baden, kaiserlicher Generalfeldmarschall, hatte den Oberbefehl im Pfälzer Erbfolgekrieg. Haltung und Kleidung im Stil Ludwigs XIV. Wien, Heeresgeschichtliches Museum.*

jeden Widerstand vorging, nicht so bedrohlich, daß alle Kräfte dagegen mobilisiert werden müßten?
Diese für den heutigen Leser naheliegende Frage stellte sich den politisch Beteiligten des 17. Jahrhunderts zunächst sicher nicht, da sie unter dem Eindruck schier endloser Gewaltakte und der Auflösung jeder Ordnung standen. In dieser Lage dürfte der Wunsch nach politischer und materieller Sicherheit mögliche Bedenken überspielt haben, ganz zu schweigen von der ungebrochenen Faszination göttlich legitimierter Herrschaft. Eine absolute Gewalt, die Ruhe im Innern garantierte, Konfessionsstreitigkeiten verhinderte und damit den Rahmen bot, in-

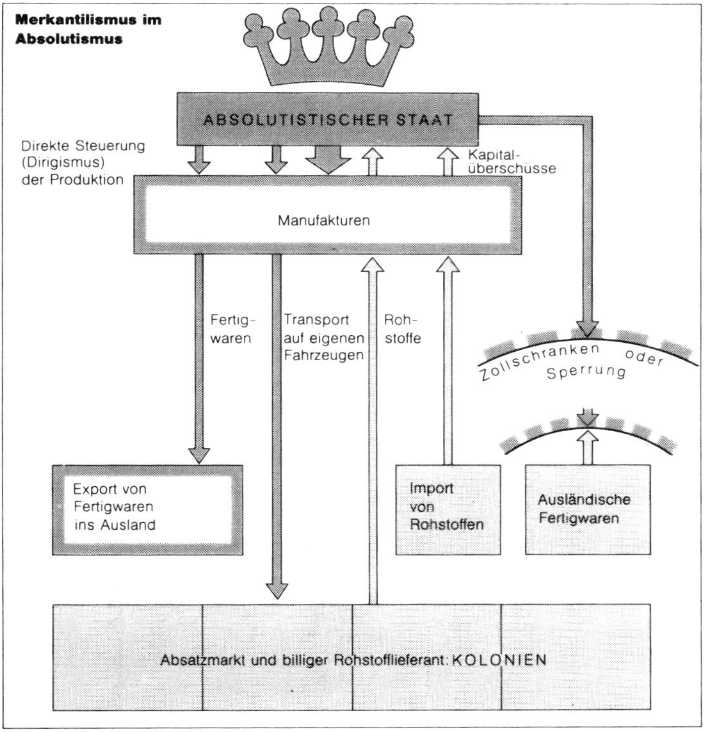

nerhalb dessen sich das öffentliche Leben allmählich normalisieren konnte – eine solche Gewalt war vielen Menschen willkommen. Schließlich hatte man es meist fürstlichen Initiativen zu danken, wenn der Wiederaufbau der Länder vorangetrieben wurde. Der Landesvater wurde sich seiner Verantwortung und Pflichten bewußt, indem er die Kräfte in seinen Territorien zusammenfaßte. Dahinter standen patriarchalische Grundvorstellungen, die sich verbanden mit dem Gedanken, die eigene Position zu behaupten und den Einfluß der Stände (siehe *K: Ständewesen, Seite 153*) nach Möglichkeit zurückzudrängen.
Erst allmählich wandelte sich diese patriarchalische Haltung der fürstlichen Herren in Richtung auf den höfischen Regierungsstil à la Versailles. Der absolute Herrscher bahnte damit gleichzeitig einer modernen Staatsauffassung den Weg, die eine einheitliche Verwaltung anstrebte und das geschlossene Staatsgebiet als Hoheitsbereich einer

staatlichen Gewalt ansah. Wie weit dies im politischen Alltag tatsächlich gelingen konnte, wurde entscheidend mitbestimmt durch Stellung und Einfluß der ständischen Institutionen.

Allein von daher kann man nicht die pauschale Behauptung aufstellen, der Absolutismus in den deutschen Landen sei als eine einheitliche Herrschaftsform übernommen und durchgesetzt worden. Vielmehr müssen wir von unterschiedlichen Ausprägungen ausgehen, die stets vom Einfluß der Landstände abhingen. Wenn auch insgesamt die Landesherren Ausmaß und Richtung politischer Maßnahmen bestimmten, hingen die Erfolge nicht zuletzt von fürstlichem Durchsetzungsvermögen und der ständischen Bereitschaft zur Kooperation ab.

Daß absolutistische Politik fast immer modifiziert übernommen werden mußte, mag zunächst das Beispiel des Merkantilismus zeigen. Als »Kameralismus« entwickelte sich im Deutschen Reich eine besondere Variante der merkantilistischen Wirtschafts- und Verwaltungspolitik, für die der preußische König Friedrich Wilhelm I. (1713–1740) an den Universitäten von Halle und Frankfurt/Oder im Jahre 1727 eigene Lehrstühle einrichten ließ. Die dort gelehrten Kameralwissenschaften, eine staatliche Verwaltungslehre, gekoppelt mit betriebs- und volkswirtschaftlichen Fragen, kann man als Vorläufer der modernen Wirtschaftswissenschaften ansehen. Entsprechend den speziellen deutschen Verhältnissen wurden zum Beispiel eine aktive Ansiedlungspolitik und die landwirtschaftliche Entwicklung gefördert, während man gleichzeitig dem Binnenhandel mehr Gewicht beimaß als den Außenhandelsbeziehungen. Dies läßt sich allein schon erklären aus der lähmenden Wirkung zahlloser innerdeutscher Zollschranken und der Überlegenheit französischer Manufakturen und Handelsorganisation, da ein einheitlicher Territorialstaat wirtschaftlich viel planvoller entwickelt werden konnte.

Kein Patentrezept für jedermann
Die deutschen Territorien gehen eigene Wege

Im Herrschaftsgebiet der Habsburger bot zwar die flächenmäßige Ausdehnung einen guten Ansatzpunkt zu absolutistischer Machtausübung, und dennoch konnte sich gerade hier die absolute Monarchie nur bedingt entfalten. Ein Grund dafür dürfte darin liegen, daß man »die Herrschaft des Hauses Österreich« als »eine monarchische Union von Ständestaaten bezeichnet« hat, wie der Historiker Rudolf Vierhaus treffend formuliert. Das heißt, der Monarchie waren eindeutige Grenzen gezogen, ein zentralistischer Staatsgedanke konnte sich nur bedingt durchsetzen. Neben der vielfältigen Zusammensetzung der habsburgischen Länder beeinträchtigten auch einzelne Herrscherpersönlichkeiten die Chancen einer absolutistischen Durchdringung der österreichischen Territorien.

Kaiser Ferdinand III. und sein Nachfolger Leopold I. traten beide nicht als Herrscher hervor, die mit Überzeugungskraft und Standvermögen die Stellung der Monarchie festigten. Insgesamt wenig durchschlagskräftig versäumten es beide, Finanzpolitik und Verwaltung wirksam zu koordinieren, und als man 1669 einen zentralen Rat kaiserlicher Minister, die »Geheime Konferenz«, begründete, erwies sich dieses Instrument ebenfalls als ungeeignet, die auseinanderstrebenden Kräfte der Habsburger Territorien zu einen. Lediglich in der Heeresorganisation und in Ansätzen zur wirtschaftlichen Belebung zeigte sich die monarchische Zentralgewalt. So wurde das stehende Heer zur größten zentralisierenden Einrichtung im habsburgischen Herrschaftsbereich, während andererseits die Stände weiterhin an der Macht beteiligt blieben und selbst unter Kaiser Karl VI. (1711–1740) in finanziellen wie militärischen Fragen gehört werden mußten. Zwar wurden in der Hofkammer die Staatsfinanzen und im Hofkriegsrat die Armeeführung durch zwei zentrale Behörden geleitet, womit jedoch eine konsequente Verwirklichung absolutistischer Verwaltung bei weitem nicht auf allen Ebenen erreicht wurde.

So blieben die Versuche Karls VI., die Wirtschaft des Landes zu entwickeln, vielfach nur wohlgemeinte Ansätze. Selbst die Bemühungen, mit einer neugegründeten orientalischen Companie und einer ostindischen Gesellschaft im Überseehandel Fuß zu fassen, brachten nicht die gewünschten Ergebnisse. Die drohenden Türkeneinfälle (siehe auch Seite 210 ff.) und der Spanische Erbfolgekrieg (1701–1714) fügten die Habsburger Territorien zwar zusammen, schwächten sie jedoch gleichzeitig. Es fehlten daher nicht zuletzt auch die Kraftreserven und finanziellen Mittel, die man benötigt hätte, um das Land allmählich umzugestalten.

Karl VI. hielt am Gedanken einer Einheit zumindest fest, als er für den Fall festlegte, daß kein ehelicher Sohn als Nachfolger zur Verfügung stehe, sondern nur Töchter, die älteste von diesen die Krone übernehmen sollte. Dieses 1713 als sogenannte »Pragmatische Sanktion« erlassene Hausgesetz sicherte wenigstens einen habsburgischen Gesamtstaat. Dennoch mußten sich auch die Nachfolger Maria Theresia (1740–1780) und Joseph II. (1765–1790) damit begnügen, nur ansatzweise eine funktionsfähige Herrschaftsorganisation in absolutistischem Sinne ausbilden zu können.

Ganz anders verlief die Entwicklung diesbezüglich in Baiern, wo die

Kampf dem Tabak.
Kaffee, Tee und Tabak wurden im Merkantilismus vehement bekämpft. Es waren Importwaren!

Stände entschlossen entmachtet und damit Wege zu einer wirtschaftlichen, politischen und militärischen Neugestaltung frei wurden. Was sich in Baiern und den Habsburger Gebieten andeutete, setzte sich in den kleineren deutschen Territorien fort: eine individuelle, kaum zu vereinheitlichende Herrschaftsgestaltung.

Kurfürst Karl Ludwig von der Pfalz (1648–1680) etwa trieb die Entwicklung seines Landes mit großer Übersicht voran. Mit Hilfe französischer Einwanderer gelang es seiner Bevölkerung, die Pfalz im Laufe weniger Jahre zu einer Art Musterstaat umzugestalten. Mit Eifer wurden Häuser errichtet, Plantagen und Weinberge angelegt. Als Karl

Ludwig 1652 mit Mannheim ein neues Handelszentrum gründete, zog er mit Zoll- und Steuerfreiheit rasch Handwerker aus ganz Europa an. Geistige und religiöse Toleranz zeigten ihn als fortschrittlichen Geist, der sich um ein einvernehmliches Verhältnis mit dem französischen Nachbarn bemühte, was Ludwig XIV. nach dem Tod des Kurfürsten nicht von einem Überfall auf die blühende Pfalz abhielt.
Ähnlich besorgt um wirtschaftlichen Aufschwung und Wohlergehen seiner Untertanen war Herzog Ernst der Fromme von Sachsen-Gotha (1601–1675). Er beschäftigte den politischen Philosophen Ludwig von Seckendorff (1626–1692) lange Zeit als Rat und dürfte dessen Abhandlung über den Fürstenstaat in seiner Herrschaftspraxis stark berücksichtigt haben, insbesondere was die Aufforderung an den Fürsten anbelangt, sich für Gerechtigkeit einzusetzen sowie Religion und Erziehung zu fördern.
Andere Ziele verfolgte dagegen Johann Friedrich von Hannover (1665–1679), der versuchte, aktiv in die großen machtpolitischen Auseinandersetzungen einzugreifen und deshalb sein Hauptaugenmerk auf ein schlagkräftiges Heer richtete, dessen Kosten sein Land extrem belasteten. Trotzdem wurde es nie zu einem politisch ausschlaggebenden Faktor. Typisch an diesem Fall erscheint die Rigorosität, mit der fürstliche Vorstellungen in die Tat umgesetzt wurden, ohne nach dem Schicksal der Landeskinder zu fragen. Regierungsstile dieser Manier findet man nur allzu häufig – etwa in Sachsen, Württemberg, Hessen, Braunschweig und Hessen-Kassel, um einige Beispiele anzuführen.
In den geistlichen Fürstentümern waren die Fürstbischöfe ebenfalls zu absoluter Herrschaftausübung übergegangen, obwohl hier die fehlenden dynastischen Nachfolgerechte den Ausbau der bischöflichen Machtstellung insgesamt erschwerten. Dennoch gelang es einzelnen Familien, bestimmte Bistümer über lange Zeit in ihrer Hand zu halten, etwa das Erzbistum Köln, das von 1583 bis 1761 unter dem Einfluß der Wittelsbacher stand. Als prägend erwies sich ebenfalls die Familie Schönborn, die Bischöfe in Mainz, Würzburg, Worms, Bamberg und Speyer stellte und die ihr anvertrauten Gebiete durchaus mit Umsicht verwaltete.
Zusammenfassend gilt es festzuhalten, daß weltliche wie geistliche Fürsten in der Verwirklichung absolutistischer Grundeinstellungen sehr stark differierten und ihre Politik daher schwankte zwischen patriarchalisch fürsorgender Landesentwicklung und rücksichtsloser Ausbeutung der eigenen Untertanen, um den Ruhm des Herrscherhauses zu vergrößern, französischen Hofidealen zu entsprechen oder einfach die nötigen Finanzmittel für die eigenen machtpolitischen Träume zu erlangen.

GOTTFRIED WILHELM LEIBNIZ

Niemand wird heute von sich behaupten können, alle Bereiche des Wissens auch nur zu kennen. Und doch gab es eine Zeit, in der schöpferische Kraft und Erkenntnisdrang einen einzelnen Menschen befähigten, auf allen Gebieten der Wissenschaften Leistungen von Rang zu vollbringen. Als die Fortschritte der Naturwissenschaften dem Menschen die Überzeugung vermittelten, alle Daseins- und Wissensbereiche geistig durchdringen zu können, wenn nur die Vernunft das Denken bestimme, war der Mathematiker und Philosoph Gottfried Wilhelm Leibniz Wegbereiter dieser europäischen Bewegung in Deutschland. Leibniz wurde am 1. Juli 1646 als Sohn einer Professorenfamilie in Leipzig geboren, erwarb mit zwanzig Jahren die Doktorwürde, schlug aber die ihm angebotene Professur aus und trat in den Dienst des Kurfürsten von Mainz. Nach Aufenthalten in Paris und London war er von 1676 bis zu seinem Tode am 14. November 1716 als Hofrat und Bibliothekar für den Herzog von Braunschweig tätig. Er entwickelte unabhängig von dem Engländer Isaac Newton (1643–1727) die Infinitesimalrechnung und entdeckte 1678 das Prinzip von der Erhaltung der Kraft. Die Mathematik verwendet noch heute seine Symbolik, aber auch die Medizin rühmt sein Wirken. Auf seine Anregungen hin entstanden die Akademien der Wissenschaften in Berlin, Wien und Petersburg. Auch in den Rechts- und Sprachwissenschaften fand der Gelehrte neue Denkansätze. Der Theologe Leibniz warb für eine Versöhnung zwischen Protestanten und Katholiken. In seiner eigenwilligen Philosophie sieht er die Welt aus körperlichen und geistig-seelischen Monaden (griech.: monás = Einheit) zusammengesetzt, die sich wie zwei Uhren ohne gegenseitige Beeinflussung in »prästabilierter Harmonie«, d.h. einer von Gott festgesetzten Übereinstimmung, befinden. In der Erkenntnis der göttlichen Vernunftordnung steigt der Mensch zu immer höheren Graden der Vollkommenheit, ja zu Gott auf: ein Bekenntnis zu Fortschritt und Wissenschaft, das bald Skepsis und vehementen Widerspruch hervorrufen sollte. *(C. R.)*

Beispielhaft und konsequent: Der preußische Weg aus der Nachkriegsmisere

Eine Sonderstellung in vieler Hinsicht nahm Brandenburg ein. Fernab von den Handelszentren des Reiches gelegen, dünn besiedelt und vergleichsweise gering entwickelt, wurde das Kurfürstentum mit seiner schwer zu verwaltenden Streulage zunächst wenig beachtet. Es sollte sich jedoch zeigen, daß gerade die ungünstigen äußeren Bedingungen die Herrscher herausforderten, mit Risikofreude und Tatkraft absolutistische Herrschaftsorganisation am beharrlichsten und erfolgreichsten durchzusetzen. Nirgendwo im Deutschen Reich geschah dies mit mehr Konsequenz und nirgendwo nahm ein Staatswesen eine erstaunlichere Entwicklung.

Am 8. Juni 1662 gab »Ihre Kurfürstliche Durchlaucht zu Brandenburg« das Zeichen, den »Anfang zum Schiffsgraben« zu machen. Fünf Jahre später war das kühne Projekt eines Kanalbaus mit Hilfe italienischer Ingenieure vollendet; Elbe, Oder und Spree waren mit Nord- und Ostsee verbunden. Berlin avancierte von nun an zu einem neuen Handelszentrum. Das ehrgeizige Unternehmen ermöglichte den kostengünstigen Transport von Massengütern, stellte sicher, daß die werdende Großstadt Berlin versorgt werden konnte und ließ neue Messen und Märkte entstehen. Kurfürst Friedrich Wilhelm (1640–1688) hatte damit nach französischem Vorbild eine wichtige Voraussetzung für die Entwicklung von Handel und Gewerbe geschaffen.

In der Folgezeit wurden neue Chausseen angelegt und der Bau von Schiffen vorangetrieben. Selbst eine Brandenburgisch-Afrikanische Compagnie wurde gegründet – obwohl Brandenburg keinen eigenen Seehafen hatte!–, die nach vielversprechenden Anfängen der holländischen Konkurrenz unterlag.

Planmäßig verfolgten der Kurfürst und seine Nachfolger den eingeschlagenen Weg weiter. Sie eröffneten staatliche und private Manufakturen, die vornehmlich Wolle und Leder verarbeiteten, Textilien und Porzellan herstellten. Dabei trat Berlin als bevorzugter Standort solcher Unternehmen hervor. Gerade Porzellanmanufakturen galten als einträgliche Geschäfte, weswegen zahlreiche Fürsten Produktionsstätten dafür einrichteten. Darunter fallen so berühmte Beispiele wie Meißen 1710, Wien 1718, Höchst 1746, Nymphenburg 1747 oder Berlin 1751. Wie weit die Überlegungen reichten, zeigt das preußische Bemühen, vom teuren Rohseideimport unabhängig zu werden. Im 18. Jahrhundert wurden ausgedehnte Maulbeerbaum-Plantagen angelegt und Seidenwürmer gezüchtet, womit die Seidenmanufakturen versorgt werden sollten.

Schloß Charlottenburg. *Der schwedische Baumeister Eosander von Göthe baute zwischen 1701–1707 die Schloßanlage für den preußischen König um. Er veränderte den Mittelbau und fügte die beiden Seitenflügel an.*

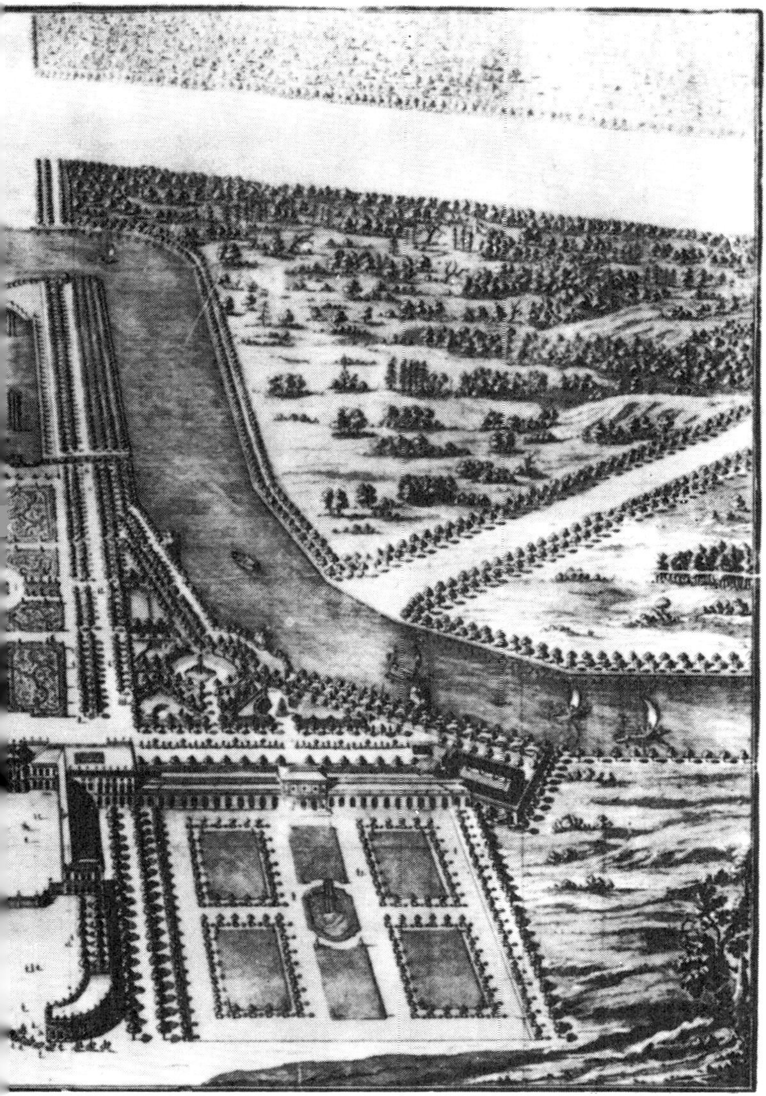

Der Entwurf war Idealplan und wurde in dieser Form nie verwirklicht. Er läßt die Schule erkennen, in der Eosander Architektur studiert hatte: Paris. Berlin, Kunstbibliothek.

Gefördert wurde daneben das sogenannte »Verlagswesen«. Kaufleute übertrugen (»vorlegen«) bei diesem Verfahren kleinen finanzschwachen Herstellern Rohmaterialien, die diese termingerecht zu verarbeiten hatten. Die so in der Regel in Heimarbeit hergestellten Waren wurden zu vereinbarten Preisen von den Kaufleuten übernommen und weiter vertrieben. In Brandenburg finden wir außerdem Schneiderzünfte, die gemeinsam Uniformstoffe von staatlichen Stellen kauften und dafür Uniformen in großer Stückzahl lieferten. Überhaupt wurde in diesem Land das Militär zunehmend ein Auftraggeber großen Stils!

Maßnahmen mit dem Blick auf Preußens Zukunft

Friedrich Wilhelm sorgte sich als Kurfürst intensiv um die Landwirtschaft, deren Erträge durch Kriegseinwirkungen und mangelhafte Anbaumethoden auf äußerst niedrigem Niveau lagen. In jungen Jahren hatte er in den Niederlanden Erkenntnisse gewonnen, die er jetzt unter anderem durch holländische Einwanderer in Brandenburg verwirklichen ließ. Nach holländischem Vorbild wurden nun Milchwirtschaft und Gartenbau effektiv betrieben und Vieh planmäßig gezüchtet. Staatliche Mustergüter dieser Art nannte man daher Holländereien. Gleichzeitig ließ er sumpfige Gelände entwässern und Saatgut an Bauern ausgeben, deren Lage König Friedrich Wilhelm I. (1713–1740) durch Schutzbestimmungen nachhaltig verbesserte, freilich in erster Linie, weil er gesunde Bauern als Soldaten ausheben wollte. Von Militärdienst befreit blieben dagegen Adelige, Beamte und Bürger, deren Vermögen 6000 Taler überschritt. Man sieht also, daß für Wirtschaft und Verwaltung unentbehrliche Gruppen ausgenommen wurden. Dies tritt noch deutlicher hervor, wenn man bedenkt, daß auch Einwanderer zeitweise befreit waren und sogar Arbeiter bestimmter Manufakturen vom Militärdienst mitunter verschont blieben. An den Bauernsöhnen hingegen nahmen die preußischen Herrscher unnachsichtig ihr göttliches Recht der Heeresfolge wahr. Die Bibel gab die Begründung. Nach und nach fanden in dem aufstrebenden brandenburgischen Staat österreichische Juden ebenso Aufnahme wie Hugenotten aus Frankreich, denen 1685 der französische König die freie Religionsausübung untersagt hatte, oder Protestanten, die der Bischof von Salzburg außer Landes gejagt hatte. Allein bei dieser Gruppe soll es sich um 20000 Personen gehandelt haben. Sie alle brachten Kenntnisse und Eifer mit, in vielen Fällen sogar nicht unbeträchtliches Vermögen. Damit ermöglichten sie Kurfürst Friedrich Wilhelm und seinen Nachfolgern überhaupt erst die Verwirklichung vieler ehrgeiziger Pläne.

Selbstverständlich nutzten auch andere Landesfürsten die Gunst der Stunde und nahmen Emigranten auf. Kaum ein Land tat dies jedoch so zielbewußt und erfolgreich wie Brandenburg-Preußen, das im Laufe der Jahre einen systematischen inneren Landesausbau betrieb. Kurfürst Friedrich Wilhelm wagte sich dabei sogar so weit vor, die Monopolansprüche der christlichen Zünfte zu beseitigen, denn den »jüdischen Familien [soll] es vergönnt sein, ihren Handel und Wandel im ganzen Lande [...] Unseren Edicten gemäß zu treiben«, begründete der Landesherr seinen ungewöhnlichen Schritt.
Handel und Wandel, das waren die Stichworte, an denen sich preußische Wirtschaftspolitik ausrichtete. Trotzdem reichten die Einnahmen aus königlichen Domänen, Manufakturen und Steuern nicht aus, die kostspieligen militärischen Pläne des Kurfürsten Friedrich Wilhelm und seiner Nachfolger zu decken. Daher wandelte der Kurfürst das Steuersystem derart um, daß neben einer direkten, auf bäuerlichem Grundbesitz beruhenden Abgabe (Kontribution) eine indirekte Verbrauchssteuer (Akzise) erhoben wurde. Damit sollten der sichtbar anwachsende städtische Handel und das Gewerbe zum Staatshaushalt beitragen. Gerade die Akzisenverwaltung jedoch verlangte ein rationelles und zuverlässiges Verwaltungssystem. Es wurde daher ein Beamtenapparat aufgebaut, der nicht selten mit brutalen Methoden zu der Dienstauffassung erzogen wurde, die als preußische Beamtentugend bis heute allgemein bekannt ist.
Selbst wenn nicht alle Beamten unbestechlich und pflichtbewußt auftraten, schuf sich der preußische Staat dennoch eine zentral gelenkte und leistungsfähige, ja sogar lange Zeit in ihrer Art einmalige Verwaltung. Absolutistische Härte übten die preußischen Herrscher dabei bereitwillig und unnachsichtig gegen ihre Untertanen aus, sobald das große Ziel eines starken, straff und erfolgreich geleiteten Staates Brandenburg-Preußen in Gefahr schien. Schenkt man der Anekdote Glauben, so hat König Friedrich Wilhelm I. pflichtvergessene Beamte notfalls eigenhändig aus dem Bett geprügelt. Den preußischen Geist spürten die kleinen beamteten Posthalter ebenso wie die Mitglieder der von Friedrich Wilhelm I. 1723 neu formierten obersten zentralen Verwaltungsbehörde, des sogenannten »Generaldirektoriums«, an dessen Spitze der König stand und ein äußerst strenges Regiment führte.
Ermöglicht hatte Kurfürst Friedrich Wilhelm die von seinen Nachfolgern weitergeführte Politik unter anderem dadurch, daß er die konkurrierende Macht der Stände bereits früh gewaltsam ausgeschaltet hatte. Sein Vorgehen dabei mag der Fall des Grafen Ludwig von Kalckstein illustrieren. Diesen Verfechter ständischer Interessen, der sich vor kurfürstlichen Häschern nach Warschau geflüchtet hatte, ließ

der brandenburgische Landesherr kurzerhand in einer Nacht-und-Nebel-Aktion entführen und im November 1672 »seinen Kopf auf den Block des Scharfrichters legen«, wie Barbara Beuys den Vorgang drastisch schildert.
Daß König Friedrich Wilhelm I. als konsequent absolutistisch denkender, aber sparsamer Regent die Politik des Kurfürsten beibehielt und, was die Förderung der militärischen Stärke betraf, sogar noch steigerte, ließ Preußen bis 1740 zu einem Staat werden, der aufgrund seiner inneren Verfassung in ganz Europa als vorbildlich bewundert wurde. Der Beamtenapparat war bis zum kleinsten Steuereintreiber durchorganisiert, das preußische Heer durch modernste Ausrüstung und unmenschlichen Drill so schlagkräftig, daß die Worte des Königs von 1714 als Resümee gelten können: »Sie müssen versichert sein, daß die alten Zeiten vorüber sind [...]. Ich habe das Kommando über die Armee und soll nicht Kommando haben über 10000 Tintenkleckser!«

Frankreich und das Deutsche Reich
Zwei ungleiche Partner

Die außenpolitischen Entscheidungen und Verwicklungen des Deutschen Reiches von der zweiten Hälfte des 17. Jahrhunderts bis etwa zum Jahr 1740 waren geprägt von einer unheilvollen Abhängigkeit deutscher Politik. Egoistische Einzelinteressen vor allem ermöglichten es dabei immer wieder, daß sich einzelne Reichsfürsten in dynastische Erbrechtsauseinandersetzungen und andere Konflikte hineinziehen ließen, die wiederholt zu Krisen und Kriegen führten, nicht selten gegeneinander und in der Regel mit fragwürdigem Gewinn.
In diesen Jahren gab Ludwig XIV. weitgehend Zielrichtung und Art der Auseinandersetzungen in Europa an, was sich bereits kurz nach seinem Regierungsantritt abzeichnete. Aufbauend auf seiner Schiedsrichterrolle unter den europäischen Mächten, die auf den Westfälischen Frieden zurückging, entfaltete das absolutistische Frankreich eine außenpolitische Konzeption mit dem Anspruch, zur ersten Macht in Europa aufzusteigen. Ein Plan, der zeitweise selbst die schließlich nicht zu realisierende Wahl Ludwigs XIV. zum Kaiser vorsah.
Um die Hegemonie Frankreichs zu sichern, war es unumgänglich, die Habsburger in Österreich und Spanien ideell zur Anerkennung französischer Vorstellungen und konkret zu Gebietsabtretungen zu zwingen. Für dieses Ziel setzte der französische König die unterschiedlichsten Mittel ein, die er gleichwohl alle in überlegener Manier beherrschte. Er erkannte die Bedeutung einer mit allen Tricks arbeitenden Diploma-

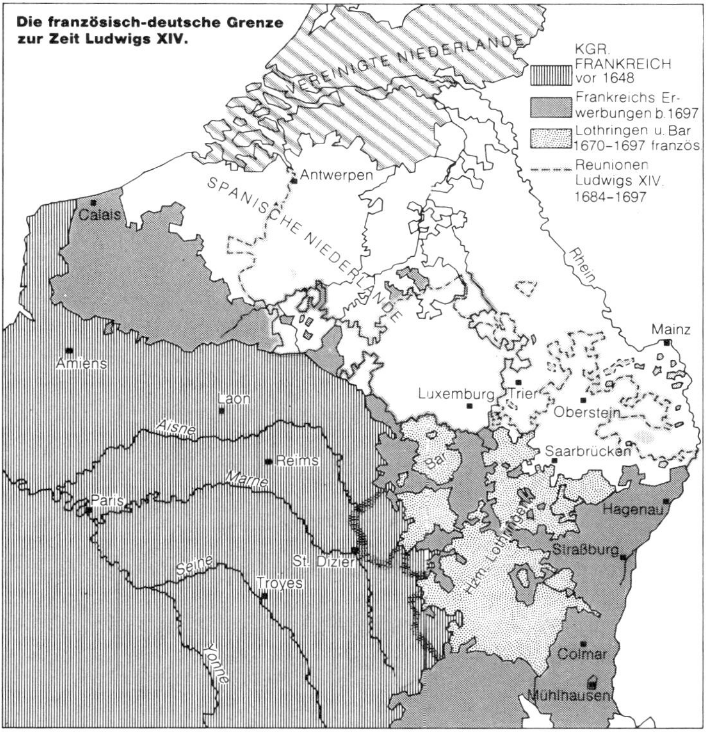

tie, die nicht davor zurückschrecken durfte zu schmeicheln und zu drohen. Politische Versprechungen wechselten ab mit handfesten Bestechungssummen, wofür deutsche Fürsten in ihrer chronischen Finanznot immer empfänglich waren.

Nach und nach verschärfte Ludwig XIV. allerdings in Überschätzung seiner Kräfte die Annexionspolitik derart, daß selbst antihabsburgisch gesonnene Kreise im Reich von ihm abrückten und sich so allmählich eine europäische Front gegen Frankreich zu bilden begann. Zunächst jedoch profitierte er von der Zerrissenheit des Reiches und der stetigen Bedrohung seiner Ostflanke durch die Türken.

Als Mitglied des Rheinbundes hatte Ludwig XIV. zwar ein 6000 Mann starkes Kontingent aufgeboten, das zusammen mit einem 1664 mühevoll aufgestellten Reichsheer den Türken entgegentrat, doch die Sorge, Frankreich wolle sich damit in Reichsangelegenheiten einmischen, war wohl stärker als die Freude über diese unverhoffte Unterstützung. Schließlich konnte es Frankreich nur von Nutzen sein, wenn das Reich sich ständiger Bedrohung durch die Türken zu erwehren hatte. Ludwig tat das Seine dazu, indem er französische Militärexperten und Unterstützungsgelder zum Sultan nach Konstantinopel entsandte, um so eine Fortsetzung türkischer Expansionsbestrebungen zu unterstützen. Natürlich fiel dies in den Bereich der Geheimdiplomatie. Vor aller Augen hingegen ließ der französische König seine Truppen 1667 in die spanischen Niederlande einrücken!

Frankreich expandiert in die Niederlande

In Paris konnte man kaum damit rechnen, daß die damit verbundenen angeblichen Erbansprüche (Ludwig XIV. hatte eine spanische Prinzessin zur Frau) nach dem Tode Philipps IV. von Spanien (1621–1665) akzeptiert wurden. Daher waren bereits die diplomatischen Vertreter Ludwigs mit Raffinesse dabei, etwaige Konflikte zu entschärfen, und zwar so erfolgreich, daß der Kurfürstenrat zwar heftig debattierte, sich jedoch nicht zu einem Eingreifen entschließen konnte. Die rheinischen Fürsten waren vorsorglich durch Subsidienverträge günstig gestimmt worden, die ihnen militärische und finanzielle Unterstützung versprachen. Nach Wien schließlich ging von Paris ein Schreiben, in dem der französische Gesandte als »der dreisteste Diplomat auf der Welt« gelobt wurde, weil »er es sich in den Kopf gesetzt habe, durch [...] Zureden und [...] Drohungen zu erreichen, daß ein Kaiser es nicht wagt, Rekruten für seine Armee auszuheben«.
Dieser »Coup«, wie es in dem Brief treffend heißt, gelingt tatsächlich. Der Kaiser weicht zurück, da Probleme in Ungarn und die Haltung der Reichsfürsten ein Unternehmen wenig erfolgversprechend erscheinen lassen. Einige Tage schwirren Gerüchte durch die Empfangsräume des kaiserlichen Palais, schließlich legt sich die Aufregung, und der Gesandte Frankreichs kann voll Genugtuung eine Depesche an seinen König abposten.
Lediglich die Seemächte England und Holland sowie kurz darauf Schweden zwangen als Trippelallianz Ludwig XIV. 1668 zum Frieden von Aachen. Frankreich durfte von seiner Beute nur zwölf flandrische Festungen behalten, hatte sich damit aber zugleich für zukünftige Unternehmen eine vorteilhafte Ausgangsposition eingeräumt. Das Klima in Europa war wieder angespannter geworden, man wartete förmlich auf weitere militärische Aktionen.
Immerhin hatten die deutschen Territorien erfahren, wie Frankreich

vorzugehen bereit war. Außerdem lag nun offen zutage, daß ohne die beiden Seemächte einer Expansion nicht entgegenzutreten war. Viele deutsche Fürsten wurden von Unsicherheit erfaßt, was wohl auch dazu führte, daß sie den Rheinbund 1668 nicht mehr erneuerten. Doch wirkte dies im Grunde nur hilflos. Oder glaubten die Fürsten mit einer Art Trotzreaktion die Franzosen zu beeindrucken? In Paris war man indessen nicht weiter beunruhigt, denn noch immer herrschte im Deutschen Reich die »planmäßige Anarchie«, wie der französische Gesandte im Reichstag einmal seinem König gemeldet hatte.

Französische Geheimdiplomatie und offene Gewalt: Holländisch-schwedischer Krieg

Bevor sich Frankreich erneut in kriegerische Verwicklungen mit dem Reich und anderen Gegnern einließ, wurde das Terrain zunächst durch diplomatische Vorstöße sorgsam bereitet.
Mit Bestechungsgeldern und Drohungen verhinderte Ludwig XIV. jeglichen Widerstand gegen einen handstreichartigen Überfall auf das Herzogtum Lothringen im Jahre 1670. Überstürzt mußte der Herzog die Flucht ergreifen. Der Wiener Hof hingegen verhandelte nach bekanntem Muster, bis er sich gar zu einem Neutralitätsabkommen mit dem Franzosen bereitfand.
Als nächstes Ziel seiner Expansionspolitik hatte Ludwig XIV. die Vereinigten Niederlande ins Auge gefaßt. Der wirtschaftliche Erfolg dieses Landes, gepaart mit einer betont antiabsolutistischen Grundeinstellung, wurde in Paris als provokativ empfunden. Stimulierend dürfte zudem das Stillhalten des Reiches im Falle Lothringens gewirkt haben. Die rheinischen Fürsten waren diesmal ebenso leicht für die französische Seite zu gewinnen wie auch Baiern und die Pfalz, wo der Kurfürst durch die Heirat seiner Schwester Liselotte mit dem Bruder Ludwigs XIV. nun an die Partei des französischen Königs gebunden war. Eine entscheidende Rolle spielten wieder die Engländer und das Königreich Schweden. Beide Staaten konnten aus der Trippelallianz gelöst werden, da Frankreich ihre Interessenlage richtig kalkulierte: Schweden benötigte die versprochenen französischen Hilfsgelder für seine Armee, und England sah eine willkommene Gelegenheit, seinen schärfsten Handelskonkurrenten empfindlich zu treffen.
Lediglich die Haltung Brandenburgs blieb lange ungewiß. Obwohl dem Kurfürsten Friedrich Wilhelm I. über ein Geheimbündnis Hilfsgelder von Paris zuflossen, zögerte er mit seiner Entscheidung. Französische Beauftragte bedrängten den Brandenburger und waren schließ-

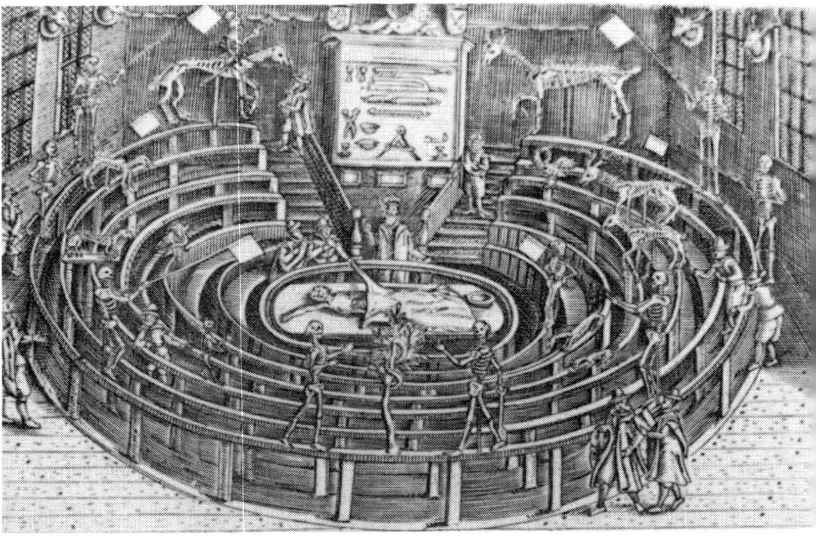

Fortschritte. *Der anatomische Demonstrationssaal der renommierten niederländischen Universität Leiden war der modernste seiner Zeit. Kupferstich. Güstrow, Museum.*

lich bereit zu akzeptieren, daß der Kurfürst wenigstens neutral bliebe. Friedrich Wilhelm I., den persönliche Zuneigung mit den Niederlanden verband, wurde eindringlich gewarnt, zumal der kaiserliche Hof in Wien sich in Schweigen hüllte.

Im Mai 1672 setzte der Kurfürst überraschend seine Unterschrift unter ein Verteidigungsbündnis mit den Niederlanden. »Mir stehen die Haare zu Berge«, soll sein Berater Schwerin aus diesem Anlaß in sein Tagebuch notiert haben, wie man in der Biographie Friedrich Wilhelms I. von Barbara Beuys nachlesen kann. Nun wurde umgehend gehandelt. Gegen eine Subsidienzahlung zogen 20000 Soldaten gen Westen. Brandenburg konnte allerdings in der Folgezeit nicht, wie man erhofft hatte, weitere Reichsfürsten gewinnen, dem französischen Rechtsbruch Einhalt zu gebieten.

Der Kaiser reagierte erst, als Franzosen unter Mißachtung der Neutralität auf Reichsgebiet vorstießen. Jetzt wurde die Order ausgegeben, ein kaiserliches Heer sollte zu den Brandenburgern stoßen und gemeinsam mit ihnen vorrücken. Die vereinigten Heere zogen schließ-

lich ziellos umher und vermieden auf Drängen der Österreicher einen offenen Schlagabtausch. So litten die durchzogenen Gebiete unter ihnen mehr als der Feind.
Inzwischen war es in den Niederlanden nach raschen französischen Erfolgen zu einem politischen Umschwung gekommen, der Wilhelm III. von Oranien als Statthalter und Generalkapitän auf Lebenszeit an die Macht brachte. Der Einundzwanzigjährige organisierte einen leidenschaftlichen Verteidigungskampf. Man schreckte dabei nicht davor zurück, die Dämme zu durchstechen und so in höchster Not vor den heranrückenden Franzosen das eigene Land zu überfluten. Ludwig XIV. sah ein, wie unmöglich es im Augenblick war, zu einem überzeugenden Erfolg zu kommen. Zusätzlich fühlte er sich durch die kaiserlich-brandenburgischen Truppen gestört, über deren Auftreten in den jetzt geretteten Niederlanden wenig schmeichelhafte Witze verbreitet wurden, und lenkte ein.
Während die Friedensverhandlungen noch andauerten, schwenkte der brandenburgische Kurfürst unerwartet auf die Seite Frankreichs. Den Sonderfrieden mit Paris ließ er sich mit Subsidienzahlungen vergolden, die angeblich noch stattlicher ausfielen als die holländischen. Dafür zogen sich die Franzosen von allen brandenburgischen Besitzungen im Westen zurück. Dieses unrühmliche Schauspiel beschämte den Kurfürsten im nachhinein so, daß er sich wochenlang nicht bei Hofe blicken ließ und keine französischen Gesandten empfangen wollte.

Die historische Tat des Friedrich Wilhelm von Brandenburg

Inzwischen waren die Aktionen der Franzosen in Lothringen, im Elsaß, in Trier und der Pfalz als so unerträglich empfunden worden, daß man öffentlich nach einer gemeinsamen Initiative rief. Nach Verhandlungen gelang es, eine Verständigung verschiedener Mächte herbeizuführen, die schließlich das Reich, Spanien, Lothringen, aber auch Holland und England als Koalition sah. Der Regensburger Reichstag rang sich zu einem seltenen Entschluß durch. Außer Baiern und Hannover stimmten alle Beteiligten für den Reichskrieg gegen den französischen König. Kurfürst Friedrich Wilhelm I., durch Sonderfrieden an Ludwig XIV. gebunden, wurde aufgefordert, sich zu entscheiden.
Wieder hielt Brandenburg eine Überraschung bereit. In Berlin wurden französische Diplomaten zu unerwünschten Personen erklärt. Kurz darauf, im August 1674, zogen der Kurfürst, sein Hofstaat und 18000 Mann »wider Frankreich zum andern Mal«. Mitbestimmend für den plötzlichen Frontwechsel dürfte gewesen sein, daß Frankreich zuneh-

mend bemüht war, im benachbarten Polen an Einfluß zu gewinnen. Mit Ernüchterung verbreitete sich bald die Erkenntnis, wonach das 50000 Mann starke Reichsheer nicht in der Lage war, die französischen Truppen nachhaltig zu schwächen, so daß Versorgung und Moral der Einheiten mit jedem Tag abnahmen.

In dieser Situation ermunterte Ludwig XIV. Schweden, in Brandenburg einzufallen. Kurfürst Friedrich Wilhelm I. rang um die Hilfe des Kaisers und der Niederländer. Trotz verbindlicher Zusagen verstrich die Zeit, ohne daß etwas geschah. Da brach er mit seiner gesamten Streitmacht Richtung Nordosten auf, von wo ihm schlimme Nachrichten entgegengebracht wurden. Bei Fehrbellin warf er die Schweden in einer, wie Augenzeugen berichten, tollkühnen Schlacht zurück, in der Friedrich Wilhelm I. selbst an der Spitze seiner Verbände kämpfte. Dieser klare Sieg mit anschließender Verfolgung der Feinde weit über die Grenzen brachte dem Brandenburger den Ehrennamen der »Große Kurfürst« ein. Gleichzeitig wurde offenkundig, wie stark die Macht der Schweden momentan einzuschätzen war, und daß Brandenburg durchaus auch allein seine Interessen wahren konnte.

Der 28. Juni 1675 wurde zu einer Art nationalem Feiertag, ein Datum, das noch im 19. Jahrhundert zum Kanon preußisch-deutscher Heldenverehrung zählte. Für die zentrale Auseinandersetzung am Rhein und in Flandern blieb der preußisch-schwedische Waffengang von untergeordneter Bedeutung. Mangelnde Koordination innerhalb der Alliierten und die Überlegenheit der französischen Heeresführung ließen die Front der Gegner Frankreichs auseinanderfallen. Nun war es wieder an Ludwig XIV., sein diplomatisches Geschick auszuspielen.

1677 vermittelte England in Nijmwegen Friedensverhandlungen, die sich bis zum endgültigen Abschluß zwei Jahre hinzogen. Nach dem Ende aller taktischen Schachzüge fiel die Freigrafschaft Burgund an Frankreich, ebenso mußten dreizehn spanische Festungen in den Spanischen Niederlanden an Ludwig XIV. abgetreten werden. Das rechtsrheinische Freiburg wurde französisch, und auch Lothringen blieb in der Hand des Königs. In einem gesonderten Vertrag mußte der Große Kurfürst weitgehend auf seinen pommerschen Landgewinn aus der ruhmreichen Vertreibung der Schweden zu deren Gunsten verzichten.

Damit hatte Paris so nachdrücklich wie nie zuvor seine Vormachtstellung hervorgehoben, obwohl lange Zeit der Wind scharf in die entgegengesetzte Richtung geweht hatte. In Kreisen der Diplomatie munkelte man von neuen Plänen des französischen Königs, und in Brandenburg lehnte der Große Kurfürst, für Kenner der Verhältnisse inzwischen nicht mehr überraschend, ein Bündnisangebot des Kaisers ab. Das brandenburgische Heer verschlang große Summen, die er nur auf-

Schlacht bei Fehrbellin.
Gobelin aus der Manufaktur von Pierre Mercier.
Im Zentrum der Große Kurfürst. Berlin, Schloß Charlottenburg.

bringen konnte in »Frankreichs Freundschaft und Allianz«. Also wechselte er ein weiteres Mal die Partei. Konnte er vielleicht so durchsetzen, was ihm bislang gegen Schweden versagt geblieben war?

Eroberung mitten im Frieden – Neue Initiativen für alte Ziele

Brandenburgs Kehrtwendung zugunsten Ludwigs XIV. war lediglich eine Reaktion dieser Art unter vielen. Der erfolgreiche Nachbar warb mit verlockenden Angeboten, mit Schutzverträgen und finanzieller

Unterstützung. Zunächst griffen die angrenzenden deutschen Territorien zu, weitere folgten, denn der Eindruck des Friedens von Nijmwegen von 1679 ermunterte manchen, sich auf die siegreiche Seite zu schlagen. Die Hoffnung auf eine Beruhigung der europäischen Konfliktzone war jedoch nur von kurzer und von Seiten Frankreichs wohl kalkulierter Dauer.

Mit einem neuerlichen, diesmal ›friedlichen‹ Vorstoß wußte der französische König seine westlichen Nachbarn zu überraschen. Das dabei angewandte Verfahren bezeichnete man später als »Reunionspolitik«. Angestrebt wurde eine Re-union, Wieder-Vereinigung, ehemals französischer Gebiete des Reiches mit ihrem Ursprungsland, und zwar Gebiete, die nach neuer Interpretation aus Paris lediglich als Reichsgebiete Frankreich »entfremdet« waren. Dieses selbst den Zeitgenossen bereits abenteuerlich erscheinende Verfahren sollte gerechtfertigt werden durch eine mehr oder weniger offene Rechtsbeugung. Ihr Stichwort im Französischen: réunion, d. h. soviel wie »Wiedervereinigung«. Man errichtete 1679 daher sogenannte Reunionskammern. Diese in Metz, Breisach und Besançon bestehenden besonderen Gerichtshöfe sprachen der französischen Krone Gebiete zu, die zu irgend einem Zeitpunkt einmal von einem französischen Territorium abhängig waren. Zur Begründung mußte das mittelalterliche Lehnsrecht dienen, das mit Beweisstücken, nicht selten zurückreichend bis in merowingische und karolingische Zeiten, fragwürdiger Qualität belegt wurde. Wenn eine Reunionskammer fündig wurde, folgte sofort die Aufforderung an das entsprechende Gebiet, Ludwig XIV. den Lehnseid zu leisten. Eine Möglichkeit, dem auszuweichen, bestand praktisch nicht, da französische Einheiten sofort in die reunionierten Gebiete einrückten, wenn dem Wunsch des Königs nicht entsprochen wurde.

Tatenlos sah man im Reich diesem Treiben zu, wie der größte Teil des Elsaß, Bereiche bis weit in die Pfalz und sogar Gebiete von Trier an die französische Krone fielen. Weitere Grenzverschiebungen wurden hingenommen, bis sich die freie Reichsstadt Straßburg Ende September 1681 unter Gewaltandrohung einem französischen Heer ergeben mußte, das im Morgengrauen vor den Toren aufmarschiert war. Bei diesem Handstreich bemühte man sich um überhaupt keine juristische Rechtfertigungen. Ludwig XIV. war in seinem machtpolitischen Ehrgeiz ein weiteres Mal zu weit vorgestoßen. Oder konnte er im Ernst annehmen, das Reich würde diese Provokation ganz ungerührt hinnehmen?

Der während der gesamten Reunionspolitik unterschwellig vorhandene Unmut brach nun offen hervor. An vielen Höfen stellte man sich die Frage, was noch geschehen müsse, bis dem Franzosen seine Gren-

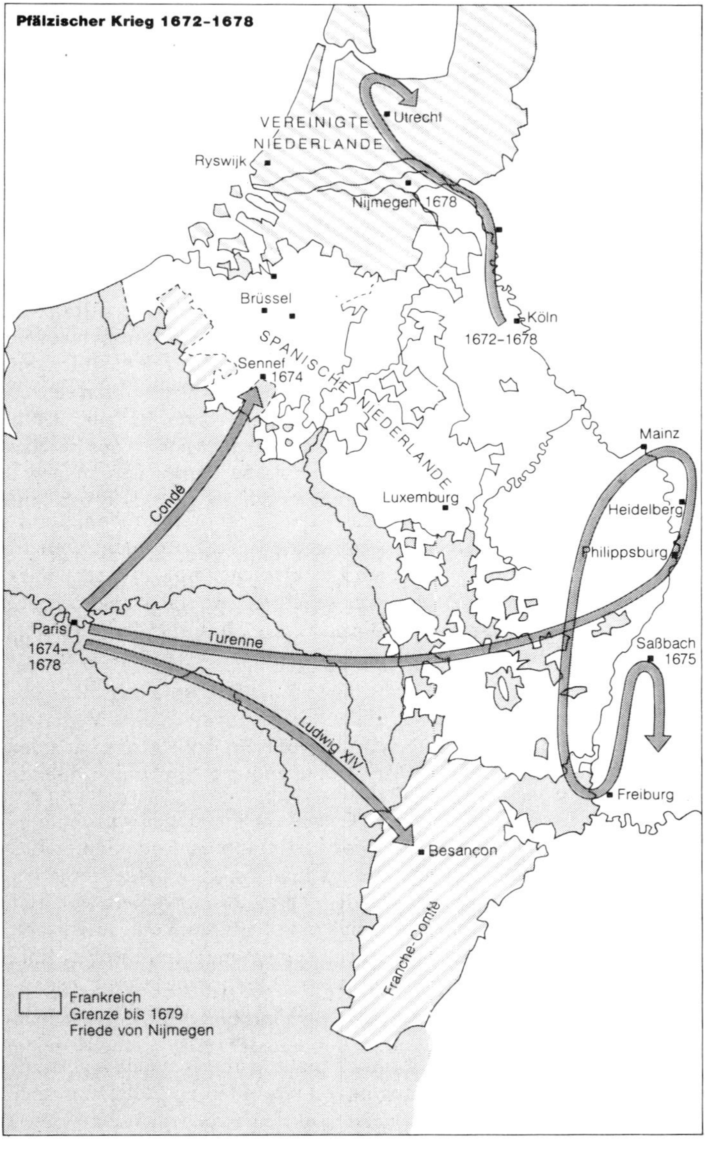
Pfälzischer Krieg 1672-1678
Utrecht
VEREINIGTE NIEDERLANDE
Ryswijk
Nijmegen 1678
Brüssel
Köln
1672-1678
SPANISCHE NIEDERLANDE
Sennef 1674
Mainz
Condé
Luxemburg
Heidelberg
Philippsburg
Paris
1674-1678
Turenne
Saßbach 1675
Ludwig XIV.
Freiburg
Besançon
Franche-Comté
Frankreich
Grenze bis 1679
Friede von Nijmegen

zen gewiesen würden. In dieser Lage ergriff der kaiserliche Hof die Initiative und suchte die Unzufriedenheit und Empörung im Reich in eine neue gemeinsame Verteidigungsaktion umzumünzen. Wieder sperrten sich zwei Länder, diesmal Brandenburg und Mainz, doch der Reichstag beschloß im Jahre 1681 eine reformierte Reichskriegsverfassung. Hannover, Sachsen und Baiern bezogen Stellung gegen Frankreich. Der Kaiser vereinigte weite Teile des Reiches zu einer Allianz, die mit Holland, Schweden und Spanien zu einer ernsthaften Koalition zusammenzuwachsen drohte. Ein optimistischer Beginn mit zweifelhaften Perspektiven.
Wie so oft profitierte Ludwig XIV. von den Spannungen im Reich, die ein entschlossenes Vorgehen unmöglich machten. Besonders Brandenburg richtete seine Interessen stärker auf den Konflikt mit Schweden, und die anderen Fürsten zeigten sich mit der Zeit bereit einzulenken, da ihnen eine Drohgebärde auszureichen schien. Krieg wollten sie vermeiden. In dieser Hoffnung etwa hatten sich zum Beispiel Köln, Mainz, Münster, Trier und die Pfalz beteiligt. Im Südosten des Reiches traten kaum zufällig im Frühjahr 1683 türkische Truppen erneut gegen das christliche Abendland an, trafen aber auf eine wohl vorbereitete habsburgische Abwehrfront.
Für den Konflikt mit Frankreich fehlten damit endgültig die nötigen Machtmittel, so daß im Regensburger Stillstand 1684 Ludwig XIV. sein Ziel doch noch erreichte. Der Kaiser bestätigte alle Reunionen seit dem 1. August 1681 und die Besetzung von Straßburg und Luxemburg. Dies sollte für zwanzig Jahre gelten, aber so lange würde der Friede kaum dauern. Alle Erfahrungen jedenfalls sprachen dagegen. Der Unmut im Reich über das zuletzt offen unverschämte Verhalten Frankreichs und das erstarkte Selbstbewußtsein des Kaisers nach den bewunderten Siegen über die Türken ließen neue Konfrontationen in Kürze befürchten.

Frankreichs fragwürdige Forderungen
Der Überfall Ludwigs XIV. auf die Pfalz

Bereits 1685 spitzte sich die politische Lage wieder zu. In diesem Jahr starb der pfälzische Kurfürst Karl (1680–1685), dessen Schwester als Herzogin Elisabeth Charlotte von Orléans mit Ludwig XIV. verschwägert war. Ohne jede Berechtigung erhob nun der französische König in deren Namen Erbansprüche auf die Pfalz. Nach Reichsrecht jedoch folgte der katholische Philipp Wilhelm von Pfalz-Neuburg.
Damit war ein Konflikt konstruiert, der zum Krieg führen sollte, ein

Der Fall Straßburgs
1681 in der Straßburgischen Chronik vermeldet

Anno 1681, den 18. Septembris [alter Kalender] umb 2 uhren gegen tag, hatt man angefangen die mordglock zu leuthen, dessen die ursach gewesen, daß die Frantzosen die Zollschantzen occupiert und eingenommen; daß man nun zu dem offizier M. le baron d'Asfeld geschickt, die ursach zu vernemmen. Hatt zu verstehn gegeben, daß der könig [Ludwig XIV.] begehre sich der statt meyster zu machen, wie dann zu solchem end eine ganze armee im ahnmarsche begriffen were, und würde morgen auff dem mittag Mr. le marquis de Louvois nach Illkirch kommen, den man besprechen und von ihme die ursach selbsten vernemmen köndte, welches beschehen. Der dann die herren deputirte hart tractirt und gesagt, wenn man sich nicht den andern tag morgens umb 7 uhren ergeben würde, so were keine genad mehr vorhanden, und würde die statt mit feuer und schwerdt in grund verderbt werden. Deswegen man die rationes pro und contra scharff examinirt, mitt den herren schoeffen, E. E. Kirchenconvent und endlichen der gantzen bürgerschaft communicirt [beraten], und weilen man sich zu schwach befunden, maßen die guarnison nur in 500 Man bestanden, und halb erkrankt, sich zu ergeben resolvirt [beschlossen], deswegen ein accord projektirt. Sind per dominos deputati [Vertreter] auß allen stuben hinauß geschickt worden. Da dann Mr. de Louvois alles verwilliget, außgenommen daß das münster den catholischen, munition und kanonen aber den offizieren Ihrer Majestät solte überlassen werden. Es verbleibt alles im alten stand: und verhoffe ich, wir werden ahnestatt der libertät [reichsstädtischen Freiheit] wiederumb den for der commercien [Blüte des Handels], welche gentzlichen erliegen, bekommen.

Aus: Straßburgische Chronik von 1667–1710 von Reißeissen

Krieg allerdings mit anderen Vorzeichen als die vorausgegangenen. Zunächst unterstrich der französische König seine drohende Haltung durch massive Einmischung in die Nachfolgeverhandlung für das Erzbistum Köln, wobei er bereits energischen Widerstand zu spüren bekam. Selbst eine Kompromißformel, wonach er sich finanziell für seine Ansprüche in der Pfalz entschädigen lassen wollte, stieß im Reich auf taube Ohren, ebenso seine bekannten diplomatischen Manöver. Woher kam diese plötzliche Standfestigkeit?

In Europa zeichnete sich ein breites Bündnis gegen Frankreich ab. Zur Führungsfigur stieg dabei Wilhelm III. von Oranien auf, der inzwischen König von England geworden war. Unvergessen war sein entschlossener und verbissener Abwehrkampf in den Niederlanden. Mit dem Fall von Belgrad 1686 bekam zudem auch der Kaiser freie Hand, so daß 1689 das Deutsche Reich, Spanien, Holland, England, Schweden und Savoyen zu einer großen Koalition zusammenfanden. Frankreich als Seemacht auszuschalten war dabei ein Motiv, ein anderes resultierte aus der Bedrohung des Reiches und den nach 1685 in Frankreich durchgeführten Hugenottenverfolgungen, die vor allem protestantische Mächte beunruhigten.

Ludwig XIV. war isoliert, die französische Wirtschaft überanstrengt und der Krieg insgesamt schlecht vorbereitet. Dennoch erwartete man in Paris einen schnellen Sieg. Um möglichen Aktionen der zusammentretenden Koalition zuvorzukommen, eröffnete Frankreich im September 1689 die Feindseligkeiten. Über Nacht wurde das linke Rheinufer bis kurz vor Köln besetzt, und von der Pfalz aus suchten Truppen des französischen Königs das angrenzende Württemberg heim. Als die norddeutschen Fürsten und die übrigen Teile der Allianz zum Gegenschlag antraten, konnte der Franzose seine Stellung nicht halten.

Wer die Lage einzuschätzen verstand, sah deutlich die »unwiderrufliche militärische und politische Wende«, wie der Historiker Walther Hubatsch prägnant formuliert. Nun folgte ein militärisch sinnloses und gleichzeitig wenig ruhmvolles Nachspiel. Auf Befehl des französischen Kriegsministers Louvois, eines Mannes mit fragwürdigem Ruf, verwüsteten seine Truppen bei ihrem Rückzug Stadt und Land. Von französischen Offizieren wird berichtet, sie hätten sich voll Abscheu und Entsetzen von diesem sinnlosen Zerstörungswerk abgewendet. Vor allem die Pfalz sollte praktisch unbewohnbar werden. Systematisch wurden daher blühende Städte in Schutt und Asche gelegt, darunter Heidelberg, Mannheim, Worms und Speyer, um nur einige zu nennen. Damit verstießen die Franzosen so nachhaltig gegen die Konventionen der Kriegsführung, daß sie noch stärker isoliert wurden. Jedes Mittel schien ihnen zur Vergrößerung ihres Staatsgebiets recht.

Zeitungsbericht über die Zerstörung Heidelbergs 1693

Aus dem Odenwald / den 26. Maij. Die Statt Heydelberg ist am vergangenen Freytag Morgens fast ohne Stückschuß / und das Schloß Nachmittags umb zwey Uhren per Accord an die Frantzosen übergangen. In der Statt sollen etliche Teutsche zu Kriegs-Gefangenen gemacht worden seyn / wie auch die Bürger / Weiber und Kinder / was sich nicht in das Schloß salvirt [gerettet] / gefangen / aber durch den Schlöß-Accord dise letztere Bürger / Weiber und Kinder wider loßgelassen worden. Die Statt und Vorstatt haben die Frantzosen / nebst dem Capuciner-Closter / Kirchen und allem völlig abgebrandt / also daß im geringsten nichts ist stehen geblieben; Sambstags Nachmittag ist die im Schloß noch in 1300 Mann bestehende Garnison nach Kriegs-Manier / mit Ober- und Untergewehr / fliegenden Fahnen / brennender Lunten / Kugeln im Munde / klingendem Spill / Bagaga / und 2 Stücken Geschützes abgezogen / und durch 300 Frantzosen gegen Haylbronn [Heilbronn] convoyrt worden; das Schloß unterminiren und sprengen sie / und ist das Elend der armen Bürger und Einwohner nicht zu beschreiben. Man haltet für sicher / daß gedachte Frantzösische Armee keine 40000 Mann in allem starck seye. Als die Einwohner der Stadt Heydelberg am Freytag mit denen Soldaten sich in das Schloß retiriren [zurückziehen] wollen / sollen / dem Bericht nach / 9 à 10 Kinder ertruckt und zertretten worden seyn. Die Frantzosen haben der Garnison Wägen gegeben / ihre Bagage nach Haylbronn zu führen; Die Zahl der Menschen an Soldaten / Bürgern / Einwohnern / Weibern und Kindern / so außgezogen seynd von Heydelberg / solle in 15000 Seelen bestanden seyn.

Aus: Ordentliche Wochentliche Post-Zeitungen München 1693, Nr. 23

WORMBS

STRASBOURG.

Überfall auf Worms. *Traurigen Ruhm erwarb sich der französische General Graf von Mélac (oben). Er verwüstete 1689 im Auftrag Ludwigs XIV. die Pfalz. Worms ging dabei in Flammen auf (oben links). Schon 1681 war Ludwig XIV. in Straßburg eingezogen. Französische Truppen zwangen seine Bewohner, dem König den Huldigungseid zu leisten. Der Kupferstich (links) zeigt den prächtigen Einzug des Sonnenkönigs.*

Eine europäische Allianz und eine neue Erfahrung: Auch Frankreich ist verwundbar

Nun suchten auch die englischen und holländischen Verbände die Franzosen zur See zu stellen. Sie konnten schließlich im Mai 1692 am Kap la Hogue die französische Flotte vernichtend schlagen. Dies traf Ludwig XIV. zwar hart, ergab für die Alliierten am Rhein allerdings keinen entscheidenden Vorteil. Was das bedeutete, spürte etwa die Stadt Heidelberg schmerzhaft. Waren beim eiligen Rückzug Frankreichs zu Beginn des Krieges noch einige Gebäude vor den Flammen gerettet worden, so schossen im Mai 1693 die anrückenden französischen Kommandos die verbliebenen Häuser und Festungswerke endgültig zusammen. Es zog sich der Krieg ohne Entscheidung hin, bis er zuletzt wegen Erschöpfung und Uneinigkeit der Verbündeten zum Stillstand kam.

Schweden vermittelte daraufhin 1697 in Ryswijk einen Friedensschluß, der Ludwig XIV. erstmalig zu Zugeständnissen zwang. Er mußte sich von seinen Brückenköpfen am rechten Rheinufer zurückziehen. Seine Ansprüche auf die Pfalz und die Mitentscheidung bei der Wahl des Kölner Erzbischofs wurden zurückgewiesen. Außerdem hatte er das Herzogtum Lothringen herauszugeben. Ihm Straßburg und das Elsaß abzunehmen, um es wieder dem Reich anzugliedern, gelang dagegen nicht.

Etwa zur gleichen Zeit zeichnete der Erzbischof Fénélon in einem Brief an seinen König ein düsteres Bild von der inneren Lage Frankreichs: »Seit mehr als zwanzig Jahren sind wir Ursache blutiger Kriege [...]. Das Volk selber fängt an, die Verehrung für Sie zu verlieren [...]. Vielmehr zündet nach und nach in Teilen des Landes der Funke des Aufruhrs.« Aber Frankreich war längst nicht bezwungen, obwohl seine Mittel nicht mehr unerschöpflich schienen. Mit dem Frieden von Carlowitz 1699 erkannte das Osmanische Reich zudem die habsburgische Herrschaft über ganz Ungarn an, d.h. in Paris konnte man nicht mehr mit türkischer Rückendeckung rechnen. Mit dem frischen Ruhm der Balkansiege wandte sich der Kaiser den Entwicklungen in Mitteleuropa zu, entschlossen, die eigenen Großmachtvorstellungen den französischen Hegemoniebestrebungen entgegenzusetzen.

Der nach all diesen Kriegen verständliche Wunsch eines Chronisten, »daß die gegenwärtige Friedenssonne lange scheinen möge und nicht durch neue Unwitter verdunkelt werde«, erfüllte sich indes nicht. Die Vorbereitungen für einen neuerlichen Waffengang liefen bereits an. Den Hintergrund bildeten diesmal zwei gleichberechtigte Ansprüche auf den spanischen Thron, die im Sinne eines Gleichgewichts der

Kräfte entschieden werden sollten. Zuvor allerdings überzog der sogenannte Spanische Erbfolgekrieg (1701–1714) fast vierzehn Jahre lang Westeuropa und die kolonialen Besitzungen der beteiligten Mächte in Übersee.

Weltreich der Habsburger oder Weltmacht der Bourbonen?

Der Konflikt hatte sich weit vorher angebahnt, da nach dem Tod des kinderlosen spanischen Königs Karl II. (1665–1700) die Rivalen um das Erbe antreten würden. Ludwig XIV., selbst Sohn der ältesten Tochter Philipps III., war verheiratet mit der ältesten Tochter Philipps IV. von Spanien. Kaiser Leopold I. war Ehemann der jüngsten Tochter Philipps IV. und außerdem Sohn der jüngsten Tochter Philipps III. von Spanien. Als dritter Anwärter konnte Kronprinz Joseph Ferdinand von Baiern auftreten, ein Enkel Karls II. Paris hatte zwar vor Jahren auf alle Ansprüche verzichtet, widerrief jedoch jetzt diese Erklärung. Ein Plan zur Teilung des Erbes fand Zustimmung bei Ludwig XIV., der seinen Enkel Philipp von Anjou in Spanien auf dem Thron sehen wollte. Mit einem geteilten spanischen Erbe, signalisierten England und Holland, würden sie ihre eigenen Interessen verbinden können.
Einem möglichen Alleinerben würden nämlich das Mutterland Spanien, die Spanischen Niederlande, Mailand, Neapel und Sizilien, sowie Gebiete in Indien und auf dem amerikanischen Kontinent zufallen. Das Haus Habsburg beanspruchte das gesamte Erbe, erhielt indes zunächst überhaupt nichts, da der verstorbene Karl II. überraschenderweise alles ungeteilt seinem Erben, dem Enkel Ludwigs XIV., Philipp V. von Anjou hinterlassen hatte. Dieser trat die Nachfolge an und wußte den französischen König hinter sich.
Durch diese unerwartete Wendung bekam der Kaiser unverhoffte neue Bundesgenossen für seine Pläne: die Seemächte. Außer Baiern und Köln, beide von Wittelsbachern regiert, waren die deutschen Fürsten entschlossen, Kaiser Leopold I. in dieser dynastischen Auseinandersetzung beizustehen. Sie hatten zwar lediglich ein untergeordnetes Interesse an der Nachfolgefrage, sahen andererseits jedoch die unverminderte Expansionsgefahr, die von Frankreich ausging. Brandenburg-Preußen spürte eine besondere Verpflichtung gegenüber Wien, nachdem Kurfürst Friedrich III. (1688–1713) vom Kaiser im Januar 1701 als Friedrich I., »König von Preußen«, anerkannt worden war. Sein Königstitel bezog sich also auf Preußen, ein souveränes Territorium außerhalb des Reiches.

Wilhelm III. von Oranien hatte 1701 im Haag zwischen den Seemächten und dem Kaiser eine Allianz vereinbart. Damit war es ihm noch einmal gelungen, seinem Gegner auf dem französischen Thron eine enorme Streitmacht entgegenzuwerfen. Die weitverzweigten Besitzungen und die kolonialen Interessen der Kriegführenden ließen erstmals einen weltumspannenden Krieg entbrennen, in dem die deutschen Fürsten nur eine bescheidene Rolle spielen konnten. Es lag außerhalb ihrer Möglichkeiten, in Indien oder Nordamerika mitzustreiten, gerade dort, wo Paris entscheidend geschlagen wurde.
Mit baierischer Unterstützung fielen die Franzosen siegreich in Süddeutschland ein, wo der Markgraf von Baden die Reichstruppen führte. Ein anderer hochdekorierter Sieger über die Türken stand an der italienischen Front: Prinz Eugen von Savoyen. Nach Vorteilen für die kaiserlichen Verbände verlagerte sich das Zentrum des Krieges 1703 nach Spanien. Hier hatte man Karl III., Sohn Kaiser Leopolds I., zum spanischen König ausgerufen. Auch auf der iberischen Halbinsel schien sich die Waagschale zugunsten Habsburgs zu senken. Die europäische Entscheidung sollte allerdings auf deutschem Boden fallen.

England diktiert den Frieden: Gleichgewicht der Mächte oder Das Ende einer Epoche

Immer stärker konzentrierten sich die Aktionen auf drei Feldherren, den Markgrafen Ludwig Wilhelm von Baden, den Prinzen Eugen von Savoyen und den englischen Herzog von Marlborough. Dieser Engländer wurde zur treibenden Kraft der Verbündeten. Am Abend des 13. August 1704 kritzelte er in einem Gasthaus einige Zeilen auf eine gestärkte Tuchserviette, die er mit Eilboten nach England zu seiner Familie schickte. Der Brief enthielt eine unerhörte Nachricht. In der ersten großen Feldschlacht des 18. Jahrhunderts bei Höchstädt und Blindheim hatten sich die französischen Truppen geschlagen geben müssen – ein in diesem Ausmaß bis dahin einmaliges Ereignis! War damit das Ende Ludwigs XIV. greifbar? Marlborough und seine Verbündeten ließen jedenfalls in den folgenden Jahren weitere Siege folgen, bis 1709 mit 100000 Alliierten gegen 90000 Franzosen eine der größten Schlachten des 18. Jahrhunderts ausgetragen wurde. Nach diesem blutigen Treffen verließen Frankreichs Truppen wieder geschlagen das Schlachtfeld und dennoch waren ihre Kräfte noch nicht am Ende.
Taktisch unkluges Verhalten der Alliierten verhinderte in diesem günstigen Augenblick einen möglichen Friedensschluß. Die Kampfhandlungen schwelten daher weiter, bis 1711 Kaiser Joseph I. (1705–1711)

kinderlos und ohne männlichen Erben unerwartet starb. Karl III. von Spanien hatte als Bruder des Verstorbenen das erste Anrecht auf die Nachfolge, und noch im gleichen Jahr wurde er als Karl VI. zum Kaiser gewählt. Damit war eingetreten, womit niemand gerechnet hatte, was England und Holland auf keinen Fall billigen konnten, wenn sie nicht ein neues habsburgisches Weltreich in Kauf nehmen wollten. Paris atmete auf, die Koalition zerfiel. Zugleich bahnte sich eine Verständigung zwischen England und Frankreich an, die durch diplomatische Bemühungen nicht mehr verhindert werden konnte. Ein Friedenskongreß in Utrecht arbeitete daraufhin eine neue, für Karl VI. unbefriedigende Lösung aus. Danach erhielt Philipp von Anjou im Mutterland Spanien mit seinen Kolonien die Königswürde. Spanien dürfte aber niemals mit Frankreich vereinigt werden. Das Königreich Sizilien fiel an Savoyen mit der Zusage einer Thronfolge in Spanien, falls die Bourbonen aussterben sollten. Habsburg mußte sich mit Mailand, Sardinien und Neapel begnügen. Mit den Spanischen Niederlanden wurde Kaiser Karl VI. darüber hinaus ein strategisch wichtiges Gebiet zugesprochen. Dennoch, im Vergleich zu den hochfliegenden Plänen mußte man in Wien von diesem mageren Ergebnis enttäuscht sein. Daher wurde im April 1713 der Friede in Utrecht nur von Frankreich, Holland, England, Savoyen, Portugal und Preußen unterzeichnet, das ebenfalls nur geringfügige Gewinne einstreichen konnte.

Kaiser Karl VI. setzte auf eine militärische Lösung. Mit dem Prinzen Eugen an der Spitze sollten die kaiserlichen Verbände eine militärische Wende herbeiführen, standen ohne Bundesgenossen aber auf verlorenem Posten. Bald sah man auch in Wien ein, daß die Vereinbarungen von Utrecht so nicht zu revidieren waren und akzeptierte zähneknirschend, was vor allem England diktiert hatte. Im März 1714 schließlich tauschten österreichische und französische Unterhändler in Rastatt die Friedensurkunden aus.

Endlich konnte die Bevölkerung auch in deutschen Landen wieder aufatmen. Vierzehn Jahre hatte der Krieg getobt, zwar nicht ständig überall, doch selbst wo man nicht direkt darunter zu leiden hatte, hingen die drohenden Wolken möglicher Kämpfe, Verwüstungen durchziehender Soldatenhorden oder nur die unablässige Furcht über den Bewohnern, Väter und Söhne in einer der Schlachten zu verlieren. Mehr noch als 1695 bekamen die kritischen Worte des Erzbischofs Fénélon Gültigkeit, der Ludwig XIV. vorgeworfen hatte, daß er seine Untertanen erniedrige. Die letzten Siege waren wahrlich »kein Fest mehr für Frankreich«, wie Fénélon bemerkt hatte, dessen Bevölkerung ausgesaugt, dessen Wirtschaft durch Kriege und Hofhaltung ruiniert waren.

Ähnlich muß die Lage in den deutschen Territorien eingeschätzt werden, vor allem im Bereich der eigentlichen Kampfhandlungen. Was die viel zu aufwendigen Höfe nicht an Steuern und Aufgaben auffraßen, das verschlangen die Kriege. Nicht genug, die Landeskinder für fragwürdige dynastische Interessen in den Kampf zu schicken, verkaufte sie mancher Fürst meistbietend. So geschehen in Hessen, wo Karl I. 1702 9000 Untertanen an die Seemächte und 12000 Mann nach dem Utrechter Frieden an König Georg I. von England ›lieferte‹.
Die Fürsten im Reich profitierten zwar zum Teil durch ihre Subsidienverträge von den kriegerischen Auseinandersetzungen, aber zu den Gewinnern zählten sie aufs Ganze gesehen nicht. Selbst Habsburg und Frankreich hatten die selbst gesteckten Ziele verfehlt. Diesbezüglich sprachen die Vereinbarungen von Utrecht und Rastatt eine deutliche Sprache. Blieb allein noch England als beteiligte Großmacht. Die Seemacht hatte ihr Kolonialreich erweitert und gefestigt, aber zugleich die Schiedsrichterrolle in Europa übernommen. Ob es sich für das Reich und seine Einzelstaaten vorteilhaft auswirken würde, daß Frankreichs Expansionsdrang endgültig gebrochen und an die Stelle seiner Vormachtsbestrebungen das englische Konzept eines Mächtegleichgewichts, eine »balance of power« getreten war, mußte die Zukunft erst

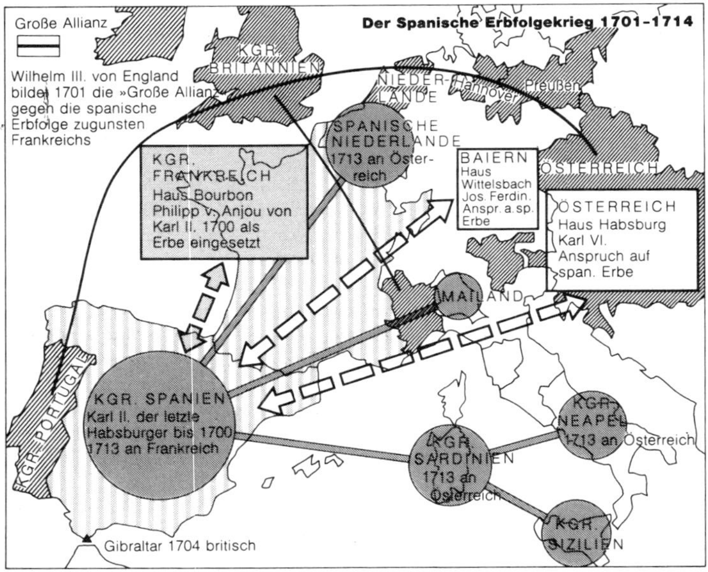

KARL VI.

Eine zeitgenössische Darstellung zeigt Kaiser Karl VI. in einem dunklen, bodenlangen Samtgewand, darüber ein mit Edelsteinen besetzter Umhang. Die linke Hand in die Hüfte gestützt, den rechten Fuß leicht vorgesetzt, erinnert die Pose an eine berühmte Darstellung Ludwigs XIV. Trotzdem vermittelt sie nichts von dessen Eleganz und Leichtigkeit. Karls VI. Gesichtsausdruck wirkt nachdenklich, ja abweisend. Auf den ersten Blick kein weltgewandter Herrscher, keine Persönlichkeit, deren Leben Biographen mit Neugierde erforscht haben. Seinen Vertrauten galt er als fromm, bedächtig und um ehrenhaftes Handeln bemüht. Seinem älteren Bruder Kaiser Joseph I. soll er an Flexibilität und politischem Gespür weit unterlegen gewesen sein. Mehr Pflicht als Neigung ließen ihn nach dessen Tod 1711 die Nachfolge antreten. Aus Unentschlossenheit empfänglich für Intrigen, konnte Begeisterung bei ihm rasch in Desinteresse umschlagen. So setzte er unbegrenztes Vertrauen in die Fähigkeiten des Prinzen Eugen, hatte aber kurz darauf bei nächtlichen Audienzen wieder ein offenes Ohr für seine spanischen Berater, speziell für Graf Rocca Stella, genannt die Nachteule. Das Distanz und Unterwerfung fordernde spanische Hofzeremoniell begünstigte Schmeichler. Zu Starrsinn, Mißtrauen und mangelnder Standfestigkeit trat Karls naive Begeisterungsfähigkeit für alle Neuerungen bei der Förderung der Wirtschaft des Landes. Mit seiner Frau und der Tochter Maria Theresia verband ihn herzliche Zuneigung, eine Ausnahme innerhalb dynastischer Beziehungen jener Zeit. Verbissen und mit lähmendem Ernst richtete Karl VI. all seine Energien auf die Anerkennung der »Pragmatischen Sanktion«, und in Wien verbreitete sich in seinen letzten Lebensjahren das Gefühl melancholischer Orientierungslosigkeit, das den Habsburger als letzten männlichen Vertreter seines Hauses ergriffen hatte. Von wenigen geliebt, aber als pflichtbewußter Herrscher geachtet, starb der Fünfundfünfzigjährige überraschend am 20. Oktober 1740. *(W. W.)*

Soldatenmangel. *Auch in der Zeit nach dem Dreißigjährigen Krieg mußten Werber, »Lockvögel«, den Nachschub für die Heere sichern. Kupferstich von Christian Richter.*

beweisen. Zweifellos hatten sich die zukunftsweisenden Entwicklungen weit über den Köpfen der Reichsfürsten abgespielt, die vielfach in maßloser Überschätzung ihrer Möglichkeiten die Tage damit verbrachten, französisches Hofleben zu imitieren. Während sie sich noch am allmählich welkenden Glanz von Versailles ergötzten, war England zur Weltmacht aufgestiegen.

Etwas im Schatten der geschilderten Ereignisse bewegte den Norden und Nordosten Europas zur gleichen Zeit ein Konflikt von noch längerer Dauer als der Spanische Erbfolgekrieg. Der Ausgang dieses Konflikts gestaltete das Kräfteverhältnis in dieser Region weitgehend neu und stärkte die Position Brandenburg-Preußens nachhaltig.

Als die Großmacht in Nordeuropa hielt Schweden seit dem Dreißigjährigen Krieg die Ostseeküsten weitgehend in seinen Händen. Seit diesen Tagen lauerte Dänemark auf eine Möglichkeit, wieder teilzuhaben an der Ostseeherrschaft. Hinzu kam das intensiv nach Macht strebende Brandenburg-Preußen mit seinen bislang erfolglosen Bemühungen um die Odermündung. Auch Polen glaubte, sich einen Küstenstreifen sichern zu können, besonders seit in Livland starker Unmut über die schwedische Herrschaft entflammt war.

Wer beherrscht den Ostseeraum? Ein alter Konflikt in neuer Auflage

Kurfürst August I., genannt der Starke, von Sachsen (1694–1733) hatte sich 1697 als August II. die polnische Königskrone sichern können. Von da an waren seine Bemühungen darauf gerichtet, den unterschwelligen Konflikt um die Ostsee anzuheizen. 1699 gelang ihm das schließlich mit einem Bündnis zwischen Sachsen-Polen, Dänemark und Rußland. Im Frühjahr 1700 rückte diese Allianz gegen Schweden vor und eröffnete damit den Nordischen Krieg (1700–1721). Bis zu diesem Zeitpunkt hatte das Russische Reich noch niemals in einen europäischen Konflikt als Bündnispartner eingegriffen. Warum nun diese Wende?

Zar Peter I. (1682–1725), eine Persönlichkeit mit ungewöhnlichen Kenntnissen, bewunderten Führungsqualitäten und dem unbeugbaren Willen, sein Reich in kürzester Zeit dem Standard westlicher Großmächte anzugleichen, richtete kulturell, wirtschaftlich und außenpolitisch seine Anstrengungen nahezu ausschließlich auf die Verwirklichung dieses Vorhabens. Auf Reisen nach Frankreich und den Niederlanden hatte er Erfahrungen gesammelt, wie er eine zuverlässige Armee ausrüsten und eine überlegene Flotte aufbauen könnte. Diese Pläne verband er mit Aufträgen an Schiffswerften, Pulver- und Waffenfabriken. Er legte Eisenhütten an und gründete Manufakturen nach westlichem Vorbild. Gegen heftige Widerstände versuchte er westliche Bekleidungs- und Umgangsformen einzuführen und machte seine Umgebung mit französischem Hofzeremoniell bekannt, bis etwa die Moskauer Kavaliere, zunächst widerstrebend, beim Tanz mit ausländischen Damen auf dem Parkett bestehen konnten. Diese Beispiele für eine radikale Umgestaltung vieler Lebensbereiche ließen sich beliebig fortsetzen.

Die Linie des Zaren gegen seine orthodoxe, konservative und dem Westen abholde Opposition überzeugend durchzusetzen, bedurfte es sichtbarer Erfolge. Eine Möglichkeit sah Zar Peter I. darin, »ein Fenster nach Europa durchzubrechen«, d.h. einen Zugang zur Ostsee zu gewinnen. Würden damit gleichzeitig die Schweden aus diesem Raum verdrängt, könnten so dem russischen Handel mit dem Westen neue Impulse vermittelt werden.

Von daher war also das Bündnis zu erklären.

Zudem schien der Zeitpunkt günstig, da in Schweden seit Karl XII. (1697–1718) ein noch jugendlicher Herrscher gerade erst den Thron bestiegen hatte, ein König, dessen unkonventioneller Lebensstil ihm in den Augen seiner Gegner zu Unrecht wenig militärisches Ansehen einbrachte.

»Es war ein Raubkrieg und ohne einen anderen sachlichen Grund als den des Landerwerbs.« Mit diesen Worten charakterisiert Walther Hubatsch die 1700 mit dem Angriff auf Schweden begonnene Auseinandersetzung. Karl XII. erwies sich in den folgenden Jahren als ein Heerführer, dessen Kühnheit und Verbissenheit an den Höfen Europas manche Bewunderer fanden. In rascher Folge schaltete er 1700 nacheinander Dänemark und ein Heer des Zaren bei Narwa aus. Statt dem geschwächten russischen Heer nachzusetzen, unterschätzte der Schwedenkönig die Reserven des Zaren, da er eine Attacke gegen König August II., den Starken, für vordringlicher erachtete. Wieder behielt er die Oberhand, vertrieb den ihm verhaßten polnisch-sächsischen König und setzte einen Gegenkönig ein, der jedoch bald wieder weichen mußte.

Einstweilen gab August der Starke seine Sache verloren, zog sich gezwungenermaßen aus dem Krieg zurück, ja mußte sogar dulden – was ihn und seine Untertanen besonders schmerzte – daß sich das schwedische Heer in Sachsen einquartierte. Von hier aus trat der Schwedenkönig dem Zaren entgegen, wobei es ihm nicht gelingen wollte, die Russen in einer Feldschlacht zu stellen. Karl XII. ließ sich vielmehr auf die russische Taktik ein und folgte dem Zaren in aufreibenden Märschen bis in die Ukraine. Hier unterlagen die nach einem strengen Winter völlig ausgezehrten Schweden 1709 bei Poltawa. Von diesem Zeitpunkt an war der Krieg im Grunde entschieden, obwohl Karl XII. noch nicht aufgab.

Das Ende der schwedischen Großmachtstellung

Nach Konstantinopel geflüchtet, wiegelte der Schwedenkönig die Türken gegen den Zaren auf. Peter I. hatte inzwischen die Initiative ergriffen, die ihm zur Vormachtstellung an der Ostsee verhelfen sollte. Den nahen Sieg vor Augen traten Dänemark und Sachsen-Polen wieder zur Allianz, kurz darauf folgten Preußen und Hannover, die sich ebenfalls Hoffnungen machten. Währenddessen wuchs auch die Furcht vor einem zunehmenden Ausgreifen der Russen gegen Westen, so daß man in Preußen Vorbereitungen für den Ernstfall traf.

Karl XII. hatte nach vergeblichen Verhandlungen, aus der Türkei zu-

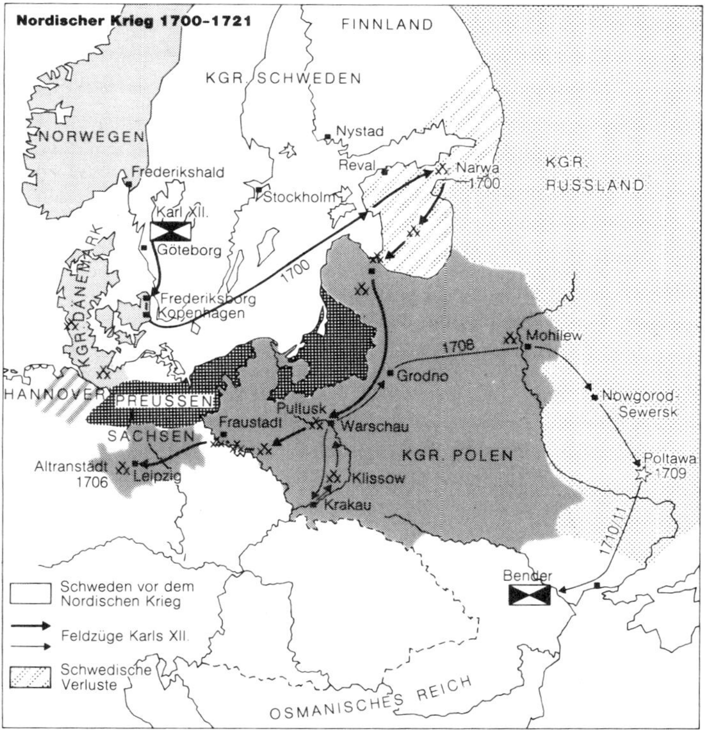

rückgekehrt, den Kampf wieder aufgenommen, war dabei jedoch unverhofft 1718 vor der norwegischen Festung Fredrikshall gefallen. Nun neigte der schwedische Adel mit englischer Unterstützung zur Verständigung, da man in London die eigenen Handelsinteressen durch Rußland gefährdet sah. In Stockholm 1719, Friedrichsburg 1720 und in Nystad 1721 wurde Schweden als Ostseemacht abgelöst. An Hannover fielen die Herzogtümer Bremen und Verden, an Preußen Vorpommern bis zur Peene. Damit war Schweden bis auf einen unbedeutenden Gebietsrest vom deutschen Reichsgebiet verdrängt. Der schwedisch-dänische Konflikt wurde beigelegt und Rußland mit dem Gewinn von Livland, Estland, Lettland, Ingermanland und Südkarelien unumstrittene Vormacht im Ostseeraum.

August der Starke konnte, obwohl in Polen als König bestätigt, keinen weiterreichenden politischen Einfluß ausüben, da Kriegsfolgen und

Stichworte zur Zeit von 1648 bis 1721

Großmächte: Frankreich und Schweden nutzen ihre Stellung nach 1648 zu vorübergehender Vormachtstellung; Österreich expandiert nach 1683 in Südosteuropa; Preußen tritt neu in den Kreis der Großmächte; Rußland löst Schweden nach dem Nordischen Krieg als Ostseevormacht ab; Englands europäische und außereuropäische Führungsrolle zeichnet sich nach dem Spanischen Erbfolgekrieg ab.
Außenpolitische Bedrohung: französische Expansionspolitik gegenüber seinen Nachbarn durch Kriege und Reunionen; endgültige Abwehr der Türkengefahr durch das Haus Habsburg (1683).
Innere Entwicklung: beginnender höfischer Absolutismus nach Versailler Vorbild; Festigung territorialer Eigenständigkeit; wiedererstarkende Wirtschaftskraft der Reichsterritorien; Aufstieg Brandenburg-Preußens zum Königreich (1701), gleichzeitig beginnende Rivalität mit Habsburg; fortdauernde Schwäche des Deutschen Reiches und seiner Organe.
Pragmatische Sanktion: Sicherung der Erbfolge in Österreich durch Karl VI. (1713).

eklatante Verschwendungssucht seine Gebiete ausgeplündert hatten. Immerhin korrigierte der Nordische Krieg den Westfälischen Frieden von 1648 zugunsten des Reiches. Als neue Großmacht hatte sich außerdem das ausgesprochen selbstbewußte Königreich Preußen etabliert, wo König Friedrich Wilhelm I. seit einigen Jahren mit harter Hand den Aufstieg seines Landes vorantrieb. Rigide Sparsamkeit, absolute Pflichterfüllung und ein gefürchtetes Heer, all dies hatte ihm den Namen »Soldatenkönig« eingebracht. 38000 Mann standen unter Waffen, als er den Thron bestieg, 85000 waren es, als er starb.
Ein gewaltiger Aufstieg – und England konnte es recht sein, denn Preußen zeigte sich bereit und in der Lage, als Widerpart Rußlands für Gleichgewicht im Ostseeraum zu sorgen. Auch für das Reich übernahm Preußen damit eine wichtige Aufgabe im Nordosten, da der russische Zar mit der Anlage von Petersburg, der neuen Residenzstadt, für jedermann sichtbar demonstrierte, daß er als Machtfaktor im europäischen Staatensystem von nun an mitwirken wollte.
Vor circa achtzig Jahren hatten die Einwohner von Münster unter Jubelgesängen und »Vivat pax«-Rufen die kommenden Friedenszeiten gefeiert. Sie hatten sich getäuscht. Aus dem Freudenfeuer schlugen bald wieder die Flammen neuer Kriege quer durch Europa. Erst jetzt, nach 1720, trat in Mitteleuropa eine Phase der relativen Ruhe ein, wenn auch nicht frei von Konflikten, so doch weitgehend unbelastet

von großem Schlachtenlärm. Kaiser Karl VI. bemühte sich um die innere Festigung seines Reiches und konzentrierte seine Anstrengungen auf die Anerkennung der »Pragmatischen Sanktion«. In Frankreich verstand es Kardinal Fleury, die diplomatischen Fäden Europas scheinbar uneigennützig zu knüpfen, und zumindest kulturell blieb Versailles nicht nur in deutschen Landen tonangebend.
Mit dem Tod des Prinzen Eugen 1736 neigte sich eine Epoche habsburgischer Erfolge ihrem Ende entgegen, und ein unbefriedigend verlaufender Feldzug gegen die Türken schien dies kurz später zu bestätigen. Diese Phase scheinbarer Ruhe währte allerdings nur bis zum 20. Oktober 1740. An einem Abend gegen Ende dieses Monats fieberte man in Berlin der Aufführung eines französischen Opernensembles entgegen, für Preußen ein kulturelles Ereignis ersten Ranges. Der junge preußische König Friedrich II. (1740–1786) ließ auf sich warten und sagte schließlich sein Erscheinen ganz ab. Soeben hatte ihn die Nachricht erreicht, daß Kaiser Karl VI. am 20. Oktober 1740 überraschend gestorben war. Eine Nachricht, die dem ehrgeizigen, mit Sinn für Machtpolitik begabten Preußenkönig sofort in ihrer einschneidenden Bedeutung bewußt wurde. Europa stand am Anfang einer neuen historischen Etappe.

Literatur

Beuys, Barbara: Der Große Kurfürst. Hamburg 1979
Hassinger, Erich: Brandenburg-Preußen, Schweden und Rußland 1700/1713, München 1953
Holborn, Hajo: Das Zeitalter der Reformation und des Absolutismus, Stuttgart 1960
Hubatsch, Walther: Das Zeitalter des Absolutismus 1600–1789, Braunschweig 1975
Hubatsch, Walther (Hrsg.): Absolutismus, Darmstadt 1973
Krüger, Horst: Zur Geschichte der Manufakturen und der Manufakturarbeiter in Preußen, Berlin 1958
Oestreich, Gerhard: Friedrich Wilhelm. Göttingen 1971
Vierhaus, Rudolf: Deutschland im Zeitalter des Absolutismus, Göttingen 1978
Zöllner, Erich: Geschichte Österreichs. München/Wien 1979
Zorn, Wolfgang: Gewerbe und Handel 1648–1800. In: Handbuch der Deutschen Wirtschafts- und Sozialgeschichte, Bd. 1, Stuttgart 1971

ROLAND VOCKE

Der Aufstieg Preußens

Territoriale Gewinne vor dem Dreißigjährigen Krieg – Der Große Kurfürst festigt die Stellung Brandenburg-Preußens – Friedrich I. wird König in Preußen – Friedrich Wilhelm I. und der preußische Militär- und Beamtenstaat.

Nichts deutete zu Beginn des 17. Jahrhunderts darauf hin, daß das Land Brandenburg und seine Kurfürsten später einmal, im 18. und 19. Jahrhundert, in der deutschen und europäischen Geschichte eine besondere Rolle spielen sollten. Seit rund 200 Jahren regierten die Kurfürsten aus dem Hause Hohenzollern in ständiger Rivalität mit den mächtigen Ständen (siehe *K: Ständewesen, Seite 153)* ein ansehnliches und zunächst auch geschlossenes, aber wirtschaftlich wenig ertragreiches und bevölkerungsarmes Territorium abseits der großen Handelsstraßen. Kriegerischen Ehrgeiz kannten weder sie noch der Adel des Landes.

Gebiete am Rhein und im Osten: Brandenburg vergrößert sich

Da traten noch vor dem Ausbruch des Dreißigjährigen Krieges zur Zeit des Kurfürsten Johann Sigismund (1609–1618) Ereignisse ein, die – den Zeitgenossen freilich noch nicht erkennbar – für Brandenburg und für das Herrscherhaus bedeutsam werden sollten. Aufgrund älterer Heiratsverträge fielen 1614 das niederrheinische Herzogtum Kleve und die Grafschaften Mark und Ravensberg an Brandenburg: Streubesitz ohne territorialen Zusammenhang und unterschiedlicher Religionszugehörigkeit.

Einen noch beträchtlicheren Zuwachs gewann der Zollernstaat, als 1618 das Herzogtum Preußen, der ehemalige Ordensstaat, durch Erbschaft an Brandenburg fiel: ein nicht unproblematisches Erbe, weil Preußen noch unter polnischer Lehnshoheit stand und Polen den preußischen Adel zum Widerstand gegen die Zollern ermutigte. Probleme ergaben sich vor allem daraus, daß Kurfürst Johann Sigismund

1613 zum Calvinismus übergetreten war und damit die starre lutherische Orthodoxie gegen sich aufgebracht hatte. So kam es zu der bemerkenswerten Konstellation, daß der katholische König von Polen die lutherischen Stände gegen die calvinistischen Kurfürsten unterstützte. Was war nun bedeutsam an diesen Ereignissen? Brandenburg trat aus seiner bisherigen territorialen Zurückgezogenheit heraus und sah sich künftig auch in die Ereignisse am Niederrhein, bei Kleve, und im polnischen Raum verwickelt. Künftige Zollernherrscher betrachteten es als vordringlichste Aufgabe, die getrennten Teile ihres ›Staates‹ zusammenzuführen, ein Prozeß, der erst 1866 durch die gewaltsame Einverleibung Hannovers abgeschlossen wurde. Aber noch etwas ist bemerkenswert in dieser Zeit konfessioneller Spannungen an der Schwelle des Dreißigjährigen Krieges: Die Hohenzollern entwickelten angesichts der verschiedenen Konfessionen ihrer Untertanen – es gab Lutheraner, Calvinisten und Katholiken – seit dieser Zeit eine sonst nicht überall geübte religiöse Toleranz. Nach den Worten des Kurfürsten Johann Sigismund sollte den »Kurs und Lauf der Wahrheit Gott allein befehlen, weil es nicht an Rennen und Laufen, sondern an Gottes Erbarmen gelegen ist«.

Im heraufziehenden Großen Krieg spielte Brandenburg eine untergeordnete Rolle. Infolge einer ungeschickten Bündnispolitik und aus geographischen Gründen wurde das Land immer wieder von fremden Truppen durchzogen, zeitweise besetzt, ausgeplündert und ruiniert. Zur Gegenwehr fehlte es dem Staat an Kräften. Der Kurfürst Georg Wilhelm (1619–1640) zog sich für Jahre in das kriegsferne Preußen zurück.

Staatliche Konsolidierung unter dem Großen Kurfürsten

Auch der Sohn und Nachfolger Georg Wilhelms, Friedrich Wilhelm, der später der Große Kurfürst genannt wurde (1640–1688), konnte zunächst wenig ändern. Trotz seiner Bemühungen, zwischen Kaiserlichen und Schweden einen neutralen Kurs zu steuern und die eigenen Truppen zu verstärken, mußte er den Schweden weiter Durchzug gewähren; aber vertragliche Vereinbarungen zielten bereits auf den künftigen Frieden. Während der zähen Verhandlungen, die dem Westfälischen Frieden vorausgingen, zeigte es sich klar, daß Brandenburg zu den Mächten minderen Ranges gehörte und auf seine Kosten vor allem schwedische Wünsche erfüllt wurden. Von den Erbansprüchen auf ganz Pommern blieb nur Hinterpommern; dazu kamen die Bistümer Halberstadt, Minden und Cammin und die Anwartschaft auf Magdeburg. Alle anderen Wünsche blieben unberücksichtigt.

FRIEDRICH WILHELM, DER GROSSE KURFÜRST

Friedrich Wilhelm, den schon die Zeitgenossen den »Großen Kurfürsten« nannten, wurde am 16. Februar 1620 als Sohn des Kurfürsten Georg Wilhelm von Brandenburg und der Elisabeth Charlotte von der Pfalz geboren. Die Eltern ließen ihn, um ihm die Wirren des Dreißigjährigen Krieges zu ersparen, auf der Festung Küstrin großziehen. Verehrtes Vorbild seiner Knabenjahre war der Schwedenkönig Gustav II. Adolf, der mit einer Tante des Prinzen verheiratet war.
Mit 14 Jahren ging er für vier Jahre zum Studium nach Leyden in die Niederlande. Er befaßte sich mit Kriegskunst und lernte drei moderne Fremdsprachen, die er später geläufig beherrschte. Im Gefolge seines künftigen Schwiegervaters, des Prinzen Friedrich Heinrich von Oranien, gewann er dann auch praktisch Einblick in die Kriegskunst. Schon früh hatte er strenge Maßstäbe der Pflichterfüllung, abgeleitet aus starker calvinistischer Frömmigkeit. Sie leiteten auch später sein politisches Tun. Im Jahre 1646 heiratete er Luise Heinriette von Oranien, die ihm, obwohl sie dieser Verbindung zunächst ablehnend gegenüberstand, eine vortreffliche Gattin wurde. Es wird berichtet, daß Friedrich Wilhelm es mit der ehelichen Treue sehr genau nahm. Drei Kinder hatte das Paar, darunter den 1667 geborenen Thronfolger Friedrich. Nach seinem Regierungsantritt wandte sich Friedrich Wilhelm tatkräftig den Aufgaben zu, die die geographische Lage seiner Länder erzwangen. Ausgedehnte Reisen waren nötig und strenge Sparsamkeit, die auch seinen persönlichen Lebensstil prägte. Trotzdem hatte er eine große Leidenschaft: die Jagd.
In den späteren Jahren seiner Regierungszeit kam es zu erheblichen familiären Schwierigkeiten, als er die Söhne seiner zweiten Frau Dorothea von Holstein auf deren Drängen testamentarisch reich bedachte und damit seinen ältesten Sohn Friedrich benachteiligte. Es kam zu heftigen Auftritten und unschönen Intrigen. Aber schließlich versöhnte man sich. Der Große Kurfürst starb nach schweren Leiden am 9. Mai 1688. Andreas Schlüter schuf später ein Reiterdenkmal. (R. V.)

Die Erfahrungen des Krieges und der Friedensverhandlungen hatten den jungen Kurfürsten gelehrt, daß ein Staat ohne Armee im Streit der Mächte nur wenig Gewicht besitzt. Ein eigenes stehendes Heer, über das der Fürst uneingeschränkt verfügen konnte, war daher sein erstes Ziel. Das allerdings konnte erst nach langen Auseinandersetzungen mit den Ständen erreicht werden, bei denen das Recht der Steuerbewilligung lag. Gegen sie mußte Friedrich Wilhelm den fürstlichen Herrschaftsanspruch durchsetzen. Die kurbrandenburgischen Stände fügten sich schließlich und erhoben keine Einwände gegen die fürstlichen Forderungen. Als Gegenleistung erhielt der Adel auf seinen Gütern die volle Justiz- und Polizeigewalt und vor allem Steuerfreiheit zugestanden. Weniger bereitwillig zeigten sich die Stände in Preußen (d. h. im späteren Ostpreußen), die bisher nahezu uneingeschränkt geherrscht hatten. Hier gelang es dem Kurfürsten erst 1660, nachdem er sich der polnischen Lehnsoberhoheit entledigt hatte, die widerstrebenden Stände zu beugen. Die juristisch bedenkliche Hinrichtung eines der Führer der Adelsopposition, des Obersten von Kalckstein, war als Warnung an die adeligen Standesgenossen gedacht. Wie die brandenburgischen Stände seit 1653, so wurden die ostpreußischen seit 1671 nicht mehr einberufen. Nur in Kleve und Mark, in der Nachbarschaft der republikanischen Niederlande, konnte sich die ständische Vertretung bis auf weiteres eigene Rechte erhalten.

Bereits 1656 konnte Kurfürst Friedrich Wilhelm ein Heer ins Feld führen und mit Schweden den Sieg über die Polen bei Warschau teilen. Der Sieg hatte zwar keine unmittelbare politische Bedeutung, war aber, zusammen mit Friedrich Wilhelms diplomatischem Geschick, eine der Voraussetzungen für die Lösung Preußens aus der polnischen Lehnsoberhoheit im Vertrag von Oliva 1660 – einer der bedeutendsten Erfolge in der Regierungszeit des Großen Kurfürsten. Fortan war er souveräner Herr über das Herzogtum Preußen, das nicht dem Reichsverband angehörte und daher auch lehnsrechtlich nicht dem Kaiser unterstand.

Um das Heer weiter vergrößern und unterhalten zu können, ging Friedrich Wilhelm daran, die Finanzen und die Wirtschaft des Staates zu organisieren und zu heben. Zur bäuerlichen Grundsteuer (Kontribution) kam für die Städte eine allgemeine Verbrauchssteuer (Akzise). Doch neue Steuervorschriften allein genügten nicht in einem von Natur aus armen Land, das auch die Folgen des Krieges noch nicht überwunden hatte und dessen Steuerkraft bescheiden war.

Der Kurfürst hatte in jungen Jahren in Holland die Grundzüge einer modernen Wirtschaftspolitik kennengelernt. Danach galt es, zunächst die Steuerkraft der Untertanen durch staatliche Förderung zu stärken.

Geschichte zweier Territorien.
»Die Geschichte Preußens ist zunächst die Geschichte zweier Territorien, die wenig miteinander gemein haben: der Mark Brandenburg und des Ordenslandes Preußen, des späteren Ostpreußen«, schreibt der Historiker Christian Graf von Krockow. Und weiter: »Eine Verbindung der beiden Territorien entsteht erst im Gefolge der Reformation und des Westfälischen Friedens. Ein bedeutendes, allerdings weitläufiges, ja zerrissenes Herrschaftsgebilde ist damit entstanden, das 1701 mit der Krönung des Kurfürsten Friedrich zum ›König in Preußen‹ mit äußerem Glanz versehen wird. Noch um die Wende des 17. zum 18. Jahrhundert war kaum zu erkennen, daß Preußen bald zur europäischen Großmacht aufsteigen würde. Das Land war nicht nur zerrissen, sondern auch bitterarm.«

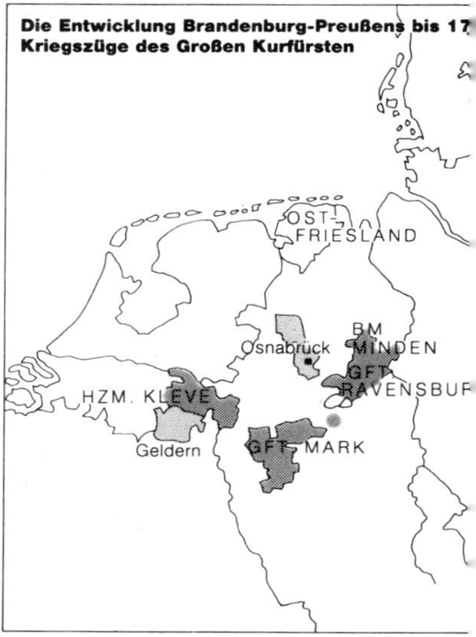

In den vorwiegend agrarischen Ländern Friedrich Wilhelms kam die staatliche Fürsorge zunächst der Landwirtschaft zugute: Bodenverbesserung, Musterwirtschaften, Neuansiedlungen (»Peuplierung«) in entvölkerten Landstrichen und die Verteilung von Saatgut und Ackergerät.

Innen- und Außenpolitik im Zeichen des Absolutismus

Langsamer, doch beharrlich machte auch die Einrichtung von Manufakturen Fortschritte, in denen vorwiegend heimische Wolle verarbeitet wurde, so daß kein Bargeld ins Ausland abzufließen brauchte. Der Gesamtwirtschaft diente ein Kanalbau zwischen Oder und Spree mit Anschluß an die Elbe und nach Hamburg. An der Odermündung und in Stettin saßen ja seit 1648 die Schweden. Zu einer zeitgemäßen Wirtschaftspolitik gehörten auch weitergreifende Unternehmungen, wie der Bau einer kleinen Flotte und die Gründung einer Kolonie Groß-Friedrichsburg an der Westküste Afrikas im heutigen Ghana. Eine große Zukunft hatte die Kolonie allerdings nicht. Schon der Nachfolger verkaufte sie an die Holländer.
Alle Maßnahmen des Großen Kurfürsten, die Ausschaltung der Stände, die Gründung eines stehenden Heeres, die Durchsetzung einer

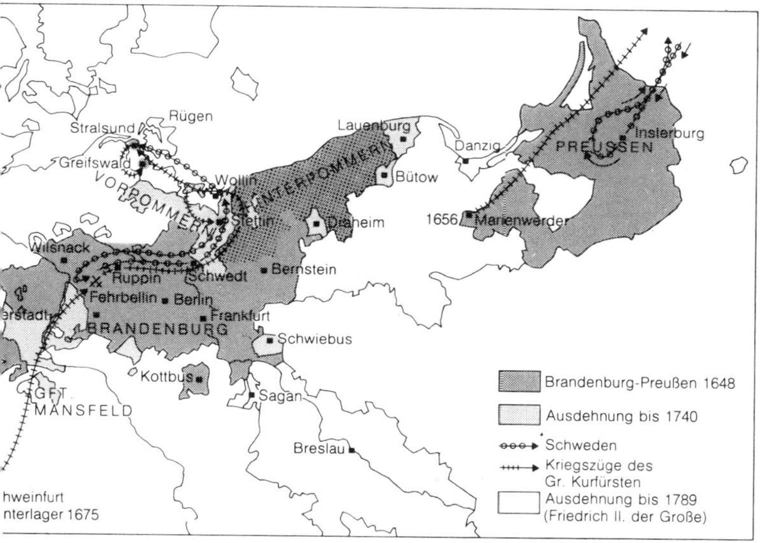

geordneten Finanzverwaltung und die moderne Wirtschaftspolitik zeigen, daß in Brandenburg der Absolutismus Einzug gehalten hatte. Sie können aber nicht darüber hinwegtäuschen, daß die verschiedenen Landesteile, die fürstliche Heiratspolitik und die Willkür eines Friedensvertrags zusammengefügt hatten, durchaus keine Einheit bildeten oder ein Zusammengehörigkeitsgefühl ihrer Bewohner entstehen ließen. Denn welche gemeinsamen Interessen hatte ein Handelsmann vom Niederrhein mit einem adeligen Grundbesitzer in Hinterpommern oder mit einem leibeigenen Bauern am Ufer der Memel? Gemeinsam war ihnen zunächst nur die Dynastie.

Im Konzert der europäischen Mächte spielte Brandenburg trotz seiner disziplinierten, aber immer noch kleinen Armee nach wie vor nur eine untergeordnete Rolle. Um aber seinem Staat zwischen den großen Machtblöcken Habsburg, Frankreich und Schweden einen respektablen Platz zu sichern, suchte der Große Kurfürst nach Möglichkeiten, um Anschluß an die jeweils stärkste Mächtegruppierung zu finden. So focht er zunächst an der Seite des Kaisers gegen Ludwig XIV., wechselte aber bedenkenlos die Partei, als die Schwäche des Kaisers und die Überlegenheit Frankreichs offenbar wurden. Auf den Druck Ludwigs XIV. hin mußte er 1675 auf die Früchte seines glänzendsten Sieges bei Fehrbellin über die Schweden verzichten, ohne daß ihm der

***Bewunderung, Respekt und Zuneigung** drücken viele Darstellungen aus, die den Großen Kurfürsten zeigen. Oben sein Übergang mit der preußischen Armee über das Kurische Haff 1678/1679 (Kupferstich), unten seine Familie, um ihn geschart. Er hatte 1646 Luise Henriette geheiratet, die Tochter des Prinzen von Oranien. Sie brachte holländische Architektur, Bewässerungsanlagen und Gartenbau nach Preußen und bestärkte ihren Gemahl in seinem Plan, aus Brandenburg einen calvinistischen Modellstaat zu machen. Zeitgenössisches Ölbild.*

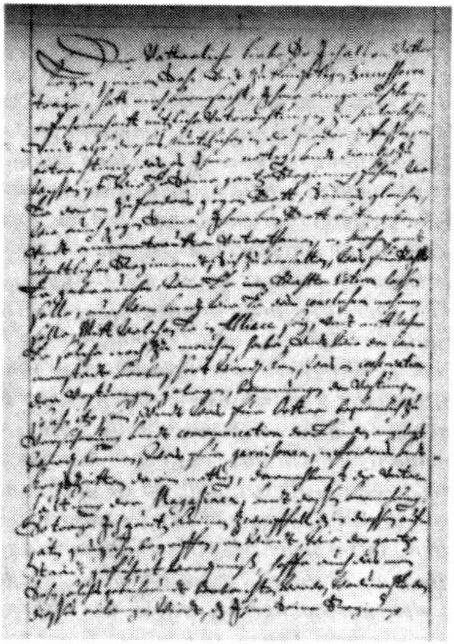

***Politisches Testament.** Bereits 1667, 21 Jahre vor seinem Tod, hatte Friedrich Wilhelm die Grundgedanken seiner Politik als Vermächtnis für seinen Nachfolger niedergelegt. Berlin, Geheimes Staatsarchiv.*

Kaiser helfen konnte. Da schlug er sich zu den stärkeren Bataillonen und suchte das Bündnis mit Frankreich. Daß er damit die Reunionspolitik Ludwigs XIV. und den Raub Straßburgs förderte, kümmerte ihn wenig, denn eine deutsch-patriotische Politik kannte er nicht; und daß er später in einem Geheimvertrag wieder zum Kaiser stand und sich von Frankreich löste, ist wieder nur Machtpolitik.

Politische und wirtschaftliche Erwägungen, aber nicht zuletzt auch eine aufrichtig christlich-tolerante Gesinnung waren die Gründe dafür, daß er im Jahre 1685 durch das Edikt von Potsdam 20000 Hugenotten in seinem Land aufnahm, die unter dem Druck der Glaubensverfolgungen Frankreich verlassen hatten. Schon vorher hatte er Juden aus Wien, Waldensern und Mennoniten Zuflucht gewährt. Diese Politik brachte dem Staat nicht nur tüchtige und zum Teil kapitalkräftige Handwerker und Unternehmer, sondern sie setzte die unter Kurfürst Georg Wilhelm begründete tolerante Haltung in Religionsfragen fort. Wenn von preußischen Traditionen die Rede ist, ist auch daran zu erinnern, nicht nur an Armee und Beamtenstaat.

Schreiben des Großen Kurfürsten an Kaiser Leopold I.

Cleve, 22. Februar 1661. Ich habe nicht Umgang nehmen können, E. K. M. [Eurer Kaiserlichen Majestät] unterth.[änigst] zu hinterbringen, wasgestalt ich alsofort bei Meiner Anherokunft mit höchster Befremdung erfahren müssen, wie daß [...] [der] Pfalzgraf zu Neuburg [...] die Evangelischen in denen Fürstenthümern Gülich [Jülich] und Berge dergestalt getractiret, daß ich mich nicht zu erinnern weiß, ob zu einiger Zeit und an einigem Orte, auch da die Verbitterung am heftigsten gewesen, dergleichen Proceduren gegen die Evangelischen vorgenommen sein. [...] Alldieweil ich aber nichts mehr desiderire [begehre] als mit hochgedachten Pfalzgrafen in guter Verständnis und Freundschaft zu leben, auch meines Theils die Pacta stricte zu observiren [Vereinbarungen genau zu beachten], dannenhero Ich auch bishero die Römisch Katholischen allhier dergestalt geschützt und aller Freiheit genießen lassen, daß desfalls die geringste Klage wohl nicht wird gehöret sein, sondern vielmehr alle Geistlichen Mir das Zeugnis geben, daß ich dieselben bishero dergestalt regiret, daß, ob sie auch unter römisch-katholischer Obrigkeit gesessen wären, sie es nicht besser wünschen könnten, so will ich zwar an mehrgemelten Pfalzgrafen beweglich schreiben und sie ersuchen, daß sie von dergleichen Verfolgung abstehe [...]. Im Fall aber dieselbte solches alles außer Acht setzen, so viele unschuldige Menschen, wie bishero geschehen, ferner betrüben, auch dero verstorbene Leiber, so heutiges Tages schwerlich mehr unter Barbaros mag gehöret werden, nicht verschonen sollten, so kann alsdann auch Ich in Meinem Gewissen, länger darbei stillzusitzen, nicht verantworten, besondern werde auf solchen Fall dergleichen wider die Römisch Katholischen in diesen Landen vorzunehmen und es mit denselben eben also, wie es den Evangelischen im Lande Gülich und Berge widerfährt, zu halten wider Meinen Willen genöthiget [...]. Im übrigen werde Ich allzeit beweisen, daß ich so wenig Hasses gegen die römisch-katholischen Untertanen habe, als nützlich und höchstnöthig Ich vielmehr befinde, daß man im römischen Reiche [...] einmütig beieinander lebe, und allen Eifer vielmehr gegen diejenigen gebrauche, von denen man die größte Gefahr zu besorgen.

Bei: Lohmann, Preußen und die katholische Kirche seit 1640. Bd. I

Der Große Kurfürst starb am 9. Mai 1688, nachdem er sich durch Gebet und christliche Gespräche auf den Tod vorbereitet und seinem ältesten Sohn und Nachfolger letzte Ermahnungen gegeben hatte.
Unter Friedrich III. (1688–1713) blieben die Grundzüge der Politik des Vaters im wesentlichen erhalten. Neu war allerdings eine üppige Hofhaltung und damit verbunden eine enorme Geldverschwendung. Das Vorbild Ludwigs XIV. wirkte auf die einst bescheidene Mark Brandenburg. Neu war auch, daß der Kurfürst nicht mehr selbst die Politik leitete, sondern leitende Minister schalten und walten ließ, sie dann aber auch fallen ließ, wenn sie seine Gunst verloren hatten.
Außenpolitisch wurden die neugeknüpften Beziehungen zum Kaiserhof in Wien weiter gepflegt; so nahm Brandenburg an der großen antifranzösischen Koalition im Pfälzer Erbfolgekrieg teil (1688–1697). Allerdings endete dieses Unternehmen mit einer schweren Verstimmung zwischen Brandenburg und dem Kaiser.

Vom Kurfürst zum König

Damit schienen vorübergehend die seit längerem erwogenen Pläne in Gefahr, den brandenburgischen Kurfürsten eine Königskrone zu schaffen, was umso dringender erschien, als August der Starke von Sachsen seit 1697 König von Polen war und das Haus Hannover Aussicht auf den englischen Thron hatte – eine Prestigefrage also. Noch zauderte man am katholischen Kaiserhof, nicht zuletzt aus religiösen Gründen. Andererseits hegten die Jesuiten die Hoffnung, bei dieser Gelegenheit die Hohenzollern zum wahren Glauben bekehren zu können. Da traten Ereignisse ein, die die Entwicklung beschleunigten. Der Kaiser brauchte in dem sich abzeichnenden europaweiten Spanischen Erbfolgekrieg Verbündete. Gegen die Zusicherung eines Kontingents von 8000 Mann konnte Kurfürst Friedrich III. das souveräne Herzogtum Preußen zum Königreich erheben.
Am 18. Januar 1701 setzte er sich im Rahmen verschwenderisch aufgezogener Feierlichkeiten in Königsberg die Krone auf. Dann ließ er sich den Segen der Kirche erteilen. Kurfürst Friedrich III. war nunmehr König Friedrich I. *in* Preußen – nicht *von* Preußen, denn mit diesem Anspruch hätte man das Königreich Polen herausgefordert, zu dem Westpreußen gehörte. Erst Friedrich II., der Große, der Enkel, nannte sich König *von* Preußen, nachdem er 1772 bei der Ersten Polnischen Teilung Westpreußen an sich gerissen hatte. Schon bald bürgerte sich die Bezeichnung »Preußen« für alle Länder der Monarchie ein, für Brandenburg, Pommern und die westlichen Territorien.

Friedrich I. *Der Porträtmaler Friedrich Wilhelm Weidemann wurde 1702 Hofmaler. Seinen Auftraggeber stellte er als großartige, imposante Erscheinung mit den Kroninsignien dar.*

Gewiß war König Friedrich I. kein Kriegsfürst, der Schlachten gewann und sein Reich vermehrte; er war auch kein bedeutender Staatsmann; und er war vor allem kein hausväterlicher, sparsamer Verwalter der Staatseinkünfte. Es war nicht nur die neuerworbene Krone, die dem brandenburg-preußischen Staat neuen Glanz verlieh, sondern es war auch die Förderung von Kunst und Wissenschaft. Der König betrieb sie vielleicht mehr aus Gründen der fürstlichen Repräsentation, seine kluge Gemahlin, Sophie Charlotte von Hannover, aber aus tiefer Anteilnahme. Im Jahre 1694 wurde die Universität Halle gegründet, zwei Jahre später die Akademie der Künste und im Jahre 1700 die

Akademie der Wissenschaften, deren erster Präsident kein geringerer war als der Philosoph und Universalgelehrte Gottfried Wilhelm Leibniz (1. Juli 1646 – 14. November 1716). Zu den Aufgaben der Akademie gehörte auch, so der ausdrückliche Wunsch des Stifters, die Sorge um die Reinheit der im Krieg ›verwilderten‹ deutschen Sprache. Die Hauptstadt Berlin erhielt durch den Architekten und Bildhauer Andreas Schlüter (1664–1714) repräsentative Akzente. Durch das neuerrichtete Triumphtor des im Umbau befindlichen Schlosses hielt König Friedrich I. nach der Krönung seinen Einzug. Dem Vater des Königs, dem Großen Kurfürsten, wurde von Schlüter ein Reiterdenkmal aus Bronze errichtet.

Sparsam und streng regiert: Der preußische Militär- und Beamtenstaat

Die Thronbesteigung Friedrich Wilhelms I. (1713–1740) brachte, wie es im Hause der Hohenzollern nicht selten geschah, eine scharfe Zäsur. Schon als Kronprinz hatte er die Verschwendung am Hof seines Vaters Friedrich I. heftig kritisiert. Unmittelbar nach den Begräbnisfeierlichkeiten, bei denen noch ein letztes Mal der ganze Glanz des alten Hofes entfaltet wurde, löste der junge König den prunkvollen Hofstaat auf und reduzierte erbarmungslos die Zahl der Hofbeamten und Bediensteten und allen Aufwand, auch wenn er der königlichen Familie galt. Den Krönungsmantel des Vaters, dessen Diamantknöpfe Stück für Stück 30000 Dukaten gekostet haben sollen, verkaufte er ohne Umstände; ebenso das kostbare Porzellan und die luxuriösen Pferdegespanne. Das Tafelsilber wanderte in die Münze.

Arbeitswille und Arbeitskraft und dazu ein hervorragendes Organisationstalent des Königs waren die Voraussetzungen für die umfassenden inneren Reformen, denen der Staat im ersten Jahrzehnt der Regierung Friedrich Wilhelms I. unterworfen wurde. Völlig umgebaut wurden die Oberbehörden, das Generalfinanzdirektorium und das Generalkriegskommissariat, die bisher nicht immer reibungslos zusammengearbeitet hatten. So entstand das Generaldirektorium als umfassende Finanz- und Wirtschaftsbehörde, der auch Angelegenheiten der Armee und andere öffentliche Aufgaben unterstanden. Spitze der Behördenhierarchie war der König selbst; ihm war Bericht zu erstatten, von ihm kamen die Weisungen.

Dem Generaldirektorium war auch die Oberrechenkammer angegliedert, die mit peinlicher Genauigkeit über Einnahmen und Ausgaben wachte, wie es der Wille des Königs war. Die Korrektheit dieser und

FRIEDRICH WILHELM I.

Friedrich Wilhelm I. wurde am 14. August 1688 als Sohn des brandenburgischen Kurfürsten und späteren Königs in Preußen Friedrich I. (III.) und der Sophie Charlotte von Hannover geboren. Er hatte nichts geerbt von dem schöngeistigen Wesen seiner Mutter und nichts von der verschwenderisch-repräsentativen Art seines Vaters, dessen aufwendige Hofhaltung er schon als Kronprinz kritisierte. Kaum zur Regierung gekommen, führte er am Hof eine strenge, fast altväterlich anmutende Sparsamkeit ein, die auch das Leben der königlichen Familie nicht unberührt ließ. Die Nüchternheit des Hoflebens und die einfachen, oft sehr rauhen Vergnügungen des Königs im Tabakskollegium oder bei der Sauhatz wurden an anderen Höfen nicht selten belächelt.

Doch waren unter den Fürsten auf Europas Thronen damals gewiß nicht viele, die Friedrich Wilhelm an Arbeitseifer, Pflichtauffassung und Frömmigkeit gleichkamen. Er war im Grunde der Schöpfer des preußischen absolutistischen Verwaltungsapparats und des preußischen Beamtentums, dessen Pflichtbewußtsein, Anspruchslosigkeit aber auch Starrheit für Generationen prägend wurde. Der »Soldatenkönig« steckte die steigenden Staatseinkünfte vorwiegend in den Ausbau der Armee, deren Umfang, bezogen auf die Gesamtbevölkerung, von keiner anderen Armee übertroffen wurde. Mag man Friedrich Wilhelm auch den Begründer des preußischen Militarismus nennen – er selbst trug in späteren Jahren nur noch den Soldatenrock –, so war seine Politik doch primär auf die Sicherung des Friedens ausgerichtet. Verdüstert wurde und wird sein Bild vor allem durch den tiefreichenden Konflikt mit dem Kronprinzen Friedrich, der an den Rand einer Staatskrise führte und die dunklen, auch rohen Seiten seines Charakters offenbarte. Der Wunsch des Königs, im eigenen Haus »Ordnung« im Sinne eines biederen Familienlebens zu haben, ging nicht in Erfüllung. Seine Tochter Wilhelmine stellt ihn in ihren Memoiren als einen groben, amusischen Haustyrannen dar. Friedrich Wilhelm I. starb nach qualvollem Leiden am 31. Mai 1740. (R. V.)

anderer Behörden begründeten den Ruf des preußischen Beamtentums: Genauigkeit, Sparsamkeit, aber auch eine nicht immer liebenswürdige Strenge und Kleinlichkeit. Diese Haltung, die der König selbst vorlebte und mit militärischer Unerbittlichkeit durchsetzte, wurde beispielhaft für Generationen von preußischen Beamten, deren Besoldung übrigens von spartanischer Kargheit war. »Mehr vor die Ehre als um Besoldung« sollten sie König und Staat dienen. Da die Verwaltung effektiver arbeitete, konnten die Einkünfte des Staates beträchtlich gesteigert werden. Wie schon unter dem Großen Kurfürsten wurden Manufakturen, besonders tuchverarbeitende, ins Leben gerufen und gegen ausländische Konkurrenz durch Schutzzölle abgeschirmt. Auch Friedrich Wilhelm I. sorgte für die »Peuplierung« des Landes, d.h. für die Neubesiedlung von Gebieten, die durch Krieg und Seuchen entvölkert waren. Als 1731/32 der Erzbischof von Salzburg die Protestanten aus seinem Land vertrieb, fand ein Teil von ihnen in Preußen bereitwillige Aufnahme und neue Siedlungsgebiete in Ostpreußen.

Nur ein Soldatenkönig?

Strenge Frömmigkeit ohne einen Anhauch von Aufklärung (siehe Band 8) und ein hohes Verantwortungsbewußtsein vor Gott gehören zum Bild Friedrich Wilhelms I. Er verstand sein Amt so, wie er es seinem Sohn Friedrich in seinem Testament beschrieb: »Der liebe Gott hat Euch auf den Thron gesetzt, nicht zu faulenzen, sondern zu arbeiten und Seine Länder wohl zu regieren.« Mit dieser Pflichtauffassung war er den meisten fürstlichen Kollegen seiner Zeit überlegen.

In die Geschichte ging Friedrich Wilhelm I. vor allem recht einseitig, nämlich als der »Soldatenkönig« ein. Bekannt sind Bilder und Beschreibungen, die ihn als kleinen und gedrungenen »Königs-Korporal« zeigen, wie er auf dem Potsdamer Exerzierplatz die sogenannten »Langen Kerls«, die Potsdamer Riesengarde, kommandiert.

Gewiß, die Steigerung der Wirtschaftskraft Brandenburg-Preußens kam in erster Linie der Armee zugute. In diesem Punkt kannte der König keine Sparsamkeit. Auch er hatte, wie schon der Große Kurfürst, erfahren, daß ein mittlerer, militärisch schwacher Staat seine Interessen zwischen den Mächtigen nicht wirksam vertreten kann. So wurde die Truppenstärke ganz unverhältnismäßig gesteigert, von 38000 auf 80000 Mann. Die Offiziersstellen waren dem Adel vorbehalten, der damit, wie mit anderen Privilegien, für seine politische Entmachtung entschädigt wurde und in einer Art von neufeudaler Bindung an den Herrscher auch ein neues Ethos fand.

»Der Vollkommene Teutsche Soldat« exerziert, läßt sich drillen und muß gelegentlich das Strafinstrument »Esel« besteigen. Exerzierendes preußisches Wachbataillon, um 1725.

Um die Regimenter zu füllen, reichten die bisherigen Methoden der Soldatenanwerbung, die zu bedenklichen, ja rechtswidrigen Erscheinungen geführt hatten, nicht mehr aus. Von jetzt an wurden zunehmend Landeskinder herangezogen, die nicht ohne Härten nach einem bestimmten System ausgewählt wurden. Von einer allgemeinen Wehrpflicht kann keine Rede sein, da die Auswahl nur Bauernsöhne und Handwerkersöhne betraf, während Bürger und Manufakturarbeiter ausgenommen waren.

Erbarmungsloser Drill, barbarische Strafen bei Disziplinlosigkeit oder gar Fahnenflucht sorgten dafür, daß die preußische Armee zu einem in ganz Europa beachteten ›Präzisionsinstrument‹ wurde.

Aber, merkwürdigerweise: der »Soldatenkönig« setzte dieses Instrument der Macht nur einmal, und da sehr vorsichtig ein, als er im Nordischen Krieg an die Seite der Gegner Schwedens trat und einen Teil von Vorpommern gewann. Denn, so schrieb er seinem Nachfolger ins Testament, »Gott hat ungerechte Kriege verboten und Ihr müßt immer Rechenschaft ablegen für jeden Menschen, der in einem ungerechten

Krieg gefallen ist.« So war der »Soldatenkönig« Friedrich Wilhelm I., der Schöpfer des preußischen Militarismus, einer der politisch friedfertigsten Fürsten seiner Zeit.

Der Nachfolger freilich hielt sich nicht an die Mahnung des Vaters, wie er sich schon als Kronprinz oft genug – wenn auch häufig aus rein ›privaten‹ Motiven heraus – über die väterlichen Wünsche und Gebote hinweggesetzt hatte. Er bediente sich unmittelbar nach seinem Regierungsantritt 1740 freudig und ohne Skrupel des Machtinstruments, das sein Vater geschaffen hatte.

Literatur

Blasius, Dirk (Hrsg.): Preußen in der deutschen Geschichte, Königstein/Ts. 1980

Büsch, Otto (Hrsg.): Das Preußenbild in der Geschichte, Berlin/New York 1981

Dollinger, Hans: Preußen. Eine Kulturgeschichte in Bildern und Dokumenten, München 1980

Hüttl, Ludwig: Friedrich Wilhelm von Brandenburg, der Große Kurfürst, München 1981

Krockow, Christian Graf von: Warnung vor Preußen, Berlin 1981

Puhle, Hans-Jürgen / Wehler, Hans-Ulrich (Hrsg.): Preußen im Rückblick, Göttingen 1980

Schoeps, Hans-Joachim: Preußen. Geschichte eines Staates, Frankfurt/Main / Berlin 1981

KARL VOCELKA

Österreich und die Türken

Erste Kontakte und Kämpfe im 15. Jahrhundert – Das Erbe Ungarns: die Türkenkriege – Kleinkriege, Heiliger Krieg und Beutezüge – Rückwirkungen auf die österreichische Innenpolitik – Antiosmanische Propaganda: der »Erbfeind aller Christenheit« – Eugen von Savoyen – Ende der Türkenkriege: Machtpolitik und Kulturaustausch.

Seit das osmanische Reich, das aus einer kleinen Kernzelle, aus dem Stammverband eines Turkstammes in Anatolien, entstanden war, im 14. Jahrhundert nach Europa übergriff und im Laufe des Spätmittelalters den gesamten Balkanraum eroberte, war man sich in Mitteleuropa der Gefahr, die von dieser expansiven Kraft im Osten ausging, dunkel bewußt. Die Eroberung des Restes des ehemals mächtigen byzantinischen Reiches, der Stadt Byzanz oder Konstantinopel durch die Türken im Jahre 1453 machte die europäische Öffentlichkeit hellhörig. Österreich war mit den Türken erstmals durch die Einfälle türkisch-tatarischer Streifscharen nach Kärnten und Krain im 15. Jahrhundert konfrontiert. Diese Einfälle leichter Reitertruppen gingen so blitzschnell vor sich, daß die herkömmliche Kriegsführung der langsamen Adelsaufgebote versagte. Die Bauern des ungeschützten Landes, das der Verwüstung und Plünderung preisgegeben war, kündigten ihren Grundherren im Kärntner Bauernaufstand 1478 die Treue auf, da sie sahen, daß diese nicht imstande waren, sie gegen die hereinbrechenden Feinde zu schützen. So sehen wir schon bei dieser ersten Begegnung der Osmanen mit den österreichischen Ländern, daß die Auswirkungen der osmanischen Expansion auf Österreich nicht nur solche sind, die man der äußeren Geschichte zurechnen kann, sondern daß wir auch mit inneren Rückwirkungen auf Österreich rechnen müssen.

Ungarn verliert seine Selbständigkeit

Jedoch waren die habsburgischen Länder im 15. Jahrhundert noch nicht das Hauptkampfgebiet, sondern nur Schauplatz gelegentlicher Streifzüge kleinerer Reiterscharen. Erst mit der Beseitigung des selbständigen ungarischen Königtums, das bis dahin wie ein Schutzwall vor den habsburgischen Ländern gelegen hatte, in der Schlacht von Mohács 1526, in der der junge König Ludwig II. Jagiello fiel, kam es durch das Inkrafttreten der Erbverträge, die dieses Haus mit den österreichischen Habsburgern geschlossen hatte, zu einem Erbanfall Ungarns an die Habsburger. Nur ein Teil Ungarns, nämlich Westungarn, konnte militärisch behauptet werden, aber mit Ungarn erbte Österreich auch die Notwendigkeit der Auseinandersetzung mit den Osmanen, die bis weithin ins 18. Jahrhundert ein Hauptproblem der österreichischen Geschichte blieb.

Die Kämpfe in Ungarn, die aus der Doppelwahl des österreichischen Erzherzogs Ferdinand I. und des ungarischen Kandidaten Johannes Zápolya hervorgingen, riefen auch das osmanische Reich auf den Plan. Der besonders tüchtige Sultan Kanûni Süleyman, der Gesetzgeber oder der Prächtige oder der Große, unter dem das Osmanische Reich nicht nur seine weitest gestreckten Grenzen erreichte, sondern der auch im Inneren für eine große Blüte seiner Länder sorgte, stieß im Jahre 1529 bis Wien vor. Die Türken belagerten diese Stadt allerdings vergeblich und mußten unverrichteter Dinge wieder abziehen. Ein drei Jahre darauf unternommener Vorstoß, der wieder der Stadt Wien galt, wurde schon von der kleinen Festung Güns (Kőszeg, Ungarn), das von dem tapferen Nikolaus Juričić verteidigt wurde und der Belagerung durch das osmanische Heer standhielt, aufgehalten. Die darauffolgenden Jahre waren von dem Ringen um die Gestaltung Ungarns bestimmt, wobei es den Habsburgern gelang, einen schmalen Streifen Westungarns von den heute im slowakischen Raum gelegenen sogenannten oberungarischen Bergstädten im Norden bis zur adriatischen Küste im Süden zu behaupten.

Der ungarische Thronkandidat Johann Zápolya und seine Nachfolger hielten ihrerseits Siebenbürgen, und in den vierziger Jahren des 16. Jahrhunderts schließlich setzten sich die Osmanen selbst in Mittelungarn fest und schufen eine türkische Verwaltungsprovinz. Diese Situation der territorialen Dreiteilung Ungarns hielt sich bis nun weit über ein Jahrhundert – bis zur Zeit nach der zweiten Wiener Türkenbelagerung von 1683.

Türkische Erfolgsgarantien: Ideologie und Kriegstaktik

Im Gegensatz zur allgemeinen Auffassung vom Krieg, die sich in Mittel- und Westeuropa verbreitet hatte, haben die Osmanen ausgehend von der Ideenwelt des Islams, der dem frommen Muslim den ständi-

***Kostbare Ornamente,** prachtvoll in Silber getrieben, bedecken türkische Waffen und Pferdegeschirre aus dem 16. und 17. Jahrhundert. Österreichische Soldaten haben sie erbeutet. Photo um 1880.*

gen heiligen Krieg gegen die Ungläubigen, den djihad, vorschreibt, ihre säkularen, machtpolitischen Expansionsbestrebungen religiös-ideologisch überhöhen und motivieren können. Es entstand durch diese spezielle Auffassung vom Krieg einerseits und durch die für Steppenvölker so typische Kriegstechnik der kleinen, leicht bewaffneten und sehr beweglichen Reitertrupps andererseits an der Grenze zum Habsburgerreich eine ständige Unruhe.

Trotz einer Serie von immer wieder verlängerten Waffenstillständen – Friedensverträge mit Ungläubigen konnte es nicht geben – herrschte an der Grenze andauernd Kleinkrieg, der nur selten jenes Ausmaß annahm, daß wir ihn auch im modernen Sinne als Krieg bezeichnen können. Zu den religiös-ideologischen Grundsätzen der Osmanen und zu der für einen Militärstaat wie das osmanische Reich immer notwendigen Expansionspolitik trat als auslösendes Element dieser Kämpfe immer wieder die Macht- und Beutegier einzelner Befehlshaber der Grenze, die auf eigene Faust Beutezüge ins Land des Kaisers unternahmen, hinzu. Die Kriegsführung auf beiden Seiten war eine überaus grausame, eine auf Beute und Einschüchterung, auf Terror und Zerstörung ausgerichtete. Selten werden diese Ereignisse des täglichen Kleinkrieges an der Grenze durch große kriegerische Aktionen unterbrochen.

Ferdinand I. war es 1562 gegen Ende seiner Regierungszeit gelungen, einen Waffenstillstand mit dem osmanischen Reich zu vereinbaren, doch mußte der Kaiser an den Sultan ein jährliches »Ehrengeschenk« – eine feine Umschreibung des Wortes Tribut–zahlen. Dieser von dem Türkenreisenden und Wissenschaftler Augier Ghiselain de Busbecque abgeschlossene »Friede von Konstantinopel« wurde allerdings schon unter Ferdinands Sohn und Nachfolger Maximilian II. türkischerseits nicht mehr verlängert. Im Jahre 1565 spitzten sich die ständigen Kämpfe an der Grenze zu, und zum letzten Male zog der greise Sultan Süleyman im Jahre 1566 ins Feld, allerdings wurde auch diesmal Wien, das Fernziel aller osmanischen Kriegszüge, nicht erreicht. Vor der Festung Szigetvár in Ungarn, die von Niklas Zrínyi verteidigt wurde, starb Sultan Süleyman während der Belagerung. Durch seinen Tod war der Kriegszustand zwischen Österreich und der Hohen Pforte wieder in den Bereich der kleinen Aktionen an der Grenze zurückgesunken.

Kleiner und großer Krieg Rudolfs II.

Im Jahre 1592 erst entwickelte sich wieder aus einem Grenzkonflikt mit dem Pascha von Bosnien eine längerdauernde Kriegshandlung, die als der lange Türkenkrieg Rudolfs II. bezeichnet wird. Dieser Kampf, der bis zum Jahre 1606 dauerte, war in seiner Endphase im alltäglichen Kriegsgeschehen kaum von den ›Friedensjahren‹ mit ihrem ständigen Kleinkrieg zu unterscheiden.

Alle Ereignisse, die unsere Aufmerksamkeit auf sich ziehen können, liegen in den ersten Jahren des Kampfes, so die Schlacht bei Sisak (Jugoslawien) 1593, die einen großen Sieg der kaiserlichen Truppen unter Ruppert von Eggenberg gegen den Pascha von Bosnien brachte und der Verlust der Festung Raab (Győr, Ungarn), die als »Schlüsselfestung der Christenheit« galt, im Jahre 1594. Der Hauptmann von Raab, Ferdinand von Hardegg, der die Festung übergeben hatte, wurde von einem kaiserlichen Kriegsgericht dafür zum Tode verurteilt und öffentlich als »abschreckendes Beispiel« für einen Verräter hingerichtet. 1595 wurde Gran (Észtergom, Ungarn) von den Kaiserlichen eingenommen, und 1598 schließlich eroberten Adolf von Schwarzenberg und Nikolaus Pálffy Raab wieder zurück, was Rudolf II. als hel-

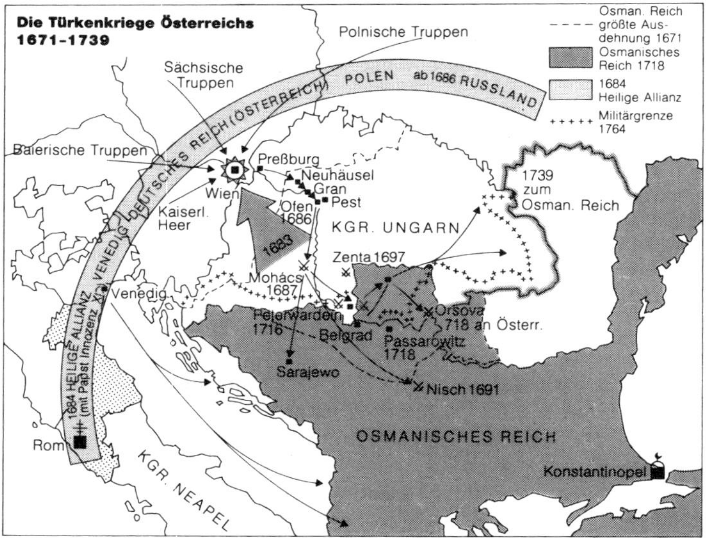

denhafte Großtat seiner Person stilisieren, von den Künstlern seines Hofes verherrlichen und propagandistisch ausgestalten ließ.

Finanzierung und Organisation der Türkenabwehr

Die Schlachten und Belagerungen des Türkenkrieges im 16. Jahrhundert sind sicher weniger bedeutend als ihre Rückwirkungen auf die österreichischen Länder. Der österreichische Landesfürst, der seit der Spätzeit Ferdinands I. auch die Kaiserwürde des Heiligen Römischen Reiches innehatte, war durch die ständige Bedrängnis durch die Osmanen genötigt, den Ständen in den einzelnen Territorien und natürlich auch im Reich Zugeständnisse für ihre militärische und finanzielle Hilfe zu machen. Diese Zugeständnisse bewegten sich vor allem auf dem damals politisch bedeutsamen Gebiet der konfessionellen Auseinandersetzungen. Die Stände, deren adelige Vertreter zu einem großen Teil Protestanten waren, forderten Religionsfreiheit und Religionsausübung nach ihrem Bekenntnis, was die Habsburger zugestehen mußten, um Türkenhilfe zu erhalten.
Die Technik des kleinen Krieges, die von den Osmanen so perfekt beherrscht wurde, fand im kaiserlichen Bereich ihre Nachahmung bei

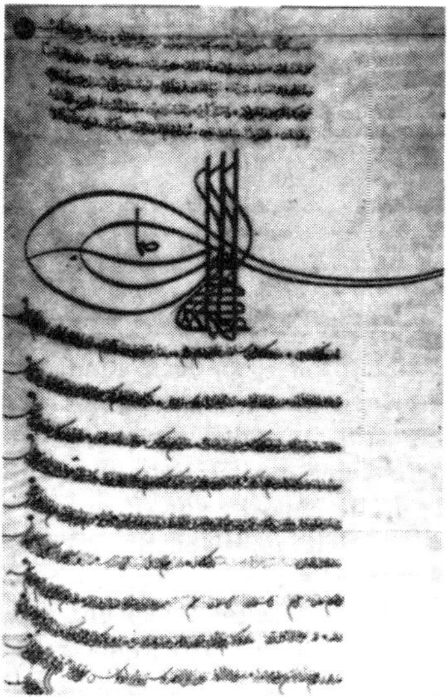

Der Friede von Zsitvatorok
stellte ein neues, gleichrangiges Verhältnis zwischen Kaiser und Sultan dar.
Wien, Haus-, Hof- und Staatsarchiv.

der Organisation der Militärgrenze, die eine Reaktion auf die Idee des ständig andauernden Heiligen Krieges war. Man siedelte an der Grenze zum Osmanenreich Wehrbauern – vorwiegend slawische Flüchtlinge – an, die von aller Grundherrschaft und allen Abgaben befreit, persönlich frei und waffenfähig waren und sich grundlegend von allen anderen Bauern Mitteleuropas unterschieden und somit für diese ein utopisches, wünschenswertes Gesellschaftsmodell verkörperten.

Der Eindruck der Bedrohung durch die Osmanen, die sicherlich dank der perfekten Militärorganisation des osmanischen Reiches groß war, wurde von seiten des Kaisers und der in seinem Sinne tätigen Publizistik noch verstärkt. Man schürte die Türkenfurcht, um eine Solidarität der Stände gegen die Türken zu erreichen und damit die konfessionellen Konflikte hintanzuhalten. Eine Fülle von Türkenflugschriften und Flugblättern zeichnet ein hartes und grausames Bild von diesem »Erbfeind aller Christenheit«, dem man alle teuflischen Eigenschaften zuschrieb und den man im religiösen Sinn als eine Strafe Gottes für die Sünden der Christenheit interpretierte, die man nur durch Buße und Besserung abwenden konnte. Diese propagandistische Ausformung des Türkenbildes hat sich lange auch in der wissenschaftlichen Literatur gehalten und wurde erst in allerjüngster Zeit durch ein gerechteres, den Tatsachen entsprechenderes Bild verdrängt.

Ein fast sechzigjähriger Friede und die zweite Belagerung Wiens

Der »Friede« von Zsitvatorok 1606, der erstmals ein neues Verhältnis zwischen Sultan und Kaiser, der nun als gleichrangig angesehen wird, schuf, war ein Waffenstillstand, der immer wieder verlängert wurde. Durch die Geschicklichkeit der österreichischen Diplomatie konnte es gelingen, daß die kritische Zeit, die vor allem durch die Gefahr eines Zweifrontenkrieges im Dreißigjährigen Krieg gekennzeichnet ist, gut überstanden wurde.
Zwischen 1606 und 1663 herrschte also Ruhe zwischen den beiden feindlichen Mächten. Im osmanischen Reich wurde am Ende dieser Periode unter den Köprülü-Veziren eine Reform durchgeführt, die den inneren Verfall bremste. Zentralpersonen dieser Köprülü-Restauration waren Mohammed und Achmed Köprülü und später deren Schwiegersohn Kara Mustafa.
Es waren die Verhältnisse Siebenbürgens, wo es zu Thronstreitigkeiten kam, in die sowohl der Kaiser als auch der Sultan eingriffen, die einen erneuten bewaffneten Konflikt hervorriefen. Im Jahre 1663 erwuchs aus den siebenbürgischen Wirren ein Türkenkrieg, der im Jahre 1664 in der Schlacht bei Mogersdorf/Sankt Gotthard gipfelte. In dieser Schlacht gelang es dem Feldherrn Raimund von Montecuccoli mit Hilfe der Reichstruppen und in diesem Falle auch französischer Hilfe – sonst hatte der französische König eher auf seiten des Sultans gestanden – die Türken beim Flußübergang vernichtend zu schlagen und damit den ersten Sieg über ein türkisches Hauptheer zu erringen.
Der Krieg endet mit dem »Schandfrieden« von Eisenburg (Vasvár, Ungarn), in dem Österreich seinen Sieg diplomatisch nicht nützen konnte. Die Reaktion darauf war die Magnatenverschwörung des ungarischen Hochadels, die von den Habsburgern blutig niedergeschlagen wurde.
Noch einmal gelang es dem erstarkten osmanischen Reich, Wien, die Stadt des Goldenen Apfels, das Ziel aller Expansionspläne der Pforte, zu erreichen. Jedoch zeigte sich dabei auch die eigentliche Wende in der Machtkonstellation. Kara Mustafa belagerte 1683 zwar Wien,

doch die Entsatzschlacht auf dem Kahlenberg brachte einem polnisch-deutschen Heer unter Johann Sobieski und Karl von Lothringen den großen Sieg, der mit einer Verfolgung der Osmanen nach Ungarn hinein in den nächsten Jahren ausgewertet wurde. Die kaiserlichen Truppen drangen unaufhaltsam in Ungarn vor und eroberten das Land für Kaiser Leopold I. Hand in Hand mit der Eroberung ging eine Neubesiedlung dieser Gebiete, eine der größten bevölkerungsmäßigen Verschiebungen dieser Epoche.
Die Eroberung Ungarns in den auf die zweite Türkenbelagerung folgenden Feldzügen ist vor allem mit dem Namen eines großen Feldherrn, mit dem Namen des Prinzen Eugen von Savoyen verbunden, der in der siegreichen Schlacht von Zenta diesen ersten Feldzug der Jahre 1683 bis 1699 zum Abschluß brachte. Es kam zu Friedensverhandlungen im Ort Karlowitz (Sremski Karlovci, Jugoslawien) auf der Basis des Besitzstandes von 1699. Der Kaiser bekam Ungarn, sowie die Moldau und die Walachei bis zur Maros, Temesvár (Timişoara, Rumänien) blieb den Türken.
Die Osmanen versuchen nach einer Phase der inneren Erholung den Frieden von Karlowitz zu revidieren, ihr schwächster Gegner war Venedig. Sie griffen daher das venetianische Morea auf dem Peloponnes an. Der Kaiser, im Westen gebunden, reagierte sehr zurückhaltend, schließlich aber kam es doch zur Kriegserklärung und der Prinz Eugen wurde wieder Oberbefehlshaber.

Österreichische Siege, Friedensschlüsse und die allmähliche Normalisierung der Verhältnisse

Er siegte 1716 bei Peterwardein (Petrovaradin, Jugoslawien) und belagerte daraufhin erfolgreich die Festung Temesvár, wodurch dem Kaiser der Banat gewonnen wurde. Im Jahre 1717 schließlich eroberte Prinz Eugen mit der kaiserlichen Armee die Festung Belgrad, eine spektakuläre Tat, die auch in einem bekannten Volkslied besungen wird. Dieser große Erfolg des Prinzen Eugen führte zur Einleitung von Friedensverhandlungen, die im Dorf Passarowitz (Požarevać, Jugoslawien) stattfanden. Der Kaiser gewann nun auch die Moldau und die Walachei bis zur kleinen Aluta und den Temesvárer Banat. Die Habsburgermonarchie erreicht mit diesem Friedensschluß vom 21. Juli 1718 ihre größte Ausdehnung. Das eigentliche »Zeitalter der Türkenkriege« ist damit beendet.
Nicht beendet ist selbstverständlich die weitere militärische Auseinandersetzung Österreichs mit den Osmanen, deren weitere Stationen hier

Markgraf Hermann von Baden über die Schlacht am Kahlenberg 1683

Der Tag kam [12. September]. Die Feinde fuhren nicht allein fort, von ihren Schanzwerken aus die belagerte Stadt heftiger als je zu beschießen, sondern sie führten auch uns gegenüber weitere Verstärkungen heran und postierten ungefähr 1200 Janitscharen [Elitetruppen] hinter den Zaunplanken eines Weingartens am Fuß des Gebirges und begannen als erste auf die Unsrigen zu schießen, die ihnen mit wohlgezielten Kanonen- und Musketenschüssen antworteten. Der König von Polen [Johann III. Sobieski], der sein Lager am rechten Flügel hatte, kam um diese Zeit in unser Lager, um von da aus das feindliche Lager zu besichtigen, dessen Lage wegen der hohen Aufschüttung, mit der es umgeben war, und wegen der Wälle, die von weitem wie regelrechte Verschanzungen aussahen, überaus günstig erschien. Währenddessen nahm der Angriff der Türken gegen unsere am Fuß des Gebirges [...] postierten Bataillone an Heftigkeit derart zu, daß Prinz Ludwig von Baden [...] zur Unterstützung vorrückte. Als Markgraf Hermann von Baden von der Höhe aus, wo er mit dem König von Polen und anderen Generalen stand, seinen Neffen durch die Übermacht der Feinde [...] in einen gefährlichen Kampf verwickelt sah, stieg er an die Spitze der übrigen Infanterie, der er in Eile den Befehl gab, ihm zu folgen, von der Höhe herab [...]. Die Wut des Kampfes verdoppelte sich, und ungeachtet des feindlichen Feuers, das an dieser Stelle am heftigsten war, zwang man die Feinde, nachdem man die Planken, die ihnen als Schutz dienten, mit dem Degen in der Faust erstürmt und zerschlagen hatte, zum Rückzug; Prinz Ludwig hatte zu diesem Zweck sogar einen Teil seiner herangeführten Dragoner absitzen lassen. Einige sächsische Infanteriebataillone, die sich beim tapferen Zurückschlagen des feindlichen Angriffs freien Durchbruch talwärts nach rechts hin erkämpft hatten, wurden bei dieser Attacke vom Angriffsgeist und Schneid ihrer Offiziere mitgerissen; ihnen folgte die Masse der baierischen, fränkischen und der übrigen kaiserlichen Truppen. Als der Feind sah, daß man ihm mit lautem Jubelgeschrei direkt auf den Leib rückte, wich er, unfähig dem Feuer unserer Kanonen standzuhalten, ins Tal zurück und überließ uns auch diese Anhöhe, auf der unsere Generale Halt zu machen beschlossen, um die Ankunft der Polen zu erwarten [...]. Man wartete dort mehr als eine halbe Stunde mit großer Ungeduld [...], mit einem Mal sah man die kleinen Fähnchen auftauchen, die die polnische Kavallerie an ihren Lanzen trägt. Da erhob sich ein so gewaltiges Geschrei bei unseren Truppen, daß sogar die uns gegenüberstehenden Türken von der Aufregung angesteckt erschienen. Die Feinde hatten den Anmarsch der Polen auch bemerkt und warfen ihnen einen Teil der unserem linken Flügel gegenüberstehenden Truppen entgegen. Diesen schickte der König [...] einen Teil seiner Husaren auf den Hals, die mit gesenkter Lanze und verhängtem Zügel auf sie einstürmten und sie beim ersten Stoß zurückwarfen. Als sie aber durch die Truppen aus dem Lager Verstärkung erhielten, wandten die Polen den Rücken und jagten in wilder Flucht zurück, den Ihren entgegen, von den säbelschwingenden Feinden mit Getöse und scheußlichem Geheul verfolgt. Als die Po-

len die Verstärkung erreichten, die der König ihnen schickte, hielten sie an und setzten nun wieder den Türken nach, die sich eilig vor ihnen in Sicherheit brachten. Nachdem dieses Reiterspiel sich zum großen Vergnügen der Zuschauer noch ein drittes Mal wiederholt hatte, zwangen die Polen die Feinde schließlich, ihnen diese Anhöhe zu überlassen. [...]
Dieser Kampf [...] rief unter den Feinden völlige Verwirrung hervor: Der Großwesir, der die mißliche Lage, in der er sich befand, nicht offenbar werden lassen wollte und deshalb bis zu diesem Augenblick in den Laufgräben geblieben war, um von dort aus die wütende Beschießung der Stadt fortzusetzen, erschien in Person auf dem Schlachtfeld; als er aber sah, daß schon alles halb verloren war, übergab er den Befehl dem Wesir von Budapest und kehrte wieder in die Laufgräben zurück, ohne Zweifel in der Absicht, einen Versuch zur Rettung seiner Geschütze zu machen, wurde aber durch die schlechten Nachrichten, die er erhielt, daran gehindert. Er zog sich kurze Zeit später in Eile auf Petronell zurück, um dort die Flüchtlinge seiner Armee zu sammeln und ihren Rückzug zu sichern. – Die Polen bildeten, nachdem sie die Höhe gewonnen hatten, eine Schlachtreihe mit uns, und die ganze Armee, die nun eine beträchtliche Frontlänge aufwies, rückte unmittelbar auf den Feind los, der auf der einzigen noch zwischen uns und seinem Lager befindlichen Höhe Aufstellung genommen hatte [...]. Als wir heranrückten, machten sie gewaltigen Lärm und stürzten sich, den Säbel in der Hand, in wildem Haufen auf uns, gerade als wollten sie sich mitten unter unsere Bataillone werfen. Da sie aber dem Feuer nicht standhalten konnten, gerieten sie durcheinander und mußten sich [...] in Verwirrung zurückziehen [...]. Der Zugang zum Lager war steil und äußerst schwierig, sowohl von unserer Seite wie von der den Polen zugekehrten. Dieser wurde, weil sie dem großen Lager mit dem Zelt des Großwesirs am nächsten lag, äußerst hartnäckig verteidigt; als aber der Wesir von Budapest [...] unseren linken Flügel ins Lager eindringen sah und befürchten mußte, daß er umzingelt würde, gab er das Lager mit der gesamten darin befindlichen Artillerie den Polen preis, die dem großen Lager am nächsten waren, infolgedessen als erste eindrangen und den größten Teil der reichen Beute an sich brachten. Die Türken am höchsten Punkt des Lagers machten Miene, als wollten sie Widerstand leisten; als sie aber die deutschen Truppen vorrücken sahen, machten sie sich nach und nach aus dem Staube und überließen ihr Lager der Plünderung.

Der Bericht stammt vermutlich von Markgraf Hermann von Baden (1628–91), der als kaiserlicher Feldmarschall entscheidenden Anteil an dem siegreichen Ausgang der Schlacht hatte.
Aus: Philipp Roeder von Diesburg: Des Markgrafen Ludwig Wilhelm von Baden Feldzüge wider die Türken. Karlsruhe 1839. Bd. I.
Moderne Übertragung von F. Dickmann in »Renaissance, Glaubenskämpfe, Absolutismus«. München 1966. (Mit freundlicher Genehmigung des Bayerischen Schulbuchverlages München).

Kriegsschauplätze. *Vogelschau auf das belagerte Wien 1683: brennender Schottenhof, abgebrannte Schlagbrücke und eine von Türken errichtete Brücke bei Nussdorf (oben). Fünfkirchen, Anfang 1664 berannt und in Brand gesetzt (unten).*

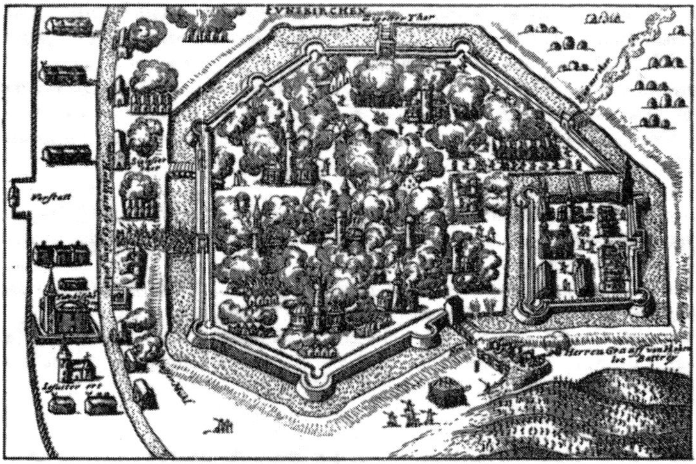

PRINZ EUGEN VON SAVOYEN

Als er, kaum zwanzigjährig und gerade vom französischen Sonnenkönig wenig ehrenvoll abgewiesen, in den Dienst des Habsburger Kaisers eintrat, ahnte wohl niemand, wie schnell jener von Gestalt so unansehnliche Prinz zur Feldherrngröße emporwachsen würde.

Geboren war er 1663 in Paris, seine Mutter war eine Nichte Mazarins. Sie erzog ihn als Franzosen, und die Familie bestimmte ihn für den geistlichen Stand. Er aber strebte nach dem Soldatenberuf. In den Türkenkriegen begann seine Karriere, die mit der Eroberung Belgrads 1717 ihren Höhepunkt erreichte. Im Spanischen Erbfolgekrieg war er es, der zusammen mit Marlborough französisches Vormachtstreben in die Schranken wies. Politisch hat Prinz Eugen die künftige Entwicklung Österreichs ebenfalls mitbestimmt, wenngleich er als Präsident der Geheimen Staatskonferenz nie ein Meister der Politik war. Dazu fehlten ihm wohl jene Ausdauer und Konsequenz, die man an dem Feldherrn Prinz Eugen gerühmt hat. Als Verfechter der Aufklärung und der Idee der Staatsräson hat er zweifellos Grundlagen des künftigen Österreichs gelegt. Vor allem hat er sich als erster Offizier seines Kaisers und als Diener des Staates gefühlt. Daß er seine Stellung nicht wie Wallenstein oder Napoleon mißbrauchte, macht ihn sympathisch. Als Förderer von Kunst und Wissenschaft pflegte er, der »Philosoph im Kriegsgewand«, mannigfache Kontakte zu den führenden Köpfen Europas. Schon seine Zeitgenossen schätzten seine Ritterlichkeit, wie sie in jenem bekannten Volkslied besungen wird. Napoleon bewunderte Prinz Eugen als genialen Feldherrn, und Friedrich der Große rühmte ihn als den »Atlas der österreichischen Monarchie« und »eigentlichen Kaiser«. Er starb 1736 in Wien. (L. H.)

nur ganz kurz angedeutet werden können. Nach einem unglücklich verlaufenden Türkenkrieg, den Karl VI. gegen das osmanische Reich führte und der 1739 mit dem Frieden von Belgrad endete, verlor Österreich einige Randgebiete wieder an die Türken. Viel größer allerdings war der Prestigeverlust, den Österreich dabei erlitt. In der darauffolgenden Zeit geht ein Einstellungswandel vor sich – schon der Türkenkrieg Josephs II. steht nicht mehr in der alten Tradition des Glaubenskampfes gegen den »Erbfeind aller Christenheit«, sondern ist eine politische Auseinandersetzung wie die Kriege gegen andere Staaten auch; eine neue sachlich-säkulare Machtpolitik am Balkan begann. Mit dem Ende der Türkenkriege war allerdings der weitere kulturelle Kontakt und Austausch, der immer auch neben dem Kriegsgeschehen abgelaufen war, nicht beendet.

Nachdem das osmanische Reich seine Expansionskraft und Gefährlichkeit verloren hatte, tritt ein besonders intensiver Kulturaustausch auf vielen Gebieten ein. Türkendrama, Türkenliteratur und Türkenmode erreichen eine große Blüte, selbst die Musik bemächtigt sich türkischer Stoffe – man denke nur an Mozarts »Entführung aus dem Serail« – aber auch musikalischer Elemente der türkischen Musik, die das Vorbild der österreichischen Militärmusik wird.

Abschließend kann man, die so lang dauernden Auseinandersetzungen zwischen Österreich und den Osmanen betrachtend, sagen, daß sie in zwei Phasen zerfiel: in eine Phase der Expansion des osmanischen Reiches und in eine offensive Phase der österreichischen Politik, die 1683 eingeleitet wird und die zu einer starken Vergrößerung des österreichischen Territoriums auf Kosten der Türken führte – eine Expansion, die den habsburgischen Ländern schließlich den Aufstieg zur Großmacht in Europa brachte.

Literatur

Die Türken und was von ihnen blieb. The Turks and what they left to us, Wien 1978

Eickhoff, Ekkehard: Venedig, Wien und die Osmanen. Umbruch in Südosteuropa 1645–1700, München 1970

Hummelberger, Walter: Wiens erste Belagerung durch die Türken 1529, Wien 1976 (Militärhistorische Schriftenreihe 33)

Matuz, Joseph: Grundzüge der türkischen Geschichte. Osmanisches Reich und türkische Republik, Darmstadt (im Erscheinen!)

HANSWERNFRIED MUTH

Die Kunst des Barock

Italien als Herkunftsland der barocken Kunst – Kunstzentren der Barockzeit – Name und Begriff »Barock« – Grundelemente barocker Kunst: Bewegung, plastische Raumerfassung, das barocke Gesamtkunstwerk, barocke Phantasiekunst – Kunst der Gegenreformation? – Kunst des Absolutismus – Deutsche Barockkunst – Architektur, Plastik und Malerei – Höhepunkt und Vollendung.

Der Barockstil entstand in Rom«. Dieser Satz stimmt zweifellos für Architektur und Skulptur. Als »Geburtstag« des barocken Rom darf der 18. November 1593 gelten, der Tag, an dem das vergoldete Gipfelkreuz auf der eben vollendeten Kuppel von Sankt Peter aufgerichtet wurde. Doch die Barockkunst ist mehr als ein auf Italien begrenzter nationaler Stil. Betrachtet man die Barockarchitektur, sind neben Rom insbesondere Paris und im deutschen Sprachraum Süddeutschland und Österreich zu den Brennpunkten eines künstlerischen Schaffens geworden, das uns im Rückblick als der letzte europäische Stil erscheint, in dem alle künstlerischen Äußerungen von einer einheitlichen formenden Kraft geprägt wurden. Ähnliches gilt für die Plastik. In der Malerei bilden die Niederlande und Holland sowie Spanien weitere gewichtige Zentren barocker Kunst.

Schwülstig, manieriert oder einfach schiefrund? Definitionen und Kennzeichen

Jeder dieser Kunstkreise ist für sich betrachtet eigenständig; alle sind dennoch miteinander verwandt und durch vielerlei Beziehungen verbunden, ergeben insgesamt ein Ganzes, das zusammen erst den Begriff des europäischen Barock rechtfertigt. Die römische Kunst bildet dabei das Fundament, auch den Anfang der zeitlichen Entwicklung. Sie wird seit etwa 1630 zum direkten Anlaß und vor allem auch zum Maßstab für die Barockarchitektur in Frankreich. Die späte, aber reife Blüte des Stils in den Ländern des alten Deutschen Reiches knüpft dann nicht nur an Italien, sondern auch an Frankreich an. Der deutsche Barock ist in der Spätzeit, als in den anderen Ländern die Kunstbestrebungen

erlahmten oder neuen Tendenzen folgten, im Kirchen- und Schloßbau zum krönenden Abschluß der gesamten Entwicklung geworden.
Der Name »Barock« kommt aus dem Goldschmiedehandwerk. Dort bezeichnet man mit »barocco« eine schiefrunde Perle. Im ausgehenden 18. Jahrhundert, im Zeitalter von Rationalismus und Aufklärung (siehe Band 8) wurde »barock« zum abwertenden Ausdruck für alles Schwülstige, Überladene und Absonderliche. Am Anfang des 19. Jahrhunderts zeichnete sich – etwa bei Goethe und Wieland – ein aufkeimendes Verständnis für den Barockstil ab. Doch solche Ansätze gingen bald in der Begeisterung für die italienische Renaissance unter. Nun betrachtete man den Barock als die späte Phase der Renaissance, als deren Verfall, Entartung und Niedergang. Erst seit etwa 1860 fand die Barockzeit – und zwar zunächst bei den Künstlern – wachsenden Respekt, gerechtere und eigenständige Würdigung.
Wie erleben wir Barock heute? Auf steil abfallendem Felsen, hoch über dem Fluß gelegen, mit geschlossener Baumasse weithin sichtbar und allseits herrschend, bekrönt das doppeltürmige Stift Melk die Donaulandschaft. Vielgliedrig entfalten sich die Stiftsgebäude. Wie eine Kulisse steigen drei Architekturmotive hintereinander auf, durch Gliederung und Bewegung zu einem Bild größter künstlerischer Einheit gefügt. Symmetrisch erheben sich, durch Kolossal*pilaster (K, Seite 228)*, geschweifte Fensterbekrönungen und plastischen Zierat ausgezeichnet, die beiden Eck*pavillons (K, Seite 228)* der langfluchtigen Gebäudeflügel. Zwischen ihnen lagert, niedrig und die Waagerechte betonend, ein *konvex (K, Seite 228)* sich vorwölbender Terrassenbau, dessen Mitte sich in einem Triumphbogenmotiv öffnet. Dieser weitgespannte Bogen markiert die Mittelachse der gesamten, in sich symmetrischen Klosteranlage. Zurückgesetzt erhebt sich über diesen niederen Vorbauten die Kirchenfassade, deren Doppeltürme mit der alles überhöhenden Kuppel einen sonoren Dreiklang bilden. Großzügige Massenbeherrschung, strengste Gliederung bei symphonisch festlichem Reichtum, ordnende Beherrschung der umgebenden Landschaft, das ist Barock.
Ein eigenartiges Lichtphänomen zieht den Besucher der Abteikirche Weltenburg an der Donau zum Hochaltar. Aus blendender Helle, deren Herkunft sich nicht ermessen läßt, reitet dort zwischen den gewundenen Marmorsäulen der heilige Georg heran. Von dem Glanz des Hintergrunds heben sich Roß und Reiter kräftig ab, ebenso die Begleitfiguren der Szene, der sich aufbäumende Drache und die entsetzte Jungfrau, zu deren Rettung der heilige Ritter heransprengt. Sinnliches und Übersinnliches ist hier zu einem Bühnenbild von vollendeter Illusion verschmolzen, Schlußakkord des halbdunklen Kirchenraums.

Gestaltungsprinzipien der Barockzeit: Bewegung, Hell und Dunkel, Licht und Schatten

Die beiden Beispiele lassen mehrere Grundtendenzen der barocken Kunst deutlich werden. Der Kunsthistoriker Heinrich Wölfflin hat die Grundelemente des Barockstils auf einige wichtige und bezeichnende Begriffe zurückgeführt. Da ist zunächst der Begriff der »Bewegung«, der sich in diesem Zeitalter in allen Kunstgattungen verfolgen läßt. Was darunter in den Bildkünsten, Malerei und Plastik, zu verstehen ist, läßt sich gut anschaulich machen, indem man zwei Reiterstandbilder vergleicht: Um 1485, auf dem Höhepunkt der italienischen Renaissance, schuf Donatello für die Piazza di San Antonio in Florenz das Reiterstandbild des Condottiere Gattamelata. Hier steht das Pferd im rechten Winkel zur Kirche, die Breitenansicht ist betont, das Denkmal entfaltet sich sinnvoll in der reinen Profilansicht. Demgegenüber zeigt das überlebensgroße Reiterbild des Großen Kurfürsten, von Andreas Schlüter konzipiert und heute vor dem Schloß Charlottenburg in Berlin aufgestellt, den rein barocken Typus. Es stand auf der Brücke zwar ebenfalls rechtwinklig zur Fahrbahn, dennoch war es nicht möglich, das Pferd in der reinen Seitenansicht zu sehen. Die Schönheit dieses barocken Reiterbildes lag nicht zuletzt darin begründet, daß sich für den Betrachter beim Gehen über die Brücke eine Fülle von Ansichten abwickeln. Der Ausgeglichenheit der Renaissanceplastik ist hier die dramatische Bewegtheit gegenübergestellt; der Körper von Tier und Mensch wird selbst zum Träger der Bewegung. Zudem wird der Körper von den Malern und Bildhauern der Barockzeit gerne in einem Übergangsstadium gezeigt, das sowohl die vorhergehende wie die nachfolgende Wendung sichtbar werden läßt.

In der Architektur äußert sich das Prinzip der Bewegung in dem deutlichen Aufzeigen von Kraftlinien, im Gegeneinander von konträren Linien und Raumteilen. Der Bau wird nicht als ein in sich ruhender Körper empfunden wie in der Renaissance, sondern als ein lebendiger, wachsender, sich dehnender Organismus. Deshalb scheinen sich die Seiten*voluten (K, Seite* 229) barocker Fassaden gegen die Masse des Giebels zu stemmen, schwingen die Kirchenfassaden zwischen den flankierenden Türmen nach vorn, wölben sich dem Ankommenden entgegen, beanspruchen den Freiraum. Oder aber sie weichen gleichsam vor dem andrängenden Straßenraum zurück und bilden dadurch tiefe Schattenschluchten in den Straßenfronten. Bewegung bedeutet auch in der Architektur eine Vielzahl möglicher und gewollter Ansichten: Die weitläufigen Schloßanlagen von Nymphenburg in München, Doppelturmfassade und Kuppel des Fuldaer Doms, die Fassade der

Kaisersaal.
Vergoldeter Stuck, Freskomalerei, Muranolüster und Rokokostatuen im schönsten Saal der fürstbischöflichen Residenz Würzburg.

Wallfahrtskirche Vierzehnheiligen erscheinen dem, der auf sie zugeht, in immer neuen, nicht zufälligen, sondern wohlüberlegten Zusammenhängen. Mit dem Begriff der Bewegung hängt in der Baukunst auch die Auffassung von Masse zusammen. Die Wand wird nicht mehr als flächige Begrenzung des Raumes und des Baukörpers aufgefaßt. Eingestellte Säulen, Vor- und Rücksprünge, *Risalite* und *Nischen* (*K, Seite* 228) machen fühlbar, daß der Bau aus kräftigem Mauerwerk besteht, das plastisch gegliedert wird. Dadurch wird zugleich ein Hell-Dunkel-Kontrast in der Architektur betont. Wechselndes Tageslicht läßt plastisch geformte Architektur wie in stetiger Bewegung erscheinen.

Stilelemente der Renaissance- und Barock-Baukunst

Altan(e)	*Auf Stützen ruhender Balkon.*
Arabeske	*Ornament mit Blatt- und Rankenelementen.*
Arkade(n)	*Aneinanderreihung von Bogen. Solche Bogengänge, oft mehrgeschossig und zu Arkadenhöfen gestaltet, spielen vor allem seit der Renaissance eine Rolle.*
Atlant, Atlas	*Gebälk oder andere Gebäudeteile tragende Figur.*
Attika	*Niedrige Wand über dem Hauptgesims oder zwischen zwei Gesimsen eines Gebäudes, oft das Dach verdeckend.*
Balustrade	*Geländer oder Brüstung aus bauchigen Säulchen.*
Bandelwerk	*Ornament aus flachen Bändern.*
Beschlagwerk	*Ornament in Form schmiedeeiserner Arbeiten.*
Bosse	*Baustein mit rauh belassener Oberfläche.*
Ehrenhof	*Der von einem Mittelbau und zwei Seitenflügeln eingeschlossene Hofraum, vor allem bei Barockschlössern.*
Empore	*›Tribünen‹- oder Galerie-Raum in der Wand eines Raumes, z. B. über Seitenschiffen in Kirchen.*
Fresko	*Mit Wasserfarben auf den frischen Kalkputz gemalte Darstellung. Die Farbe verbindet sich beim Abbinden des Kalkes fest mit dem Untergrund.*
Frontispiz	*Giebeldreieck im Mittel-Risalit eines Bauwerks oder Titel-Kupferstich in einem Buch.*
Galerie	*Umgang mit Arkaden oder langer, schmaler Repräsentationsraum, vorwiegend in Barockschlössern, mit Fensterfront.*
Gesims	*Balkenförmig aus dem Bauwerk hervortretender Bauteil, die Waagerechte betonend.* *Gurtgesims: Gesims zwischen zwei Geschossen.* *Kranzgesims: Vorspringendes Abschlußgesims unter dem Dach.* *Verkröpftes Gesims: Voll um Gebäudeecken herumgeführtes Gesims.*
Gurtgesims siehe Gesims	
Gesprengter Giebel	*Nicht geschlossener oder in seiner Mitte zurückspringender Giebel, vor allem auch über Fenstern der Barockzeit.*
Groteske	*Rankenornament.*
Herme	*Männliche Oberkörper-Figur als Gebälkträger.*

Kassettendecke	*Decke mit kastenförmig vertieften Feldern, entstanden durch Überschneidung von Balken oder Gurtbändern, meist mit Profilen und Ornamenten verziert; häufig seit der Renaissance.*
Kartusche	*Zierrahmen, ornamental gestaltetes Feld.*
Kolonnade	*Säulengang.*
Kolossalordnung	*Säulen- oder Stützengliederung über mehrere Stockwerke hinweg.*
Konkavbewegung	*Zurückschwingender Bauteil.*
Konvexbewegung	*Nach vorn schwingender Bauteil.*
Kranzgesims siehe Gesims	
Kuppel	*Die Kuppel überwölbt als Teil einer Kugel unterschiedlichste Räume verschiedener Grundrisse. Die Anpassung an die mehrseitigen und mehreckigen Räume, die überwölbt werden, erfolgt durch Eckzwickel (sphärische Dreiecke) der Kugel selbst (Hängekuppel) oder, falls der zu überwölbende Grundriß größer als der Fußkreis der Kuppelkugel ist, durch die Zwickel einer unterlegten zweiten größeren Kugel, sogenannte Pendentifs (Pendentifkuppel). Zwischen Zwickel und Kuppel kann ein Tambour eingeschoben sein. Die Kuppel gewinnt seit der Renaissance in vielfältiger Form kennzeichnende Bedeutung für die Baukunst.*
Laterne	*Türmchenförmiger, zylindrischer Aufbau auf der Kuppel als Lichteinlaß.*
Loggia	*Offene Galerie oder Säulenhalle, seit der Renaissance stärker verbreitet.*
Ochsenauge	*Rundes oder ovales Fenster in Barockbauten.*
Pavillon	*Kleines freistehendes und offenes Gebäude (Laube, Tempelchen etc.).*
Pilaster	*Flache, einer Fassade oder Wand vorgelegte Pfeiler.*
Portikus	*Portalvorbau mit Säulen oder Pfeilern.*
Postament	*Unterbau, Sockel.*
Putten	*Kinderfiguren in unterschiedlichsten Gewandungen und Funktionen als Bauplastik und freistehende Bildhauerarbeiten während Barock und Rokoko.*
Risalit	*In voller Höhe bis zum Dach vorspringender Fassadenteil.*
Rocaille	*Muschelförmiges, meist halbplastisches Bau-Ornament vor allem im Rokoko.*
Rollwerk	*Bänderförmiges Ornament, vorwiegend auch in der deutschen Renaissance.*

Rustika	*In der Oberfläche rauh belassene Quadersteine, leicht vorspringend.*
Scheinarchitektur	*Durch Malerei und Stukkaturen etc. vorgetäuschte Architekturteile, die vor allem im Barock Räume und Ausmalungen illusionistisch erweitern.*
Segmentgiebel	*Giebel eines Gebäudes oder Verblendung über einem Fenster in Form eines Kreisabschnitts.*
Stuck, Stukkatur	*Masse aus Gips, Kalk und Sand, leicht formbar und schnell härtend. Plastischer Bauschmuck, Säulen etc. werden vor allem in Barock und Rokoko vielfach aus Stuck gestaltet.*
Tambour	*Zylindrischer Unterbau einer Kuppel.*
Volute	*Schneckenförmig eingerolltes Bauelement auf Gesimsen und Giebeln in Renaissance und Barock.*
Zentralbau	*Von einem Mittelraum gleichmäßig nach allen vier Seiten ausgreifendes Bauwerk, im Idealfall mit gleichlangen Achsen aller Bauteile, oft von einer Kuppel überwölbt. Seit der Renaissance zu hoher Blüte entwickelt.*
Zweischaligkeit	*Auflösung der ›Raumbegrenzung‹ durch einen ›Umgang‹ um den Zentralraum, erreicht durch weitgehende Auflösung der inneren ›Schale‹ mittels Arkaden, Säulen- und Pfeilerstellungen in sorgfältiger Abstimmung mit der von Fenstern durchbrochenen Außenwand.*
Zwerchgiebel	*Giebel der vor allem in der Renaissance großen Dachflächen vorgesetzten Dachhäuschen.*

Ein ähnliches Prinzip der Lichtführung ist in der Malerei zu beobachten. Schlachtlichter stellen die Figuren in einen scharfen Kontrast zum dunkleren Hintergrund und steigern die dramatische Bewegung der Szene. In der Plastik zerklüften tiefe Faltenzüge die Oberflächen der Figuren und beziehen damit das Spiel von Licht und Schatten in die künstlerische Wirkung des Kunstwerkes bewußt mit ein.
Das Prinzip der Bewegung führt in der barocken Architektur schließlich dazu, daß in den kompliziert gegliederten Kirchenbauten der Spätzeit der Raum selbst in Schwingung versetzt zu sein scheint. Verbunden mit dem »Zweischalensystem«, bei dem schmale Umgänge den eigentlichen Raum umfangen, führt dies zu der Möglichkeit, einen Innenraum zu gestalten, der sich grundsätzlich von der äußeren Erscheinung des Bauwerks unterscheidet; diese Möglichkeiten haben besonders die Mitglieder der Architektenfamilie Dientzenhofer und am

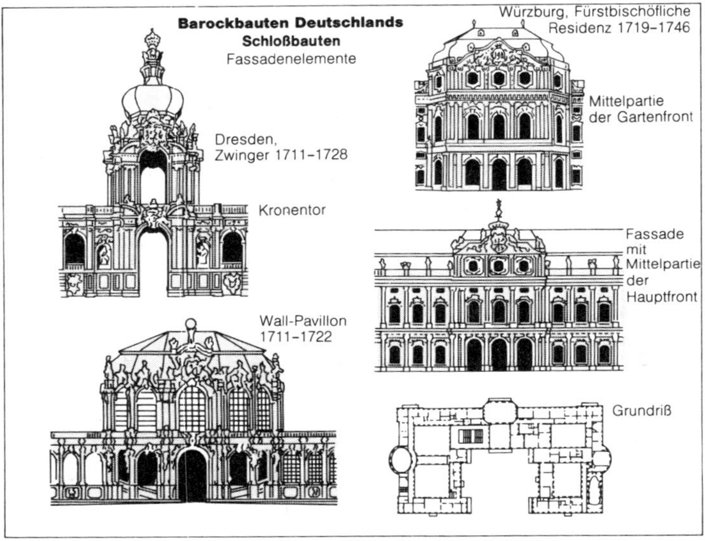

großartigsten Balthasar Neumann in Vierzehnheiligen und in der Abteikirche Neresheim bei Aalen zu nutzen gewußt. Die Bewegung, die uns als ein wichtiges Moment der barocken Kunst begegnet, hat in der Frühzeit einen schweren, oft fast dumpfen Rhythmus. Im Laufe der Entwicklung wird sie eiliger und leichter, lichter und heiter. Ebenso liebten Maler und Publikum in der frühen Barockzeit die vollen, dunklen Töne, liebten Künstler und Kunstbetrachter den schweren, vergoldeten *Stuck (K, Seite* 229), in der Spätzeit schätzte man dagegen den Silberton oder das farbig abgetönte Ornament.

Architektur, Malerei und Plastik verschmelzen zum Gesamtkunstwerk

Der Hochaltar von Weltenburg, bei dem architektonische Formen, Plastik und Malerei sich zu einer untrennbaren Einheit verbinden, zeigt noch zwei weitere grundsätzliche Wesensmerkmale barocker Kunst: Architektur, Plastik und Malerei verschwistern sich in den Kirchen und Schlössern dieser Epoche zu einem Gesamtkunstwerk, wie dies den Künsten in einem gleichgroßen Grad der Verschmelzung in keinem der anderen großen Stile des Abendlandes gelungen ist. Diese

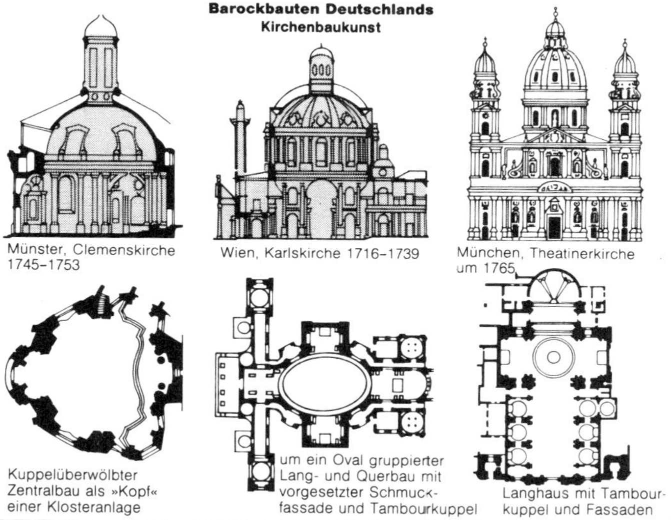

Barockbauten Deutschlands
Kirchenbaukunst

Münster, Clemenskirche 1745–1753

Wien, Karlskirche 1716–1739

München, Theatinerkirche um 1765

Kuppelüberwölbter Zentralbau als »Kopf« einer Klosteranlage

um ein Oval gruppierter Lang- und Querbau mit vorgesetzter Schmuckfassade und Tambourkuppel

Langhaus mit Tambourkuppel und Fassaden

harmonische Einheit konnte nur entstehen, weil gerade in der Barockzeit jede Kunstgattung auch Elemente der Schwesternkünste in sich aufgenommen hat. Die Architektur der Zeit, die mit Säulen, *Lisenen, Gesimsen (K, Seite* 227) und Voluten, mit plastischen Bauteilen also, arbeitet, ist auch ihrem ganzen Wesen nach plastisch bestimmt. Demgegenüber gewinnen Denkmäler und Brunnen, an sich Aufgaben der Bildhauerkunst, eine bis dahin unbekannte architektonische Bedeutung, da sie Plätze oder Räume gestalten und formen. Die Malerei, eigentlich eine Kunst der Fläche, entwickelt in den Deckengemälden einen zunächst vor allem durch architektonische Formen geprägten Illusionismus, indem die Maler die gebauten Räume durch täuschend ›echt‹ wirkende *Scheinarchitekturen (K, Seite 277)* erhöhen und erweitern.

Freude an Prachtentfaltung durch Verwendung wertvoller Materialien, wie polierter oder imitierter Marmor, von vergoldetem und versilbertem Stuck, von kostbarem Gerät, Erzeugung von Lichtreflexen durch raffiniert angeordnete Fenster sind weitere Kennzeichen der Barockkunst. Im Schloßbau, dem Kirchenbau gleichrangig, wird diese Freude am Kostbaren gesteigert durch reiches Mobiliar, durch spiegelndes Parkett und glitzernde Spiegelwände.

Vor allem aber ist der Barock eine Kunst der Phantasie. Gewiß gibt es

Bewegung, Licht und Schatten. *Andreas Schlüter modellierte die freistehende Bronzeplastik des Großen Kurfürsten. Den Guß besorgte 1707/08 J. Jacoby. Berlin, Schloß Charlottenburg, Ehrenhof.*

in den Bildern der barocken Maler und Bildhauer eine sogleich erkennbare Beziehung zu der uns geläufigen Erfahrung der natürlichen Umwelt, gewiß ist barocke Kunst allenfalls im Ornament eine abstrakte Kunst. Aber selbst bei den »Realisten« des 17. Jahrhunderts zeigt sich deutlich die Kraft der Verwandlung, die ohne Phantasie undenkbar ist. Sie belebt die antiken Mythologien und einen Wunderglauben, der Himmel und Erde zu umfassen vermag. Daraus erwächst eine illusionistische Kunst, die auch übersinnliche Ereignisse und seelische Erfahrungen sinnlich erfaßbar werden läßt.
Egid Qurin Asams heiliger Ritter Georg in Weltenburg, Paul Trogers

Fresko »Die Aufnahme Mariens in den Himmel« im Dom zu Brixen sind hierfür charakteristische Beispiele. Beide Kunstwerke bilden keine Situationen oder Ereignisse ab, die auch das leibliche Auge zu sehen vermöchte. Sie machen vielmehr in hinreißender Weise ein inneres Erleben sichtbar, das zuvor nur die Vorstellungskraft visionär wahrnehmen konnte: Geistige Ereignisse werden durch das Kunstwerk dem Auge erschlossen und sinnlich nachvollziehbar.

Kunst und Künstler im Zeitalter von Gegenreformation und Absolutismus

Hauptauftraggeber der Künstler waren in der Barockzeit Kirche und Fürsten. Die sogenannte »Gegenreformation« bildet für die Entstehung des Barockstils gewiß eine Voraussetzung, nicht aber eine Bedingung und sicherlich keine Ursache. Bis etwa 1670 hatte die kirchliche Kunst einen strengen, zwar großzügigen, aber unlebendigen Charakter. Erst dann füllte sich alles mit Leben und mit festlichfreudiger Bewegung. Man darf deshalb wie Peter Meyer im Barockstil den »Ausdruck einer gefestigten Autorität« sehen, »die nicht mehr um Anerkennung kämpft, sondern sich breit entfaltet«.
Auch die staatlichen Mächte begannen in steigendem Maße für sich zu werben, wobei sich ideelle, politische und wirtschaftliche Interessen mit künstlerischen Bestrebungen verbanden. Die Kunstpflege der Fürsten ging nicht nur auf Betonung der eigenen Macht und Befriedigung der eigenen Bedürfnisse aus, sondern förderte in merkantilistischem Geiste das gehobene Handwerk, bodenständige Werkstätten und Manufakturen. So unterstützten die Äbte von Wessobrunn die Ausbildung ihrer Klosteruntertanen zu den in ganz Europa gerühmten, geschätzten und beschäftigten *Stukkateuren (K, Seite* 229). Die Fürstbischöfe von Würzburg gaben für ihre Residenz 1 564 000 Gulden aus, der baierische Kurfürst Max Emmanuel für seine großen Lustschlösser acht Millionen Gulden. Von den süddeutschen Stiften steht Melk mit 900 000 Gulden Bauausgaben an erster Stelle, es folgen Klosterneuburg bei Wien mit 700 000 Gulden und Ottobeuren mit 576 000 Gulden. Für alle die großen und kleineren Bauherren gilt, was Lothar Franz von Schönborn einmal über die eigene Bauleidenschaft sagte: »Das Bauen ist eine Lust und kostet viel Geld, aber einem jeden Narren seine eigene Kappe gefällt«, und ein andermal: »Wie könnten die Künstler und anderen Handwerksleute, die doch Gott auf dieser Erde haben will, bestehen, wenn er nicht zugleich Narren werden ließe, die sie ernähren täten.«

Höfische Kultur und Handwerk *konnten ohneeinander nicht leben. Drei Beispiele für künstlerisch-handwerkliche Vollendung der Zeit: Münzschrank aus Nußbaum (oben links), Kabinettschrank (oben rechts), Rollbüro für Ludwig XV. aus der Werkstatt von Oeben und Riesener (unten).*

Kirchenbaukunst der Barockzeit
Fassadengestaltung

Grüssau/Schlesien,
Klosterkiche 1728–1738
Zweiturmfassade

Würzburg, Neumünsterkirche 1716
Konkave Fassade mit zweiseitigem
Treppenaufgang

Fulda, Dom 1704–1712
Doppelturmfassade
mit Kapellenanbauten

Kirchen- und Profanbaukunst der Barockzeit

Fürstenfeldbruck,
Klosterkirche 1741

Schwäbisch Hall, Rathaus 1730–1735

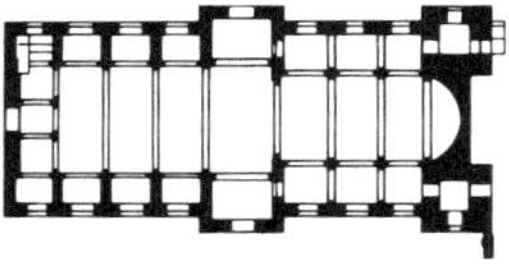

Obermarchtal, Klosterkirche 1682–1701
Strenggegliedertes Langhaus
mit Rundbogenarkaden

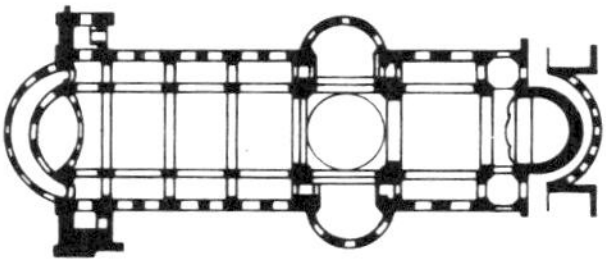

Weingarten, Klosterkirche 1715–1724
Langhaus mit Kuppel

Nach überstandener Kriegs- und Türkengefahr: Barockkunst in Deutschland

Von einem »deutschen« Barock kann erst gegen Ende des 17. Jahrhunderts gesprochen werden. Allzu schwer lastete auf Deutschland noch der Dreißigjährige Krieg, nicht nur in materieller Hinsicht, sondern auch durch die Unsicherheit, wie die politische und religiöse Entscheidung fallen werde. Erst in der zweiten Hälfte des 17. Jahrhunderts begannen sich die Verhältnisse zu klären, und als es 1683 beim siegreichen Entsatz von Wien gelang, Deutschland wenn auch nur für kurze Zeit zu einen, als in den folgenden Jahren die Türkengefahr gebannt war, erfolgte damit auch ein künstlerischer Aufschwung in einer Stärke, wie ihn das Land seit der Reformationszeit nicht mehr erlebt hatte, und der nach seinem Abklingen in der Mitte des 18. Jahrhunderts auf dem Gebiet der bildenden Kunst nie wieder erreicht wurde. Während sich in Frankreich alle Macht und damit auch die künstlerischen Aktivitäten im wesentlichen auf Paris und Versailles konzentrierten, lag in der politischen Zersplitterung Deutschlands für die Künste eine große Chance. Hier gab es nicht nur Wien als die *eine* Hauptstadt des Reiches! Jeder Fürst versammelte um sich einen Kreis von Künstlern, der ihm eine Nachahmung des französischen Vorbildes ermöglichen sollte. So entstehen die großangelegten Residenzen in Karlsruhe, Stuttgart und Würzburg. In Sachsen verband August der Starke ausgeprägtes Herrscherbewußtsein mit einer phantastischen Liebe zur Pracht, die sich mit Kunstverständnis und einem erlesenen Geschmack vereinte. In Berlin entstanden am Anfang des 18. Jahrhunderts die großartige Schloßanlage durch Andreas Schlüter für den ersten König von Preußen und später unter Friedrich II., dem Großen, das reiche Kunstleben in Potsdam. In Baiern verband sich höfischer Prunk mit einer tiefen Frömmigkeit. Hier fanden sich Herrscher und Volk in dem Bemühen, der Verehrung des Heiligen und der Heiligen in reichen Stiftungen und kostbaren Spenden Ausdruck zu verleihen. Zudem kam die barocke Kunst der angestammten Freude des Altbaiern an Farbe und Festen, an Umzügen und am Theaterspiel entgegen. Diese schon südlich anmutende Vorstellungskraft verbindet sich im fränkischen Barock mit dem tieferen Sinn des Nordens.

Architektonische Meisterleistungen

Bis um 1700 blieben nicht nur das Bauen, sondern ebenso die Malerei, die Bildhauerkunst und die Stuckarbeiten vorwiegend eine Sache vor

Barocker Theaterraum und Bühne.
Opernaufführung im Teatro Regio, Turin.
Bühnenbild von Giuseppe Bibiena.

allem der italienischen, in geringerem Umfang auch der französischen und der niederländischen Künstler, die hier einwanderten. Dann traten zunehmend Deutsche auf den Plan, von denen wenigstens die in Prag und Bamberg tätige Familie Dientzenhofer, Balthasar Neumann, Johann Michael Fischer und Domenikus Zimmermann als die wichtigsten Baumeister und Architekten genannt werden müssen.
Der Kirchenbau der Zeit hat seine reichsten und reifsten Leistungen in den katholisch verbliebenen Ländern Süddeutschlands hervorgebracht. Anliegen aller Baumeister war die Verschmelzung der Raumteile, die mit ihren geschwungenen Wänden, gebrochenen *Gesimsen*

Barockbauten Deutschlands

Schloßanlagen der Barockzeit

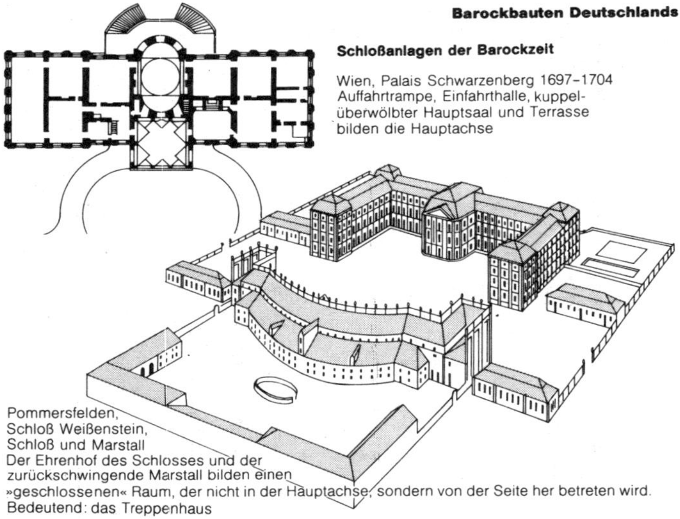

Wien, Palais Schwarzenberg 1697–1704
Auffahrtrampe, Einfahrthalle, kuppelüberwölbter Hauptsaal und Terrasse bilden die Hauptachse

Pommersfelden, Schloß Weißenstein, Schloß und Marstall
Der Ehrenhof des Schlosses und der zurückschwingende Marstall bilden einen »geschlossenen« Raum, der nicht in der Hauptachse, sondern von der Seite her betreten wird. Bedeutend: das Treppenhaus

(K, Seite 227) und ovalen Kuppeln dem Auge immer neue Blickerlebnisse gewähren. Dies um so mehr, da über diese komplizierte Architektur ein wahrer Rausch an Farben und Formen ausgeschüttet wird, mit goldglänzenden Kapitellen, marmorprunkenden Säulen und *Pilastern (K, Seite 228)*, mit Blumengehängen, Engelputten und den Gestalten der Heiligen an Altären und Kanzeln sowie mit den Heiligenscharen der Deckengemälde, die mit kühnen Architekturkulissen oder Himmelsblicken die abschließenden Gewölbe optisch ins Unendliche aufreißen. Einige hervorragende Beispiele des deutschen Kirchenbaues dieser Zeit sind die Wallfahrtskirchen Kappel bei Waldsassen von Georg Dientzenhofer, erbaut 1685–1689, Vierzehnheiligen von Balthasar Neumann, begonnen 1742, und Steinhausen von Domenikus Zimmermann, erbaut 1727–1733; die Stiftskirchen von Michael Beer in Kempten (1652–1666), Stift Haug in Würzburg (1670–1691) von Antonio Petrini, die Dreifaltigkeitskirche in Salzburg von Johann Bernhard Fischer von Erlach, 1694–1702 erbaut, die Theatinerkirche in München, begonnen 1663 von Agostino Barelli, 1690 durch Enrico Zuccalli vollendet, die Kirche Sankt Nikolaus auf der Kleinseite in Prag, 1701–1711 und 1739–1752 von Christoph und Kilian Ignaz Dientzenhofer erbaut.

Einem ähnlichen Bedürfnis nach Prunk und Pracht folgen die Schloß-

Barockbauten Deutschlands

Kirchenbaukunst der Barockzeit

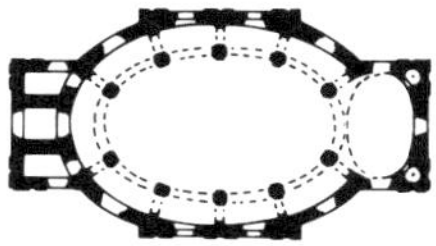

Steinhausen, Wallfahrtskirche 1728–1733
Zweischaliger Zentralbau

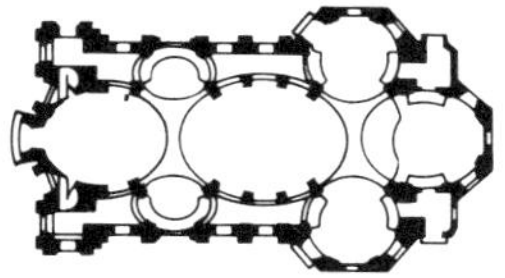

Vierzehnheiligen, Wallfahrtskirche 1743–1772
Zweischaliger, aus Ovalen aufgebauter Langhausbau

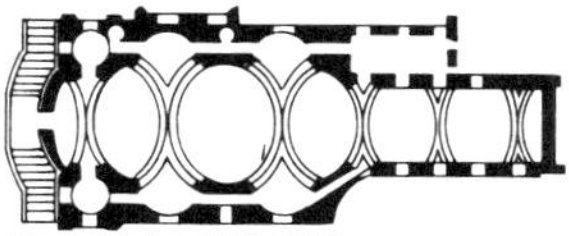

Banz, Klosterkirche 1710–1713
Elliptische Kuppelgewölbe, sich überschneidend

Kappel, Dreifaltigkeitskirche

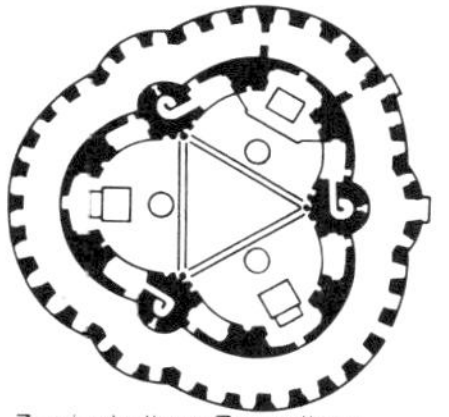

Zweischaliger Zentralbau über abgerundetem Dreieck

bauten. Der Wille, sie schon in ihren äußeren Dimensionen zu Abbildern der fürstlichen Macht werden zu lassen, führte dazu, daß sie am Rande oder außerhalb der beengenden Stadtgrenzen entstehen, so die Schlösser Nymphenburg bei München, Ludwigsburg bei Stuttgart, oder daß ganze Städte auf sie hin orientiert werden wie etwa Mannheim oder Karlsruhe. Nach dem Vorbild von Versailles ordnen sich die Schlösser vielfach weite Teile des Umlandes unter, das in den weitläufigen, streng geordneten Parkanlagen zu einer Kunstlandschaft verwandelt wird. In den zahllosen Sälen, Zimmern und langfluchtenden Korridoren der Schlösser entfalten Malerei und Plastik ein farbiges Gepränge, das sich von einer pathetischen Feierlichkeit in der Frühzeit auf die verspielte Leichtigkeit des Rokoko hin entwickelt.
Zu den überragenden Leistungen der profanen Baukunst gerade in Deutschland zählen die Treppenhäuser der Schlösser, etwa in Pommersfelden bei Bamberg, das Lucas von Hildebrandt nach einer Idee des Bauherrn, des Kurfürsten Lothar Franz von Schönborn zu gestalten hatte. Den Höhepunkt bilden die Treppenhäuser in Schloß Bruchsal, in Brühl und vor allem in der Residenz zu Würzburg, sie alle erdacht und gebaut von Balthasar Neumann. Er hatte auch einen grandiosen Treppensaal für die kaiserliche Hofburg in Wien geplant, der alle denkbaren Dimensionen übertreffen sollte. Die Verwirklichung

dieses genialen Baugedankens mußte wegen der kriegerischen Auseinandersetzungen zwischen Österreich und Preußen unterbleiben.

Plastik und Malerei für Fürsten und Kirche

Die deutsche Barockplastik steht wie die Malerei überwiegend im Dienste von Kirchen- und Schloßbau. Nur selten gewinnt sie so viel Eigenständigkeit wie in dem Reiterstandbild des Großen Kurfürsten von Andreas Schlüter, geschaffen 1697–1703. Die Bildhauer, oft zugleich *Stukkateure* *(K, Seite 229)*, die den bildsamen Gips auch zum Werkstoff großfiguriger Arbeiten benutzten, variieren immer wieder das Thema: die in Bewegung sich entfaltende, heiter diesseitige oder in religiöser Verzückung sich auslebende Gestalt. Hier sind vor allem die Brüder Asam, dann Ignaz Günther in Baiern, Franz Xaver Feuchtmayr in Schwaben, und Balthasar Permoser zu nennen, der aus Baiern stammte, nach einem Aufenthalt in Italien und in Österreich nach Dresden kam, um im Auftrag August des Starken die Plastik des Zwingers in Dresden zu schafffen.
Die Malerei findet ihre Aufgaben zumeist im Rahmen des barocken Gesamtkunstwerks. An der großartigen Entfaltung des Tafelbildes, die sich im übrigen Europa mit Namen wie Rubens, van Dyck, Rembrandt oder Velásquez verbindet, hatte Deutschland keinen Anteil. Lediglich in der Frühzeit hatte Adam Elsheimer (1578–1610), der aus Frankfurt am Main stammte, Teil an dieser Entwicklung. Bezeichnenderweise ging er nach Rom, wo er jung verstorben ist.
Die schönste Frucht der Barockmalerei in Deutschland war das Deckenfresko *(K, Seite 227)*, das von den Italienern übernommen und seit Beginn des 18. Jahrhunderts neben diesen zunehmend von deutschen Künstlern geschaffen und geprägt wird. Mit raumsprengenden Visionen auf Kirchengewölben oder mit hinreißenden Allegorien in den Prunksälen der Schlösser feiert auf diesen riesigen Deckengemälden die Illusion Triumphe. Die Kunst der Maler Johann Michael Rottmayr, etwa in Schloß Pommersfelden, Matthäus Günther und Johann Zick und vieler anderer gipfelt in den Arbeiten des Cosmas Damian Asam, z.B. in Weltenburg und Weingarten. Die Freskokunst in Deutschland findet ihren strahlenden Höhepunkt mit einem Werk von internationaler Bedeutung: 1750 beruft der Fürstbischof von Würzburg den venezianischen Maler Giovanni Battista Tiepolo, daß er den weitgespannten, von Balthasar Neumann kühn gewölbten Räumen des Kaisersaals und des Treppenhauses seiner Residenz durch die Kunst seiner Malerei die Vollendung schenke. Hier malt Tiepolo ne-

ben den historischen Geschehnissen aus der Geschichte des Fürstbistums im Kaisersaal im Treppenhaus des Schlosses die weltumspannende Allegorie der vier Erdteile, die Europa huldigen, dem als Land der Kultur und Kunst auch Apoll sich zuwendet. Der zarte, silbrige Farbton der Fresken, die heitere Atmosphäre der Allegorie wie der historischen Bilder zeigt, daß wir hier an der Schwelle zum Rokoko stehen. Ähnlich hat auch Cosmas Damian Asam von der anfänglichen Schwere und Dichte der Farben die Malerei in eine lichtere Welt hinübergeführt.

Höhepunkt, Vollendung und der Übergang zum Rokoko

Fast gleichzeitig werden um 1745 die drei Kirchenbauten begonnen, deren Dreiklang die barocke Baukunst in Deutschland in einem machtvollen Akkord beschließen: Die Abteikirche Ottobeuren, nach einer Planänderung seit 1748 von Johann Michael Fischer (1692–1766) ausgeführt, die Wallfahrtskirche in der Wies, 1745–1754 von Domenikus Zimmermann (1685–1766) errichtet, und die Abteikirche Neresheim, gebaut 1745–1792 nach den Plänen Balthasar Neumanns (1687–1753), die er 1745 gezeichnet hatte.
Die Abteikirche Ottobeuren, ein basilikaler Raum mit mächtiger Vierungskuppel, die sich genau über der Mitte des Langhauses wölbt, unterscheidet sich in zwei wichtigen Punkten von dem in anderen Bauten Baierns und Schwabens geltenden Ideal: Im Grundriß finden sich statt der fließenden Übergänge einfachere und strengere geometrische Linien; ebenso ist die Grenze zwischen Wand und Decke durch ein fortlaufendes Gesims gebildet, so daß sich in ihm der Grundriß klar widerspiegelt. Die Architektur ist also im Begriff, sich wieder den Traditionen der klassischen Renaissance zuzuwenden. Der Bau strahlt bei aller Pracht der Ausstattung eine majestätische Ruhe aus.
Das Gegenteil scheint in der Wieskirche Zimmermanns beabsichtigt. Der Hauptraum bildet hier ein Oval, über dem acht freistehende Doppelsäulen ein Spiegelgewölbe tragen, sie sind durch einen schmalen Umgang von der Außenwand getrennt. Im Osten schließt sich ein tiefer Altarraum an, dessen Außenmauern durch Emporen verschleiert sind. Dieser Auflösung des Raumes entspricht die üppige Dekoration in den reichsten *Rocaille*formen *(K, Seite 228)*.
Zimmermanns Ovale und Fischers Synthese von Langhaus und Zentralbau sind die Parallelen zu Neumanns Raumschöpfung in Neresheim. In seiner majestätischen Erscheinung, in der sich in ruhigem Ebenmaß dennoch stetig steigernden Abfolge der Kuppeln hin zur

mächtigen Dominante, nämlich der von monumentalen Freisäulen getragenen Vierung, die einem in sich selbst ruhenden Tempel gleicht, erklingt diese Architektur wie eine Fuge. Neumanns Zeitgenossen waren ja auch die Tonschöpfer Händel und Bach!
Das Eigentümliche dieser Architektur liegt in der Verbindung einer einheitlichen Raumbildung mit dem bewegten Rhythmus der Wandarchitektur, in der genialen Verknüpfung von Wandpfeiler- und Emporenkirche mit dem Zentralbaugedanken. Schon der Verfasser des berühmten »Handbuch der deutschen Kunstdenkmäler« Georg Dehio sagte deshalb, lange bevor die Barockbaukunst allgemeine Anerkennung und gerechte Würdigung erfahren hatte: »Die Barockarchitektur nicht nur Deutschlands, sondern Europas, hat weniges, was sich mit ihm [d.h. Balthasar Neumann] messen kann. Der Vater des Barock, Michelangelo, hat in Neumann einen kongenialen Enkel gefunden, ebenso in der Größe der Konzeption, wie in der Nichtachtung der gewohnten Harmoniegesetze.«

Literatur

Adama van Scheltema, Frederic: Die Kunst des Barock, Stuttgart 1958
Bauer, Hermann: Der Himmel im Rokoko. Das Fresko im deutschen Kirchenraum des 18. Jahrhunderts, Regensburg 1965
Feulner, Adolf: Skulptur und Malerei des 18. Jahrhunderts in Deutschland, Handbuch für Kunstwissenschaft, Wildpark/Potsdam 1929
Feulner, Adolf/Müller, Theodor: Geschichte der deutschen Plastik, München 1949
Hager, Werner: Barockarchitektur, Baden-Baden 1968
Hubala, Erich: Die Kunst des 17. Jahrhunderts, Berlin 1970
Kerber, Otto: Von Bramante bis Lucas von Hildebrandt, Stuttgart 1947
Kömstedt, Rudolf: Von Bauten und Baumeistern des fränkischen Barocks, Berlin 1963
Lieb, Norbert: Barockkirchen zwischen Donau und Alpen, München 1958
Schönberger, Arno: Deutsche Plastik des Barock, Königstein/Ts. 1963
Swoboda, Karl Maria (Hrsg.): Barock in Böhmen, München 1964
Tintelnot, Hans: Die barocke Freskomalerei in Deutschland, München 1951
Wölfflin, Heinrich: Renaissance und Barock, München 1926

GERHARD VON HINTEN

Deutsche Barockliteratur

Krieg und absolutistischer Hof als Welterfahrung – Der gelehrte Dichter im Dienst des Fürsten – Vanitas und Fortuna gegen Constantia und Vernunft – Die Welt als Zeichen: Emblem und Allegorie – Buch von der Deutschen Poeterey – Sprachgesellschaften – Barocke Lyrik – Trauerspiel als Märtyrerdrama oder Staatstragödie – Komödie als bürgerliches Rüpelspiel – Verklärte Welt oder kritischer Spiegel: Staatsroman, Schäferroman und Schelmenroman.

Ein Ungeheuer mit Pferdeleib und Bärenkopf stampft mit groben Hufen durch das Land, seine Zähne zermalmen heiliges Gerät und goldene Ketten. Aus seiner rechten Schulter wächst ein menschlicher Arm, der drohend den noch unversehrten Städten einen Speer und brennende Fackeln entgegenschüttelt. Voll Entsetzen fliehen vor ihm die Menschen, ein Landsknecht stürzt zu Boden, todwund, Weinberge und Felder werden verwüstet unter seinen Tritten, und der garstige Schwanz des Untiers peitscht seuchenbringende Nattern und Kröten aus dem Boden. Hinter ihm brennen am Horizont Dörfer, aus denen die Bewohner ihre wenige Habe retten. Auf dem freien Feld, in das sich eine Frau mit ihrem Kind geflüchtet hat, fordert die Knochenhand des Todes das letzte, das den Menschen in ihrem Elend bleibt: das nackte Leben.
So zeigt ein anonymes Flugblatt aus der Zeit des Dreißigjährigen Krieges, wie die Menschen die Kriegsfurie erfahren haben, wie grundlegend sie davon berührt wurden. Dies gilt ganz besonders für jene, die schreibend versuchten, diese Welt einzufangen und zu deuten: die Dichter der Barockzeit. Aber nicht nur die direkten Erfahrungen, sondern auch die politischen und gesellschaftlichen Veränderungen in der Folge dieses Krieges sind wichtige Voraussetzungen dieser Dichtung.

Politisch-soziale Bedingungen für Dichter und Dichtung

Als der Krieg 1648 ein Ende fand, hatte Deutschland ein Drittel seiner Bevölkerung verloren, die wirtschaftliche Entwicklung in den Städten war um Jahrzehnte zurückgeworfen, und weite Landstriche waren verwüstet. Der Versuch der Gegenreformation und der kaiserlichen Zen-

Der Krieg, eine Bestie.
Alles verschlingend, verheerend und abscheulich – so empfanden die Zeitgenossen Kriegshandlungen und Kriegsfolgen.

tralgewalt, die alte religiöse Einheit wiederherzustellen, war gescheitert. Weder Katholiken noch Protestanten hatten Erfolge erzielt, dafür hatten die anderen europäischen Nationen auf Kosten Deutschlands ihre Macht ausgebaut. Frankreich, das Richelieu und Mazarin in einen absolutistischen Staat umgeformt hatten, wurde politisches, wirtschaftliches und kulturelles Vorbild. In Deutschland waren die partikularen Mächte, d. h. die Fürsten Sieger geblieben. Sie vermochten um so leichter diesem Beispiel zu folgen, als der Krieg Bauern und Bürger besonders belastet hatte, und der Landadel, der ja von den Bauern lebte, weitgehend verarmt war. So boten insbesondere der absolutisti-

sche Hof und zum Teil die reichen Patriziergeschlechter der Städte Aufstiegschancen für an Universitäten und Gymnasien ausgebildete Bürgerliche und Adelige, denn die breite Masse des Volkes konnte weder schreiben noch lesen. An diesem sozialen Ort entstand die barocke Dichtergeneration, die in fürstlichen oder städtischen Diensten als Juristen oder Sekretäre tätig war.
Die meisten Dichter hatten Europa durchreist, kannten Frankreich, Holland und Italien, Paul Fleming war sogar nach Moskau und nach Persien gekommen. Sie beherrschten mehrere Sprachen, lasen italienische, französische, spanische und englische Literatur, die lateinische Sprache und die »Klassiker« waren ihnen wohlvertraut, und sie übersetzten viele dieser Werke. Sie waren eng auf den kleinstaatlichen Hof bezogen, der Fürst unterstützte die Dichter als Mäzen, und diese wiederum widmeten ihre Werke häufig dem adeligen Gönner. Damit diente die Dichtkunst gleich der Baukunst und der Musik dem repräsentativen Bedürfnis des absolutistischen Hofes. Das prunkvolle Äußere der Gebäude und Feste, die Verklärung des Fürsten im Gedicht und Theaterstück dokumentierten den Abstand zu den Untertanen. Zwar verhinderte die kleinstaatliche Zersplitterung Deutschlands die Herausbildung kultureller Zentren wie Paris oder London, dafür bildeten sich literarische Inseln, verteilt über den deutschsprachigen Raum, die teils katholisch, teils protestantisch geprägt waren. Allen voran stand Schlesien – kein anderes Territorium stellte so viele Dichter wie dieses von Wien aus beherrschte Land. Dies belegen klingende Namen wie Martin Opitz, Andreas Gryphius, Daniel Caspar von Lohenstein, Christian Hofmann von Hofmannswaldau, Angelus Silesius, um nur die wichtigsten zu nennen.

Was ist Barock? Grundbegriffe und Leitvorstellungen

Das Zeitalter des Barock (etwa von 1600 bis 1720) vereinigte als letzte große Kunstepoche noch einmal verschiedene Kunstformen zu einem Ganzen im Dienst des absolutistischen Fürsten. Im katholischen Raum Südwesteuropas nahm sie ihren Ursprung. Deshalb wird sie häufig als Kunst der Gegenreformation bezeichnet; schließlich drückte sie großen Teilen Europas ihren Stempel auf. In der Literatur löste die Barockdichtung die Epoche der Renaissance ab und führte Anfang des 17. Jahrhunderts in das Zeitalter der Aufklärung über.
Das Wort »barock« leitet sich aus dem Portugiesischen ab, »parola barroca« nannten dort die Juweliere eine unregelmäßig geformte Perle. Auf die Kunst übertragen steht dieser Begriff für etwas Unregelmäßi-

Paul Gerhardt
Danklied für den Frieden 1648

Gott Lob! nun ist erschollen
Das edle Fried- und Freudenswort,
Daß nunmehr ruhen sollen
Die Spieß und Schwerter und
ihr Mord.
Wohlauf und nimm nun wieder
Dein Saitenspiel hervor,
O Deutschland, und sing Lieder
Im hohen vollen Chor.
Erhebe dein Gemüte
Zu deinem Gott und sprich:
Herr, deine Gnad und Güte
Bleibt dennoch ewiglich!

Wir haben nichts verdienet
Als schwere Straf und großen Zorn,
Weil stets noch bei uns grünet
Der freche, schnöde Sündendorn.
Wir sind fürwahr geschlagen
Mit harter, scharfer Rut,
Und dennoch muß man fragen:
Wer ist, der Buße tut?
Wir sind und bleiben böse,
Gott ist und bleibet treu,
Hilft, daß sich bei uns löse
Der Krieg und sein Geschrei.

Sei tausendmal willkommen,
Du teure, werte Friedensgab!
Itzt sehn wir, was für Frommen
Dein Bei-uns-wohnen in sich hab;
In dir hat Gott versenket
All unser Glück und Heil;
Wer dich betrübt und kränket,
Der drückt ihm selbst den Pfeil
Des Herzleids in das Herze
Und löscht aus Unverstand
Die goldne Freudenkerze
Mit seiner eignen Hand.

Das drückt uns niemand besser
In unser Seel und Herz hinein
Als ihr zerstörten Schlösser
Und Städte voller Schutt und
Stein, Ihr vormals schönen Felder
Mit frischer Saat bestreut,
Itzt aber lauter Wälder
und dürre wüste Heid,
Ihr Gräber voller Leichen
Und blutgen Heldenschweiß,
Der Helden, derengleichen
Auf Erden man nicht weiß.

Ach, laß dich doch erwecken,
Wach auf, wach auf, du harte Welt,
Eh als das harte Schrecken
Dich schnell und plötzlich überfällt!
Wer aber Christum liebet,
Sei unerschrocknes Muts,

Der Friede, den Er gibet,
Bedeutet alles Guts.
Er will die Lehre geben:
Das Ende naht herzu,
Da sollt ihr bei Gott leben
In ewgem Fried und Ruh.

ges, Verschnörkeltes, also von der Regel Abweichendes. In diesem abwertenden Sinne wurde der Begriff zuerst von Johann Joachim Winckelmann (1717–1768) verwendet für Verzierungen, Schnörkel und Muschelwerk in der Baukunst. Hinter dieser Abwertung steht ein klassisches Kunstideal, das nur das Klare und Einfache als schön ansieht. Erst seit rund achtzig Jahren versteht man barocke Kunst in ihrem geschichtlichen Zusammenhang und als einen eigenständigen Wert. Diese unterschiedlichen Bewertungen zeigen, daß der Zugang zu jener Dichtkunst nicht leicht ist. Deshalb sollen zunächst einige Leitvorstellungen und Grundbegriffe geklärt werden.
Den heutigen Leser befremdet, daß ein persönliches Erleben in der Barockliteratur zurückgedrängt ist oder weitgehend fehlt. In dem *Sonett* *(K, Seite 248)* »Menschliches Elende« von Andreas Gryphius (1616–1664) wird die Klage über das persönlich Erlebte durch rhetorische Mittel stark überformt:

»Was sind wir Menschen doch! Ein Wohnhaus grimmer Schmerzen,
Ein Ball des falschen Glücks, ein Irrlicht dieser Zeit,
Ein Schauplatz herber Angst, besetzt mit scharfem Leid,
Ein bald verschmelzter Schnee und abgebrannte Kerzen.

Dies Leben fleucht davon wie ein Geschwätz und Scherzen.
Die vor uns abgelegt des schwachen Leibes Kleid
Und in das Totenbuch der großen Sterblichkeit
Längst eingeschrieben sind, sind uns aus Sinn und Herzen.

Gleich wie ein eitel Traum leicht aus der Acht hinfällt
Und wie ein Strom verscheußt, den keine Macht aufhält,
So muß auch unser Nam, Lob, Ehr und Ruhm verschwinden.

Was itzund Atem holt, muß mit der Luft entfliehn,
Was nach uns kommen wird, wird uns ins Grab nachziehn.
Was sag ich? Wir vergehn wie Rauch von starken Winden.«

Ein Zentralbegriff (hier Menschsein) wird mit gesuchten und konstruierten Bildern (z. B. ein Wohnhaus grimmer Schmerzen, ein Ball des falschen Glücks) erläutert und verfremdet. Nicht das Erlebnis bestimmt das Gedicht, sondern es wird nach festen Regeln aufgebaut, es wird konstruiert. Die Grundhaltung Andreas Gryphius' ist pessimistisch, und dies ist typisch für die vom Krieg erschütterte Zeit. Vergänglichkeit, »Eitelkeit«, d.h. leerer Schein (der lateinische Begriff lautet »vanitas«), kennzeichnen das menschliche Streben, denn in der

Sonett

Sehr beliebt bei den barocken Dichtern war das Sonett. Es besteht aus 14 Zeilen, die sich in vier Strophen gliedern. Auf zwei Vierzeiler, auch Quartette genannt, folgen nach einem deutlichen Einschnitt zwei Dreizeiler oder Terzette. Das Reimschema ist abba abba cdc dcd. Petrus de Viena (1190–1249), der italienische Kanzler Kaiser Friedrichs II., gilt als Schöpfer dieser Gedichtform.

Welt regiert Fortuna, und auf ihrem Glücksrad erfahren die Menschen wahllos unverhofften Aufstieg und Erfolg oder Elend, Not und Tod. Wie ein Spielball ist der Mensch den Ereignissen ausgeliefert, von blinden Leidenschaften getrieben, bleibt er ohne Orientierung.
Trost und Halt findet er jedoch in der stoischen Lehre der Antike, deren wichtigste Vertreter Platon und Seneca waren. Seneca (4–65 n. Chr.) hatte als Zeitgenosse des skrupellosen Kaisers Nero das Morden und die Greuel in der Stadt Rom erlebt, und seine Lehre wurde der Barockzeit zur Richtschnur: Der Mensch müsse seine Leidenschaften, welche die Ursache der Not und Greuel seien, überwinden, müsse sich selbst treu bleiben und seinen unerschütterlichen Kern suchen. Diese innere, unveränderliche Ruhe (lat.: constantia) und die Hoffnung auf die göttliche Gerechtigkeit nach dem Tode halfen dem Menschen, in der von Fortuna beherrschten Welt zu bestehen.

Weltdeutung nach Maßgabe von Vernunft und Harmonie

Als weitere Kraft, das Chaos, den Schein der Welt zu durchdringen und den Sinn freizulegen, wurde die Vernunft angesehen: »Gewißlich ist eine Zusammenstimmung aller Sachen in diesem gantzen Erdkreiß/ und vergleichet sich / der sichtbare Himmel mit der Erden / der Mensch mit der gantzen Welt«, schreibt Georg Philipp Harsdörffer (1607–1658). Man glaubte an eine Harmonie von Makro- und Mikrokosmos, der Mensch selbst wird zum Abbild der Natur und des Alls, und diese wiederum seien Zeichen Gottes. In der Ordnung der Zahlen, im Lauf der Gestirne, in der Mischung der Elemente zeigen sich Entsprechungen zum Wesen Gottes. So fand René Descartes feste Regeln in der Geometrie, Leibniz und Newton entwickelten die Infinitesimalrechnung, Kepler beschrieb die Bewegungen der Planeten und deutete sie als eine göttliche Ordnung, eng verknüpft mit der Musik: »Es sind

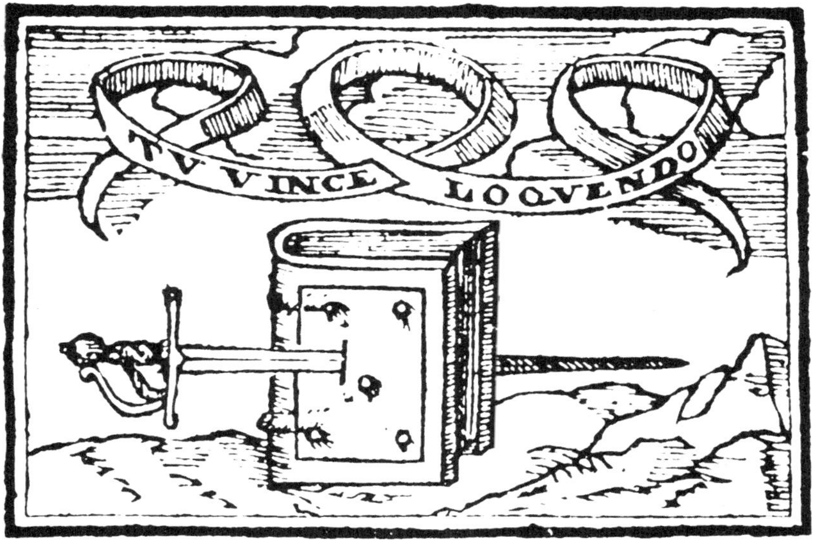

Emblem gegen den Krieg. *Motto: »Du wirst durch Sprechen siegen«; Bild: von einem Schwert durchstoßenes Buch; Interpretation: Siege sollten nicht mit Waffen, sondern durch den Verstand errungen werden. Dazu Seite 302.*

also die Himmelbewegungen nichts anderes als eine fortwährende mehrstimmige Musik [durch den Verstand, nicht das Ohr faßbar, ...]. Es ist daher nicht verwunderlich, daß der Mensch, der Nachahmer seines Schöpfers, endlich die Kunst des mehrstimmigen Gesangs, die den Alten unbekannt war, entdeckt hat.«

Angelus Silesius sieht in den drei »Grundelementen« Schwefel, Salz und Quecksilber eine unmittelbare Entsprechung zur Dreifaltigkeit Gottes: »Die Dreyeinigkeit in der Natur – Daß Gott Dreyeinig ist / zeigt dir ein jedes Kraut / Da Schwefel / Salz / Mercur in einem wird geschaut.« Das Erkennen dieser göttlichen Harmonie in der Welt – hierzu verhalf die Vernunft – und das sich Einordnen des Menschen führte zur Tugend.

In diesem Zusammenhang erst wird das *Emblem (K, Seite 302)* oder Sinnbild, das sehr häufig in der Barockdichtung verwandt wird, für uns verständlich. Hinter den Abläufen und Vorgängen in der Natur sah die deutende Vernunft grundlegende Wahrheiten verborgen. Der Vorgang, daß Fliegen und Falter von dem Licht einer brennenden

Kerze angezogen werden und in den Flammen umkommen, galt als Beispiel für blinde Leidenschaft, die ins Verderben führt. So glaubte man, daß die Winterstarre des Frosches und sein Lebendigwerden im Frühjahr die christliche Vorstellung vom Tod und der Wiederauferstehung des Menschen widerspiegele. Daß das Krokodil Tränen über die Beute vergieße, deutete man als Sinnbild für menschliche Falschheit. Neben dem Emblem war auch die Allegorie bei den Dichtern der Barockzeit sehr beliebt. Dazu kehren wir zu unserem Eingangsbild zurück. Dort wird dem Betrachter die Vorstellung von Krieg mit Hilfe einer Allegorie vermittelt. Ein greifbares, konkretes Wesen, hier ein Ungeheuer, zusammengestellt aus Pferd, Mensch, Bär usw., veranschaulicht die Vorstellung, die abstrakte Idee. Noch heute wird die Idee der Gerechtigkeit durch eine Frau mit verbundenen Augen und der Waage in der Hand allegorisch dargestellt. Emblematisches und allegorisches Darstellen sind also ähnliche Verfahren, nur ist beim Emblem der anschauliche Teil als wirklich, als in der Natur vorkommend gedacht (z. B. das weinende Krokodil), bei der Allegorie ist dieser Teil dagegen vom Künstler erfunden.

Am Anfang stand die Theorie: Martin Opitz und die Sprachgesellschaften

Das Programm für die Barockdichtung lieferte ein Büchlein von etwa fünfzig Seiten, das 1624 in knapp fünf Tagen niedergeschrieben wor-

Emblem

Das Emblem besteht aus drei Teilen:

1. *der Überschrift (inscriptio), auch Motto (z. B. »Festina Lente«: Eile mit Weile)*
2. *dem Bild (pictura), (z. B. Schildkröte mit Segel auf dem Rücken)*
3. *der Auslegung (subscriptio) oder Interpretation.*

Die Ereignisse und Gegenstände, die das Bild festhält, werden zum Zeichen für einen dahinterliegenden Sinn. Die Renaissance- und Barockzeit kennt eine Vielzahl solcher Embleme, die auch in Emblemsammlungen vereinigt wurden. Als Beispiele seien erwähnt Andrea Alciati »Emblematum liber« (1531) und Mathias Holtzwart »Emblematum Tyrocinia« (1581).

***Richtigkeit und Reinheit der Sprache** wollte die Fruchtbringende Gesellschaft (1617–1680) fördern. Ihr Emblem war der Palmbaum. Deshalb hieß diese älteste deutsche Sprachgesellschaft auch »Palmorden«.*

den war und das selbst Goethe noch knapp zweihundert Jahre später als wichtig ansah: Es hieß »Buch von der Deutschen Poeterey«, geschrieben von Martin Opitz. Der Dichter, 1597 in Schlesien geboren, hatte das lutherische Magdalenen-Gymnasium in Breslau besucht. Dem Krieg ausweichend, kam er nach Holland, dort besuchte er die Universität in Leyden, dann mußte er aus Kriegs- und Glaubensgründen nach Jütland und gar nach Siebenbürgen ausweichen. 1626 wurde er vom Kaiser Ferdinand II. zum Dichter gekrönt und trat in dessen Dienste. 1634 schloß er sich der protestantischen Partei an und floh nach Danzig. Er starb 1639 an der Pest. Sein schmales Werk war eine »Poetik«, also ein Buch, das Regeln für die Dichtkunst enthielt und an Beispielen erläuterte. Zahlreiche Poetiken waren bereits vor diesem Buch entstanden, so die berühmte Poetik des Aristoteles und die des Horaz, auch die Renaissancezeit hatte viele Poetiken hervorgebracht, von denen Opitz übrigens eifrig abgeschrieben hatte. Trotzdem leistete er nichts Geringeres, als daß er den Grundstein für die neuere deutschsprachige Literatur legte. Seine Reform umfaßte drei Punkte:

Poeta laureatus: *Martin Opitz. Obwohl vom Kaiser zum Dichter gekrönt, erwarb er sich besonders durch Regeln und Übersetzungen bleibende Verdienste um die deutsche Sprache.*

Erstens: Er setzt sich für das Neuhochdeutsch oder Lutherdeutsch als Dichtersprache ein und bemüht sich um eine Reinigung der Sprache von fremd- oder umgangssprachlichen Worten. *Zweitens:* Er fordert für das Versmaß den regelmäßigen Wechsel von betonten und unbetonten Silben in Übereinstimmung mit dem Wortakzent. Weiterhin fordert er den reinen Reim am Versende. *Drittens:* Er übernimmt die Regeln der Poetiken des Aristoteles, des Horaz und der modernen Renaissancetheoretiker und macht sie für Deutschland fruchtbar.
Durch viele Übersetzungen aus der ausländischen Literatur und durch eigene Werke (er übersetzte zum Beispiel den Staatsroman »Argenis«

des Engländers John Barclay als Muster für einen modernen Roman, Sophokles' »Antigone« aus dem Griechischen, Senecas »Trojanerinnen« aus dem Lateinischen usw.) lieferte er Vorlagen für die sich entwickelnde deutschsprachige Dichtung. Opitz' Bemühungen wurden vielerorts von Sprachgesellschaften unterstützt. Hier trafen sich gelehrte Bürger und Adelige, um die deutsche Sprache zu pflegen und zu reinigen und die Dichtkunst zu fördern. Man darf nicht vergessen, daß bislang das Latein die Sprache der Dichter und Gelehrten in Deutschland war, und wir verdanken es Opitz und den Sprachgesellschaften, daß sie den besonderen Wert der deutschen Sprache hervorgehoben haben. So haben ausländische Vorbilder wie die »Accademia della Crusca« (seit 1582) in Florenz Fürst Ludwig von Anhalt-Köthen angeregt, selbst eine Sprachgesellschaft zu gründen: 1617 schuf er die »Fruchtbringende Gesellschaft« oder den »Palmenorden«, die bedeutendste Sprachgesellschaft im deutschen Raum. 1633 folgte die »Aufrichtige Tannengesellschaft« in Straßburg, 1636 die »Musikalische Kürbishütte« in Königsberg. Philipp von Zesen stiftete 1643 die »Teutschgesinnte Genossenschaft« in Straßburg und 1644 Georg Philipp Harsdörffer den »Hirten- und Blumenorden an der Pegnitz« in Nürnberg, kurz die »Pegnitzschäfer« genannt. Als Rechtfertigung der Tätigkeit dieser Sprachgesellschaften schrieb Johann Klaj: »Es haben sich die grausamen Römer treflich mausig gemacht / daß sie in ihrer Sprache die Stimme der Thiere nachahmen können. Lasset uns aber hierbey auch unser Teutsches in Acht nehmen / und besinnen mit was kräftig kurtzer Ausrede / nach Geheiß der innerlichen Eigenschaft / die Teutsche Sprache sich hören läst / Sie blitzet erhitzet / sie pralet und stralet / sie sauset und brauset« [....] und tausend anderen Stimmen der Natur weis sie nachzuahmen.«

Lyrik: Auftragsarbeit und mystisches Erleben

»Kurtz bey Heyrath und bey Leiden
Spricht man mich umb Lieder an
Gleich als einen Arbeitsmann«

und

»O Haupt vol blut und Wunden
Vol Schmerz und voller Hohn!
O Haupt zum Spott gebunden
mit einer Dornen Krohn!«

sind zwei Ausschnitte aus Gedichten, die widersprüchlicher nicht sein können. Das erste stammt von Simon Dach, es entstand anläßlich einer Hochzeitsfeier, das zweite ist ein Kirchenlied von Paul Gerhardt. Die Ausschnitte zeigen, daß sich barocke Lyrik kaum auf einen gemeinsamen Nenner bringen läßt.

Der größte Teil der barocken Lyrik entstand als Auftragsdichtung: Ein fürstlicher Gönner, eine reiche Bürger- oder Patrizierfamilie bestellte für feierliche Anlässe (Geburt, Heirat, Kriegstaten, Tod) passende Gedichte, dafür erhielt der Dichter oft gute Bezahlung oder wurde zum festlichen Essen und Trinken mit eingeladen. Es versteht sich daher von selbst, daß hier nicht das eigene Erlebnis, das Gefühl und das Genie des Dichters ausschlaggebend waren – diese Forderung wurde erst erhebliche Zeit später in den Vordergrund gerückt –, sondern das Gedicht wurde nach Regeln gemacht, der Dichter war »Arbeitsmann«, d.h. Handwerker! Die Kenntnisse für seinen Beruf lieferten die Bildungsstoffe der Gymnasien und Universitäten, hier vor allem die von der Antike überlieferten Kenntnisse und die Poetiken, insbesondere Opitz' »Buch von der Deutschen Poeterey«. Opitz wetterte zwar gegen diesen Brauch, huldigte ihm jedoch notgedrungen selbst. Aber auch bei den scheinbar persönlichen Gedichten befremden den Leser häufig starke Überformung und starrer Aufbau. Dies gilt auch für die Liebesgedichte, wo der heutige Leser gefühlsbetonte Sprache und Form erwartet. Betrachten wir das *Sonett (K, Seite 248)* »Vergänglichkeit der Schönheit« von Hofmann von Hofmannswaldau (1624–1677):

»Es wird der bleiche Tod mit seiner kalten Hand
Dir endlich mit der Zeit um deine Brüste streichen,
Der liebliche Korall der Lippen wird verbleichen,
Der Schultern warmer Schnee wird werden kalter Sand;

Der Augen süßer Blitz, die Kräfte deiner Hand,
Für welchen solches fällt, die werden zeitlich weichen.
Das Haar, das itzund kann des Goldes Glanz erreichen,
Tilgt endlich Tag und Jahr als ein gemeines Band.

Der wohlgesetzte Fuß, die lieblichen Gebärden,
Die werden teils zu Staub, teils nichts und nichtig werden,
Denn opfert keiner mehr der Gottheit deiner Pracht.

Dies und noch mehr als dies muß endlich untergehen.
Dein Herze kann allein zu aller Zeit bestehen.
Dieweil es die Natur aus Diamant gemacht.«

Der Autor wählt hier das Sonett, dessen strenge äußere Form bereits den Inhalt einengt und auf Wesentliches konzentriert. Die Sprache des Autors wird weder durch die erotische Wahrnehmung der Geliebten, noch in der Klage über deren Vergänglichkeit lebendig, sie ist kein unmittelbarer Ausdruck von Gefühlen. Der Dichter übernimmt aus einer reichen Sammlung von Begriffen, Bildern, die bereits die Antike geschaffen hat und die von der Renaissance wieder aufgegriffen wurde (siehe *K: Petrarkismus, Seite unten),* die Formulierungen und wendet sie entsprechend den Regeln an. Aber unter dieser Oberfläche bestehen Spannungen, die typisch für barockes Denken sind. Hier der Reiz des Erotischen, die Lust am glücklichen Moment, dort der Verzicht, dank der Einsicht in die Vergänglichkeit. Zwei Haltungen stehen unvermittelt gegenüber: »carpe diem«, d.h. ergreife die glückliche Stunde und frage nicht weiter oder »vanitas«, d.h. verzichte auf die Welt, denn sie ist vergänglich, »eitel«.
Einen Gegenpol zu den stark formalisierten Gedichten bilden die Kirchenlieder. Die Gesangbücher heute sind noch voller barocker Dichternamen wie Paul Gerhardt (O Haupt voll Blut und Wunden, Geh aus mein Herz und suche Freud, Nun ruhen alle Wälder), Johann Heermann (Herzliebster Jesu, was hast du verbrochen), Johann Rist, Friedrich Spee usw. Es ist die gefühlsbetonte, unmittelbare Sprache, die diese Lieder auch heute noch zum Allgemeingut werden läßt. Sie waren in ihrer Entstehung eng verknüpft mit dem religiösen Pietismus (siehe Band 8) und der Mystik, deren wichtigste Vertreter der Schuster Jakob Böhme (1624–1677) und der gelehrte Arzt Johannes Scheffler, genannt Angelus Silesius (1624–1677) waren.
Böhmes Hauptwerk »Aurora oder Morgenröte im Anfang« ist aus der

Petrarkismus

»Nach dem Minnesang entwickelt sich in der Nachahmung der Dichtung Petrarcas (ein berühmter Renaissancedichter) ein zweites erotisches System von europäischer Geltung, der Petrarkismus. Von Petrarca werden die Grundzüge der erotischen Situation übernommen. Der Mann ist der klagende Sklave, die Frau ist die kühle, grausame Tyrannin. [...] Die reiche Skala der Sprache Petrarcas reduzieren die Petrarkisten zu einem von allem Bekenntnishaften befreiten Formelschatz. Zu den bekanntesten [...] Formeln der Frauenbeschreibung gehören: Das Antlitz ist Diamant, die Wangen sind Rosen, die Haare Gold, die Brüste Marmorbälle. Dieser Formelschatz beherrschte bis zum Anfang des 18. Jahrhunderts die Liebesdichtung.« (Marian Szyrocki)

inneren Versenkung, dem Gefühl des Einswerdens mit Gott, der »unio mystica« heraus entstanden. Er entwickelte eine eigene Lehre über Gott und den Ursprung des Bösen. In Gott selbst seien latent beide Prinzipien, das Böse und das Gute, enthalten gewesen, bis der Schöpfungsakt diese getrennt habe: »Das Wesen aller Wesen ist nur ein einiges Wesen, scheidet sich aber in seiner Gebärung in zwei Prinzipia, als in Licht und Finsternis, in Freud und Leid, in Böses und Gutes, in Liebe und Zorn, in Feuer und Licht [...].« Von ähnlichen mystischen Erlebnissen beeinflußt, schrieb der Schlesier Angelus Silesius den »Cherubinischen Wandersmann«. Seine Erfahrungen formulierte er hier teilweise in kurzen, inhaltlich äußerst verknappten, zweizeiligen Gedichten, genannt »Epigrammen«. Hier gelingt aus den Erfahrungen und dem Gefühl des Mystikers und den strengen barocken Formbedürfnissen eine Synthese, die auch heute noch anspricht: »Mensch, werde wesentlich! Denn wann die Welt vergeht, / so fällt der Zufall weg, das Wesen, das besteht.«

Christliches Martyrium und Hoher Fall der Mächtigen im Trauerspiel

Die Tragödie entspräche am ehesten dem »Heroischen getichte«, sie erlaube nicht, »das man geringen standes personen und schlechte sachen [Opitz meint Bürgerliches!] einführe: weil sie nur von Königlichem willen, Todtschlägen / verzweiffelungen / Kind- und Vätermörden / brande / blutschanden / kriege und auffruhr / klagen / heulen / seuffzen und dergleichen handelt«, schreibt Opitz in seiner Poetik. Wenn der Leser nun blutige Handlungen und Konflikte in den Tragödien der Barockzeit erwartet, so sieht er nur die äußere Seite. Was die innere Form angeht, hat die Barockdichtung zwei Formen von Tragödien hervorgebracht: das Märtyrerdrama und die Staatstragödie.
Vorläufer der barocken Tragödie waren die mittelalterlichen Mysterienspiele, das spanische Theater, hier insbesondere Calderón de la Barca, aber auch das lateinische Jesuitendrama der Gegenreformation in den katholischen Ländern. Ein Beispiel für letzteres ist Jakob Bidermanns (1578–1639) »Cenodoxus«. Die Hauptfigur ist ein hochgeachteter Gelehrter, der im Ruf besonderer Heiligkeit steht. Hinter dieser Maske verbirgt sich jedoch ein scheinheiliger Heuchler. Da er als stolzer Gelehrter die kirchlichen Bekehrungsversuche abweist, wird er verdammt und fährt zur Hölle. Die allzu freidenkenden Gelehrten sollten damit gewarnt, der Zuschauer sollte durch die Handlung gepackt und zur christlichen Einsicht geführt werden. Den Höhepunkt erreicht das

barocke Drama mit den Dichtern Andreas Gryphius und Daniel Caspar von Lohenstein.
Gryphius sah als Aufgabe des Trauerspiels, den Zuschauer zu rühren und zu belehren, indem es ihm »die Vergänglichkeit menschlicher Sachen« vor Augen führt. So schuf Gryphius mit »Leo Armenius« (1646) das erste Trauerspiel in deutscher Sprache. Das Stück handelt von dem Aufstieg und Fall des Kaisers Leo Armenius von Byzanz. In »Carolus Stuardus« (1649) behandelt er die Hinrichtung Karls I. durch Cromwell. Als die wichtigsten sind noch zu nennen »Der sterbende Ämilius Paulus Papinianus« (1659) und »Katharina von Georgien« (1647), letzteres ein typisches Beispiel für Gryphius' Trauerspiele: Ein zeitgeschichtliches Ereignis, die Ermordung Königin Katharinas von Georgien durch den Schah Abas von Persien, wurde zur Vorlage des Stückes, welches Gryphius zu einer Märtyrertragödie ausgestaltete: Die christliche Katharina, von einem übermächtigen Heer des »Heiden« Abas bedrängt, begibt sich in dessen Heerlager, um Frieden zu erbitten. Sie wird aber vom Schah gefangengenommen und eingekerkert. Als der Schah, der die unterworfene Königin liebt, ihr die Ehe anbietet, schlägt sie sein Angebot aus. Deshalb erleidet sie grausame Folter und wird schließlich verbrannt.
Gryphius schuf in seinen Dramen Lehrstücke, die Helden demonstrierten vorbildliche Tugend, beweisen ihre christliche Beständigkeit und triumphieren mit ihrem Tod über die Scheinwelt Fortunas. So auch Katharina, sie zeigt Beständigkeit inmitten der Versuchungen oder »Eitelkeiten« der Welt und setzt die christliche Hoffnung auf Lohn im Jenseits, die innere Freiheit und die Treue zu ihrem Volk über kurzfristige Vorteile. Sie ist beispielhafte Märtyrerin.
Einen anderen Dramentypus entwickelte Daniel Caspar von Lohenstein (1635–1683). Seine Helden in den Tragödien »Ibrahim Bassa« (1653), »Cleopatra« (1661), »Agrippina« (1665), »Ibrahim Sultan« (1673) und »Sophonisbe« (1690) sind keine Märtyrer, sondern meist Machtmenschen, die, von ihren Leidenschaften getrieben, ins Unglück stürzen. Blutige Szenen, Massenmord und Verbrechen sollen den Zuschauer bestürzen, das negative Beispiel soll ihn zur Einsicht bringen.
Lohenstein liefert Staatstragödien, wie am Beispiel »Sophonisbes« kurz skizziert sei: Das Stück geht auf eine Episode des Zweiten Punischen Krieges zurück, die Livius überliefert hat. Sophonisbe, die Heldin des Stücks, und ihr Mann Syphax, der König von Numidien, verteidigen die Stadt Cyrta gegen die angreifenden Römer und Afrikaner unter der Führung des Feldherrn Massinissa. Als die Stadt durch Verrat fällt und Massinissa Syphax zu töten droht, bietet Sophonisbe Massinissa die Ehe an, um ihr Land und das Leben ihres Mannes zu retten.

ABRAHAM A SANTA CLARA

»[...] dieser Pater Abraham ist ein prächtiges Original, vor dem man Respekt bekommen muß, und es ist eine interessante und keineswegs leichte Aufgabe, es ihm in der Tollheit und in der Gescheidigkeit nach- oder gar vorzutun.« Kein Geringerer als Friedrich Schiller spendete dieses Lob dem Gastwirtssohn Johann Ulrich Megerle, berühmt unter dem Ordensnamen Abraham a Santa Clara. Er zählt zu den großen Predigern in deutscher Sprache. 1644 wurde er in Kreenheinstetten in Baden als letztes von acht Kindern geboren. Nach der Lateinschule besuchte der begabte Junge das Jesuitengymnasium in Ingolstadt und das Benediktinergymnasium in Salzburg. Mit dem Eintritt in den Augustinereremitenorden begann für den Bürgersohn eine steile Ordenskarriere: 1668 Priesterweihe, 1670 Prediger in Taxa, einem Wallfahrtsort bei Augsburg, 1672 Sonntagsprediger in Wien, 1677, von Kaiser Leopold I. ernannt, kaiserlicher Hofprediger – eine ungewöhnliche Berufung für den erst Dreiunddreißigjährigen. Auch innerhalb des Ordens übernahm er wichtige Aufgaben: 1677 Subprior, 1680 Prior seines Klosters, 1683 bis 1689 Prediger in Graz, kehrte aber 1689 nach Wien zurück und übernahm führende Stellungen in seinem Orden. Drei Romreisen krönten seine Laufbahn. Mit seinem Predigtamt blieb er der Stadt Wien stets treu verbunden. Hier starb er am 1. Dezember 1709. Ursache seines Aufstiegs und seiner allgemeinen Anerkennung war seine außerordentliche Rednergabe. Für Predigten und Schriften wählte er die einfache Sprache, schaute dem Volk aufs Maul, scharfzüngig geißelte er die Schwächen seiner Zuhörer, insbesondere der Frauen, schonte weder den Adel noch den Wiener Hof, ohne dabei die Ständeordnung auch nur anzutasten. Als Wien 1679 von der Pest und 1683 von der türkischen Belagerung heimgesucht wurde, gab er in seinen berühmten Reden »Merk's Wien« und »Auf, auf ihr Christen« der Stadt Trost und Mut. War er ein Vorbild? Zu unerbittlich griff er seine Gegner an, gehässig und intolerant zeigte er sich gegenüber Protestanten, Juden und Moslems. Als Kind seiner Zeit spiegelte er deren Schwächen. (G. v. H.)

ANDREAS GRYPHIUS

»Betrübtes Schlesien / bestürztes Vaterland / Was hast du / das der Grimm der Seuchen nicht verzehret? Das der geschwinde Blitz der Schwerdter nicht verheret? Was findet man bey dir / als Leichen / Stanck / und Brand?« Diese Zeilen über seine Heimat, in denen Gryphius bittere Klage führt, spiegeln die Zeit einer schweren Kindheit wider. Am 2. Oktober 1616 wurde er in Glogau in Schlesien als Sohn eines protestantischen Geistlichen geboren. Früh verlor er seinen Vater, zwölfjährig die Mutter. Im gleichen Jahr erlebte er, wie Dragoner die Gegenreformation mit Gewalt durchführten, die Protestanten mußten fliehen. Als er 1631 nach Glogau zurückkehrte, verheerte ein großes Feuer seine Vaterstadt. Zwei Jahre später wütete die Pest in Schlesien. Gryphius überlebte. 1634 lebte er in Danzig, einer Stadt ohne Krieg, wo verschiedene Religionen friedlich miteinander lebten, dann war er beim Kaiserlichen Pfalzgraf Schönborn Hauslehrer. 1638 reiste er nach Leyden in Holland, dem wissenschaftlichen Zentrum der damaligen Welt, wo er sich umfassend bildete und bald eigene Kollegs hielt über Metaphysik, Geographie, Trigonometrie, Logik, Mathematik, Astronomie, Physiognomie, Anatomie (er sezierte sogar Leichen!), Poetik, Tragödie und Naturphilosophie. 1644 verließ er Leyden, Bildungsreisen nach Frankreich und Italien folgten. Am Ende des Dreißigjährigen Krieges kehrte er nach Schlesien zurück und heiratete Rosine Deutschländer. Von den sieben Kindern dieser Ehe überlebte nur eines. In diese Zeit fällt die Veröffentlichung der Trauerspiele. 1662 nahm ihn die »Fruchtbringende Gesellschaft« als den »Unsterblichen« in ihre Reihen auf, zwei Jahre später starb er in Glogau. Gryphius war ein ernster, grübelnder Mensch. Von den Schicksalsschlägen des Krieges belehrt, fand er in der christlichen Lehre und im stoischen Denken einen Halt. Zur Klage über das Schicksal gesellte sich die Einsicht in die Scheinhaftigkeit der Welt. Diese Grundhaltung beherrscht auch seine Dichtung, die mit zum Bedeutendsten gehört, was Lyrik und Drama in diesem Jahrhundert hervorbrachten. *(G. v. H.)*

Massinissa, der Sophonisbe liebt, willigt ein, und die Hochzeit findet statt. Auf Drängen der mit Massinissa verbündeten Römer jedoch soll er die Ehe mit Sophonisbe lösen und sie den Römern ausliefern. Da nimmt Sophonisbe, um ihre Ehre zu retten, gemeinsam mit ihren Söhnen Gift.
Sophonisbe ist ein Beispiel für den politischen Menschen, der hier in den Strudel zwischen Machttrieb und Liebe gerät. »Die Schuld schwermt um Verterb / Wie Mutten umb das Licht«, lautete der erste Satz Massinissas in diesem Trauerspiel, und das Stück wird zum Beispiel dieser aus einem Emblem geschöpften Erfahrung!

Geiz, Kuppelei, Betrug und Spiel
Themen aus der bürgerlichen Welt in der Komödie

Die bedeutendsten Komödien der Barockzeit stammen ebenfalls von Andreas Gryphius: 1633 entstand »Horribilicribrifax«, ein Stück, in dem die Hauptleute Horribilicribrifax und Daradiridatumtarides als großsprecherische Soldaten auftreten, Beispiele für menschliche Hohlheit und Aufgeblasenheit. 1657 folgt das Stück »Absurda comica oder Herr Peter Squenz«. Hier führt der Schulmeister von Rumpelskirchen gemeinsam mit den rüpelhaften Handwerkern des Ortes die aus Shakespeares »Sommernachtstraum« stammende Szene »Piramus und Thisbe« vor dem König und dessen Hofleuten auf. Aber sie sind nicht erfolgreich mit ihrer Darbietung, sondern zeichnen sich durch viele Fehler, sprich »Säue« aus. Entsprechend belohnt sie der König nach der Anzahl der gemachten »Säue«.
Waren für das Trauerspiel nur adelige Personen des absolutistischen Hofes zugelassen, so durften nur in der Komödie Bürger auftreten: »Die Comedie bestehet in schlechten wesen und personen: redet von hochzeiten / gastgeboten / spielen / betrug und schalkheit der knechte / ruhmrätigen Landtsknechten / buhlersachen / leichtfertigkeit der jugend / geitze des alters / kupplerey und solchen sachen / die täglich unter gemeinen Leuten vorlaufen« dekretiert Opitz. Bürgerliches und bäuerliches Leben galt aus der Perspektive des absolutistischen Hofes – diesem hatte sich der Barockdichter angeschlossen – als ungeeignet, tragische Handlungen und Konflikte zu zeigen. Denn nur der »tiefe Fall« hoher Standespersonen garantiere Tragik. Den sozial »niedrig« Stehenden war die Komödie und das Schäferspiel zugewiesen, um dort belacht zu werden!
So wurde aus dem »Fallgesetz« abgeleitet, durch welches Personal auf der Bühne bestimmte Affekte, d. h. Gefühle erzeugt werden könnten.

Göttliche Vorsehung. *Der abenteuerliche Simplicissimus »flog durch die Lüffte! wurd doch nit verlorn«. Denn am Ende findet er Erlösung. Titelkupfer der Erstausgabe. Wien, Österreichische Nationalbibliothek.*

Schäfer, Schelmen und getrennte Liebende als Gegenstand des Barockromans

»[...] Die Romans, sie seyen jetzt Hirten-Helden oder Stats-Geschichte / handeln hauptsaechlich und / meistentheils von der Liebe und Buhlerey. Nehmen ihnen ein Haupt-Par vor / daß nach vilen Ebentheuren und anderwertigen Nachstellungen / endlich zusammen gerathet. Da gibet es vil Episodia, oder Zwischenspiele. Die in einander stecken wie die Tunicae einer Zwibel [...] oder die Raeder in einem Uhrwerck / bis endlich eins die Zeigerstangen / oder das Schlagwerck erwitscht. Hiebey haben sie einige sonderbahre Regeln / daß der Leser bey dem Anfang mitten in die Geschicht hinein gefuehrt werde / daß die verworne Erzehlungen sich selbst nach und nach ohne Maschinen aufloesen sollen [...]«. Nicht gerade begeistert spricht Gotthard Heidegger in seiner »Mythoscopia romantica« von den heroisch-galanten Romanen, für die ein rüstiger Leser bei fleißiger Arbeit meist etliche Wochen benötigte, um sie zu lesen.

Das Vorbild hatte der Amadisroman geliefert, in dem die liebenden Helden getrennt und über eine Reihe von Abenteuern wieder zusammengeführt wurden. Dieses Schema wurde nun erweitert: Die fürstlichen Helden und die Liebesbeziehungen wurden vermehrt, die Abenteuerketten führen in ferne Länder, um enzyklopädisches Wissen ausbreiten zu können und den Lesehunger zu befriedigen. So bietet der Roman »Die durchleuchtige Syrerin Aramea« des Herzogs Anton Ulrich von Braunschweig (1633–1714) eine nahezu unentwirrbare Handlung mit 34 Hauptpersonen, von denen kaum einer mit dem richtigen Namen auftritt, die Helden werden verwechselt, verstellen sich, ihr Heldentum und Edelmut bewährt sich in vielen Prüfungen und Abenteuern. Schließlich finden alle Hauptpersonen in 17 Hochzeiten eine märchenhafte Lösung. So wirklichkeitsfremd diese Erzählung auch ist, im glücklichen Ende zeigt sich die göttliche Vorsehung als die eigentliche Wirklichkeit, so der barocke Dichter.

Ein zweiter Romantypus dieser Zeit ist der Schäferroman, der an antike Vorstellungen von der Idylle anknüpft. Zudem war an vielen adligen Höfen die Schäfermode üblich geworden: Man entfloh dem strengen Zeremoniell des Hofes in ein phantasievoll ausgestaltetes Landleben. In gepflegten Parks, mit eleganten Schäferkostümen bekleidet, spielte die höfische Gesellschaft Schäfer und Schäferin. Es versteht sich von selbst, daß diese Idylle eine Scheinwelt war, die mit der Realität der Bauern nichts zu tun hatte. Vorbild war der Schäferroman »Arcadia« des Engländers Sir Philipp Sidney (1554–1586), den Opitz ins Deutsche übertragen hatte. Der wichtigste deutsche Schäferroman war Philipp von Zesens »Adriatische Rosemund«: Die Liebe des protestantischen Junkers Markhold zur katholischen Venezianerin Rosemund scheitert an den religiösen Schranken, die Schäferin Rosemund geht daran zugrunde. Obwohl der Dichter hier eigene Erfahrungen in die Handlung eingewebt hat, sind die Helden noch schablonenhaft, mehr Idealfiguren als wirkliche Menschen.

Die bedeutendste Romanform war der Schelmenroman, für den Spanien das Vorbild lieferte. Im Mittelpunkt der Handlung steht der Picaro, der Schelm, zumeist ein durchtriebener Bursche aus dem Volk, der mit listigen Streichen die Reichen und Toren übertölpelt und sich

HANS JAKOB CHRISTOFFEL VON GRIMMELSHAUSEN

Liest man den Simplicissimus, so gewinnt man den Eindruck, der Autor berichte aus seinem eigenen Leben, so anschaulich wirkt die Erzählung. Die falsche Spur, die er mit dem Anagramm German Schleifheim von Sulsfort als Autorenname legte, wurde erst im 19. Jahrhundert enträtselt. Erst jetzt fand man die historische Persönlichkeit, deren Erfahrungen allerdings zum größten Teil mit der Geschichte des Romans verwoben wurden. Sie stammte aus einer verarmten protestantischen Adelsfamilie in Thüringen. Von dort zog die Familie nach Gelnhausen, wo 1621 Hans Jakob geboren wurde. Der Vater starb früh, und bald überrollte der Krieg die Vaterstadt, kaiserliche Truppen brandschatzten, die Familie floh nach Hanau. Von dort verschleppten ihn kroatische Truppen nach Kassel. Von dieser Zeit an nimmt er am Krieg teil, anfangs als Troßbub, später als Soldat. Meist auf kaiserlicher Seite zieht er mit den Heerhaufen von Magdeburg nach Westfalen, dann nach Württemberg und Baiern. Als der Krieg endet, läßt er sich in Geisbach im Renchtal nieder und heiratet. Die Eheschließung 1649 markiert den Übergang zu einer beschaulichen Tätigkeit. Daß er jetzt Katholik ist, sagt wenig. Grimmelshausen hat sich in den konfessionellen Fragen stets zurückgehalten und nur sein Christsein unterstrichen. Er treibt jetzt Pferdehandel, etwas Weinbau und erwirbt die Wirtschaft »Zum Silbernen Stern«. Hans Reinhard von Schauenburg betraut ihn als »Schaffner« mit der Verwaltung seiner Güter, 1662 wird er Schaffner auf der benachbarten Ullenburg und 1667 Schultheiß in Renchen. Die ruhige Zeit im Schwarzwald nutzte Grimmelshausen zu eifriger schriftstellerischer Tätigkeit. Verglichen mit den gelehrten Barockpoeten war er ein Außenseiter. Weitgehend ohne Schule aufgewachsen, erreichte er durch großen Fleiß enorme Belesenheit. Zugleich ließ ihn die Erfahrung der Kriegswirren weise und kritisch werden. Unter der anonymen Maske seines Anagramms hielt er seiner Zeit einen satirischen Spiegel vor! Am 17. August 1676 ist er gestorben.

(G. v. H.)

so durch die Welt schlägt. Von diesen Vorbildern angeregt, entstand der berühmteste Roman der Barockzeit, »Der abentheuerliche Simplicissimus Teutsch« des Hans Jakob Christoffel von Grimmelshausen (1621–1676). Grimmelshausen erzählt in der Ich-Form die Geschichte eines Menschen in der Zeit des Dreißigjährigen Krieges.
Der Held des Romans, ein Findelkind, wächst abgeschieden von der Welt im Spessart auf. Als der Hof seines Ziehvaters von plündernden Soldaten überfallen wird, flieht er und gelangt zu einem Einsiedler, der ihm den Namen Simplicius gibt, d. h. der Einfältige (lat.: simplicissimus = der Einfältigste), ihn zwei Jahre beherbergt und erzieht. Nach dessen Tode – später erfährt er, daß es sein wirklicher Vater war – kommt er nach Hanau, dort läßt der Stadtkommandant den Knaben den Hofnarren spielen. Eines Tages wird er von Kroaten entführt, verliert sein Narrenkleid und wird Soldat. Als Jäger von Soest zeichnet er sich bei den kaiserlichen Truppen aus, wird gefangengenommen, verheiratet, doch es verschlägt ihn nach Paris, wo er durch Liebesabenteuer mit den Damen der Gesellschaft rasch reich wird. Da bekommt er die Blattern, muß aus Paris fliehen, verliert sein Geld und schlägt sich als Quacksalber durch. Als er den alten Freund Herzbruder trifft, verspricht er sein Leben zu bessern, schließt sich jedoch den Marodebrüdern an, die sengend und mordend durchs Land ziehen. Erneut kommt er zur Besinnung und pilgert nach Maria Einsiedeln in der Schweiz. Hier wird er katholisch. Über Wien, wo er zum Hauptmann aufsteigt, gelangt er in den Schwarzwald und läßt sich dort als Bauer nieder. Er trifft seinen Ziehvater wieder und wandert zum Mummelsee, um das Reich der Sylphen zu erkunden. Eine neue Reise bringt ihn nach Moskau, von dort jagt ihn das Schicksal quer durch die Welt, bis er als Einsiedler die Kette der Abenteuer beendet.
Der lockere Aufbau des Buches zeigt dem Leser keine innere, »psychologische« Entwicklung des Helden, sondern stellt verschiedene Möglichkeiten des Menschseins vor, bis der Held die wahre christliche Daseinsweise gefunden hat. Der Weg des Helden, der die Unbeständigkeit der Welt in vielen Schicksalsschlägen erfährt, wird christlich gedeutet. Nichts auf Erden bietet Verläßlichkeit, Beständigkeit findet sich nur in der Abkehr von der Welt: Als Einsiedler wendet sich der Held Gott zu. Bereits die rätselhafte Figur des Titelkupfers (siehe S. 261) deutet diesen Weg an. Die ausgestreckten Finger dieses Tier-Mensch-Wesens weisen auf einen Baum und ein Wickelkind. Der Baum steht für das Paradies, wo die Sünde des Menschen ihren Ursprung nahm, das Kind in der Krippe für die Erlösung des Menschen. So hat auch der Held der Geschichte beide Zustände durchlaufen: Reise durch die Welt und Einkehr, Sünde und Erlösung.

Der Erfolg dieses Romans hat Grimmelshausen zu Fortsetzungen und ähnlichen Geschichten ermutigt. Die bedeutendsten sind »Der seltzame Springinsfeld« und »Die Ertzbetrügerin und Landstörtzerin Courasche«.

In der Tradition des kritischen Schelmenromans stehen die »Wunderliche und Wahrhafftige Gesichte Philanders von Sittewald« von Johann Michael Moscherosch (1601–1669), die Schelmenromane Johann Beers (1665–1700) und Christian Weises (1642–1708) und schließlich Christian Reuters (1665–1712) satirischer Lügenroman »Schelmuffskys Warhafftige Curiöse und sehr gefährliche Reisebeschreibung Zu Wasser und Lande«. Barocke Dichtung lief parallel zum Aufstieg des absolutistischen Fürstentums und diente meist der Verherrlichung des Hofes. Dort aber, wo sie diese propagandistische Aufgabe durchbrach und den Menschen und der Gesellschaft einen Spiegel vorhielt, hat sie die Zeit überdauert.

Literatur

Alewyn, Richard (Hrsg.): Deutsche Barockforschung. Köln/Berlin 1965
Dyck, Joachim: Dicht-Kunst. Deutsche Barockpoetik und rhetorische Tradition, Bad Homberg/Berlin/Zürich 1969
Fischetti, Renate (Hrsg.): Barock, Stuttgart 1980
Herzog, Urs: Deutsche Barocklyrik. Eine Einführung, München 1979
Hohoff, Curt: Grimmelshausen, Reinbek 1978
Holtzwart, Mathias: Emblematum Tyrocinia, Stuttgart 1968
Opitz, Martin: Buch von der Deutschen Poeterey (1624), Stuttgart 1970
Schöne, Albrecht: Emblematik und Drama im Zeitalter des Barock, München 1968
Szyrocki, Marian: Die deutsche Literatur des Barock. Eine Einführung, Reinbek 1968

JOHANNES GLANZ

Musik und Theater im 17. Jahrhundert

Evangelische und katholische Kirchenmusik – Die Königin der Instrumente – Der Organist in der Gemeinde – Protestantisches Schultheater und katholisches Ordenstheater – Musik am fürstlichen Hof – Berufsschauspiel – Oper.

Wenn künstlerische Tätigkeiten und ihre Aufnahme beim Publikum in die Beschreibung eines Zeitalters einbezogen werden, erwartet der Leser statt einer Aufzählung von Formen und Erscheinungen ein Spiegelbild des sogenannten Zeitgeistes. Gewohnt, alles zu einem Ganzen gefügt zu sehen, ist er betroffen, wenn ihm das 17. Jahrhundert wie eine Sphinx entgegenblickt. Insbesondere Musik und Theater verwirren wegen ihrer vielfältigen, unvereinbar erscheinenden Äußerungen. Gerade diese Künste aber tragen als Quellen von besonderem Wert zur Klärung des historischen Sachverhalts bei, da sie die Öffentlichkeit als unmittelbaren Partner benötigen. Vorweg darf gesagt werden, daß das Gros der damaligen Zeitgenossen – gleich welchen Standes – den modernen barocken Kunstauffassungen überraschend aufgeschlossen begegneten. Woher aber diese Aufnahmebereitschaft? Wurden Empfindungen und Gedanken angesprochen? Fand der Zuhörer bzw. Zuschauer sich in seinen Ängsten, Hoffnungen, Träumen bestätigt, fand er die erwünschte Erholung oder Unterhaltung? Suchte er Lebenshilfe?

Das Kirchenlied: Der einzelne im Schutz der Gemeinde

Glaubensspaltung und Glaubenskrieg hatten die Glaubensnot der Menschen verstärkt. Wenn es um Leib und Leben ging, war die Kirche im vollen Sinn des Wortes die letzte Rettung: eine »feste Burg«, die bei Belagerungen Schutz bot, ein Freiraum, wo man sich in gemeinsamem Gebet und Gesang Kraft und Zuversicht holte. In den protestantischen Gemeinden ermöglichte die von Luther eingeführte Gottesdienstordnung eine vielfältige musikalische Ausgestaltung. Das Kir-

chenlied, auch Choral genannt, bildete weiterhin die Mitte der Abendmahlsfeier und erlebte inmitten der Not der Kriegsjahre eine neue Blüte. An Stelle der reformatorischen Trutzgesänge traten nun mehr und mehr Lieder, die in Text und Melodie eine unbefangene, vertrauensvolle Glaubenshaltung offenlegten. Unverkennbar dabei war der Einfluß des modernen italienischen Gesangsstils, der den Sänger dazu anregte, seine Gefühle ganz subjektiv zu äußern. Auch in den Texten ist die gleiche Tendenz vom kollektiven »Wir« zum individuellen »Ich« zu beobachten. Die erfrischende Musikalität vieler Choräle sicherte ihnen einen Stammplatz in den Kirchengesangbüchern beider Konfessionen bis zum heutigen Tag. Die Zentralgestalt dieser Liedkomponisten ist der Organist an Sankt Nicolai in Berlin, Johann Crüger, dessen Vertonungen der Texte »Herzliebster Jesu, was hast du verbrochen«, »Nun danket alle Gott«, »Nun danket all und bringet Ehr« den barocken Liedstil beispielhaft vorstellen. Etwas später, 1665, ist aus Stralsund die anonyme Melodie zu dem bekannten »Lobe den Herren, den mächtigen König der Ehren« überliefert, auf die 1680 Joachim Neander den Text schrieb. Die Einheit von Text und Melodie traf auch Georg Neumark, der Komponist des Liedes »Wer nur den lieben Gott läßt walten«. In der zweiten Jahrhunderthälfte verfällt die Gattung zusehends. Später hat Johann Sebastian Bach eine große Zahl dieser Choräle in großartigen Neufassungen der Nachwelt erhalten; neue Choräle von gleichem Rang hat auch er nicht geschaffen.
Die Katholiken konnten zwar nicht auf die gleiche Produktivität wie die Protestanten verweisen, doch sangen auch sie in diesem Jahrhundert viele neue Lieder. Erwähnung verdienen vor allem die Weihnachtslieder »Es ist ein Ros entsprungen« (1599), »Es kommt ein Schiff, geladen« (1608), beide Melodien rheinischen Ursprungs. Für das beliebte »Zu Bethlehem geboren« wurde die Melodie eines französischen Volksliedes übernommen; dieses unbekümmerte Vorgehen – Kontrafaktur bzw. Parodie genannt – erinnert an die im Mittelalter selbstverständliche Einheit von weltlicher und geistlicher Melodik. Krasse Beispiele für dieses Verfahren: Orlandus Lassus, seit 1564 Hofkapellmeister Herzog Albrechts V. von Baiern, scheute sich nicht, einer seiner Messen das Chanson »Ich esse kein Schweinefleisch« zugrunde zu legen; Hans Leo Haßler läßt in seinem »Lustgarten neuer teutscher Gesäng« (Nürnberg 1601) einen Liebhaber klagen: »Mein Gmüth ist mir verwirret, das macht ein Jungfrau zart«, was Bach nicht hindert, derselben Melodie die ergreifenden Strophen des Paul Gerhardtschen Liedes »O Haupt voll Blut und Wunden« zu unterlegen. Im katholischen Raum trug die von den Jesuiten organisierte Marianische Kongregation zum Entstehen neuer Marienlieder bei, deren wohl

schönstes, an die mittelalterliche Marienminne erinnerndes »Ave Maria zart« Johann Georg Braun 1675 schuf. Aber auch einen alten Schatz retteten die Katholiken über die Zeiten: 1604 erfolgte in der »Editio Medicaea« eine Neuausgabe des Gregorianischen Chorals, der bis heute als musikalische Kostbarkeit gehütet wird.
Das geistliche Lied übernahm damit im 17. Jahrhundert die Funktionen des Volkslieds, dessen Blütezeit überschritten war; die Leute sangen sich ihr Leid vom Herzen und hoben ihre Freude bei Gott auf: »Jesu, meine Freude«.

Siegeszug der »Königin der Instrumente«

Der Gesang wurde von der Orgel begleitet und geführt. Aber die Organisten beschränkten sich nicht auf diesen Dienst, sondern suchten immer mehr den Gottesdienst musikalisch auszugestalten, später auch ihr Können solistisch in Abendmusiken unter Beweis zu stellen. Die Orgel hat eine lange Geschichte. Im Altertum diente sie dazu, das Publikum bei Massenveranstaltungen zu unterhalten. Seit dem 9. Jahrhundert wurde sie im Karolingischen Reich im Rahmen des Gottesdienstes verwendet, behielt aber auch ihre alte Funktion, denn auf tragbaren Kleinorgeln wurde nach wie vor zum Tanz aufgespielt. Ab dem 15. Jahrhundert hatten alle größeren Kirchen ihre Orgel, aber erst im 17. Jahrhundert trat sie ihren Siegeszug als »Königin der Instrumente« an. Um 1600 erlangte sie nämlich eine Bedeutung als eigenständiges Instrument, womit die eigentliche Geschichte der Orgelmusik begann.
Jetzt, als sich die Wege der Vokal- und Instrumentalmusik trennten und jede ihren eigenen Stil entwickelte, löste sich auch die Orgel von der klanglichen Neutralität der Renaissancemusik. Die Voraussetzungen dafür schuf die hohe Kunst der Orgelbauer in ganz Europa, vor allem in den Niederlanden und in deren Nachfolge in Norddeutschland. Sie erst gaben dem Instrument durch Erfindung einer Vielfalt origineller Register, die nach wohldurchdachtem Plan einander zugeordnet wurden (Disposition), den ihm eigenen Klangfarbenreichtum, der zugleich mit der vervollkommneten technischen Anlage die für die Orgel charakteristische polyphone (vielstimmige) Spielweise ermöglichte. Während man in Italien die Orgel weitgehend noch »manualiter tractierte«, also wie die anderen Tasteninstrumente mit den Händen bediente, wurden im Norden die selbständigen Pedalstimmen vermehrt, um die Füße gleichwertig in das Spiel einzubeziehen, das dadurch reicher ausgestaltet werden konnte. Die Hamburger Orgelbauerfamilie

Ein Meisterwerk an Form und Klang
war die Orgel in der Kirche zur Heiligen Dreifaltigkeit, Ulm. Kupferstich von Matthäus Merian, 1643.

Scherer entwickelte zu diesem Zweck das sogenannte »Hamburger Prospekt«, das die Pedalpfeifen zu beiden Seiten des Hauptwerks als »Pedaltürme« heraushob, wodurch die Wirkung der Bässe großartig verstärkt wurde.
Der bedeutendste Vertreter des älteren norddeutschen Orgelbaus war Arp Schnitger, der sich 1682 in Hamburg niederließ. Dort lieferte er mit der Orgel in der St. Jacobi-Kirche sein Meisterwerk und stattete unter anderem ebendort Sankt Johannis, in Bremen Sankt Petri, in Berlin Sankt Nicolai mit Orgeln aus. Insgesamt stammen aus seiner Werkstatt an die 160 Orgeln, deren Qualität in ganz Europa anerkannt war. Des-

wegen erhielt er sogar Bestellungen aus Spanien und Rußland. Schnitgers Orgeltyp ist das Ergebnis einer langen Entwicklung von der Brabanter Schule über die Scherer-Orgeln und die Meisterwerke des Scherer-Schülers Gottfried Fritzsche aus Meißen, des Schöpfers der fünfmanualigen norddeutschen Orgel, der sich bei seiner Arbeit vom Amsterdamer Meisterorganisten Jan Pieter Sweelinck (1562–1621) hatte inspirieren lassen und mit der bedeutendsten Persönlichkeit des deutschen Musiklebens seiner Zeit, Heinrich Schütz, befreundet war. Der allgemeine wirtschaftliche Aufschwung nach Kriegsende belebte auch den Orgelbau; die Gemeinden entwickelten einen gesunden Ehrgeiz, einander in dieser Form der Kulturpflege zu übertreffen. Viele Orgelbaumeister wanderten von Ort zu Ort; ihre Tätigkeit läßt sich bis nach Ungarn und Siebenbürgen verfolgen.

Aufgaben des Organisten – Formen der Choralbearbeitung

Die neuen Instrumente beflügelten die Phantasie der Organisten, und über Begleitung des Gemeindegesangs hinaus entfaltete sich eine neue Art des Musizierens, die wiederum von Sweelinck ihre entscheidenden Anregungen erfuhr. Dieser »Organistenmacher« hatte aus italienischen, französischen und englischen Formmustern einen eigenen Stil ausgebildet, in dem die niederländische Vielstimmigkeit durch moderne »koloristische« Ziertechnik beschwingt wurde. Seine Choralbearbeitungen nahmen Generationen deutscher Organisten bis Johann Sebastian Bach als Mustervorlagen. Auch seine virtuosen Toccaten, festliche Einleitungsstücke – sprachlich verwandt damit der »Tusch« –, in denen freie konzertante Bewegungen von strenger geordneten Themen abgelöst wurden, galten als Vorbilder dieser Gattung. Häufig gerieten in der Folge die Organisten beider Konfessionen bei allzu kühnem Spiel mit den Kirchenbehörden aneinander; selbst in der Liedbegleitung sollten sich »fremde« Töne nicht häufen, damit die Gemeinde nicht »durcheinandergebracht« werde.
Grundsätzlich hatte der Organist drei Aufgaben zu erfüllen: zu präludieren – ein Lied einzuspielen –, zu alternieren – im Wechsel von Kirchenchor und Gemeindegesang mitzuwirken – und zu begleiten. Daraus entwickelten sich im Laufe des Jahrhunderts drei verschiedene Formen der Choralbearbeitungen. Im Vorspiel durfte man sich freier bewegen; Schule machte der Organist am Petersdom in Rom Girolamo Frescobaldi (1583–1643), dessen »Spielmuster« von seinem Schüler, dem Wiener Organisten Johann Jakob Froberger (1616–1667) weiterentwickelt wurden. Diese »offene« Form übernahm der Nürn-

HEINRICH SCHÜTZ

Als der von seinen humanistischen Zeitgenossen hochverehrte »Henricus Sagittarius« 1672 mit 87 Jahren in Dresden starb, sangen seine Schüler eine von ihm in Auftrag gegebene Motette und ehrten so den »eisgrauen Senior der deutschen Musikanten«. Sein Lebenswerk aber war bald vergessen, ja, unter den zahlreichen Abschriften alter Meister, die Johann Sebastian Bach zu Studienzwecken anfertigte, fand sich kein Werk von Schütz. Erst das 19. Jahrhundert entdeckte ihn auf Umwegen wieder. Die nun einsetzende Schütz-Renaissance fand 1885 ihren ersten Höhepunkt am 300. Geburtstag mit dem Beginn der Gesamtausgabe seiner Werke und begeisterte seit den zwanziger Jahren unseres Jahrhunderts die Jugend der »Singbewegung« für den »Musiker von Gottes Gnaden«. Nationalistischer Überschwang stilisierte Schütz zur »Lichtgestalt des deutschen Volkes«. Das 21. Schütz-Fest 1981 in Karlsruhe verlagerte dann die Akzente deutlich: Man rückte vom Personenkult ab und suchte Schütz als Exponenten eines musikgeschichtlichen Umbruchs auf dem Hintergrund der gesamthistorischen Entwicklung zu sehen.

Der junge Mann aus fränkisch-sächsisch-thüringischem Patriziergeschlecht wurde vom Landgrafen Moritz von Hessen protegiert, wollte aber lieber Jura statt Musik studieren. Entscheidend wurden Begegnungen mit der modernen italienischen Musik: zunächst mit Gabrieli, dann mit Monteverdi – beide Organisten zu San Marco in Venedig. Seit 1617 Kapellmeister am kurfürstlichen Hof zu Dresden, brillierte Schütz schon im selben Jahr beim Empfang Kaiser Matthias' mit seinem neu organisierten Orchester und Chor. In seinen Kompositionen verband er unbändig subjektive Ausdruckskraft mit der farbenprächtigen, konzertanten Satzkunst der Venezianer, und so hielt das Musiziergefühl des katholischen Südens Einzug in die protestantische Kirchenmusik. *(J. G.)*

berger Johann Pachelbel (1653–1706); in seinen »Fughetten« wird das Choralthema von einer Stimme vorgeführt; während die anderen Stimmen es nacheinander aufnehmen, fließt jeweils die Stimme, die das Thema beendet hat, in rhythmisch-melodischem Kontrast weiter. In der mit Pachelbel befreundeten Familie Bach wurde diese Kunstform mit Interesse verfolgt, und Johann Sebastian wurde darin ein Meister.

Die zweite, die »geschlossene« Form, bildete der Virtuose an der Marienorgel zu Lübeck vollkommen aus. Dies war Dietrich Buxtehude (1637–1707), in dessen Choralphantasien die Choralmelodie umrankt und umwoben, doch nie unterbrochen wurde. Er war übrigens Schwiegersohn seines von Frescobaldi begeisterten Vorgängers Franz Tunder.

Bei der dritten Form, der »Choralpartita«, wird der ganze Text in Variationen musikalisch ausgedeutet, ein Verfahren, das vor allem der Lüneburger Organist Georg Böhm (1661–1733) beherrschte und Johann Sebastian Bach vermittelte.

Schon 1624 gab der Sweelinck-Schüler Samuel Scheidt (1587–1654) eine Sammlung Liedbearbeitungen und Strophenvariationen in Halle heraus. Er übertrug in diese »Tabulatura nova« seine Sätze nicht mehr in deutscher Buchstabenschrift, sondern nach neuer italienischer Art auf zwei Liniensysteme. Solche Kirchenliedvariationen wurden auch gern auf Hausorgeln zur privaten »Erbauung« gespielt. Im Verlauf des Jahrhunderts erfuhr die Orgelliteratur eine ständige Erweiterung: einbezogen wurde die Liedform der »Aria« von Frescobaldi, Froberger, Pachelbel und anderer – ein liedhaftes Thema war Ausgang für eine Kette von Abwandlungen –, einbezogen wurden stilisierte Tanztypen italienischer und spanischer Herkunft, wie die Chaconne und die Passa caglia; letztere bedeutet so viel wie »auf der Straße herumgehen«, war also ursprünglich ein Ständchen. Beide Formen bewahren auch nach der Stilisierung die ursprünglichen Tanzschritte: Über einem gleichmäßig wiederkehrenden Baßthema (= Ostinato) tauchen ständig wechselnde Oberstimmen auf. Unter den vielen, reichen Formen der Orgelmusik ist zum Schluß das »Ricercare« hervorzuheben. Die italienische Bedeutung »aufsuchen« weist darauf hin, daß diese schon im 16. Jahrhundert selbständige Instrumentalkomposition, die sich ursprünglich an den Klanggebilden der Vokalmusik ausrichtete, in nacheinander folgenden, das Thema ständig nachahmenden Ansätzen und in der Ablösung durch neue, kunstvoll ausgeführte Einfälle in der Vielfalt eine geschlossene Form sucht. Damit regte sie als unmittelbare Vorform der Fuge die Phantasie der Barockmeister bis Johann Sebastian Bach an.

Entfaltungsmöglichkeiten des Organisten in der katholischen Liturgie

Wenn auch das Tridentinum den katholischen Organisten das Spielen von »lasziven und unehrenhaften Liedsätzen«, die offensichtlich an unpassende weltliche Texte erinnerten, verbot, und Papst Clemens VIII. 1600 genaue Vorschriften für die *Mit*wirkung der Orgel bei Messe und Stundengebet erließ, wirkten sich diese Auflagen keineswegs in einer puritanischen Spielweise aus. Im Gegenteil, ganz im Sinne des gegenreformatorischen Missionierungsgedankens ließen sich die Organisten durch Reichtum und Vielfalt liturgischer Formen zu musikalischen Darbietungen verführen, deren Leidenschaftlichkeit die religiösen Gefühle der Gläubigen bis ins Ekstatische steigern sollten. Es gab da im übrigen keine strenge Unterscheidung zwischen »evangelischer« und »katholischer« Musik, in *beiden* spiegelte sich das echte Pathos barocken Lebensgefühls wider. Über allem stand die Devise »zur höheren Ehre Gottes«.
Die festliche Ausgestaltung katholischer Messen und Vespern bot den Organisten reichlich Gelegenheit, ihr ganzes Können unter Beweis zu stellen. Gleichsam eine Ouvertüre führte in die geistliche Handlung ein, die einzelnen »Akte« wurden in Ausdeutung ihrer Texte voneinander geschieden, Zwischenspiele regten zur Meditation an, der Ausklang war ein Appell an den geistlichen Auftrag »Gehet und erfüllt eure Sendung!« Die Aufgipfelung der Vesper im Lobgesang Mariens, im »Magnificat«, forderte den Organisten geradezu heraus, die ganze Pracht seines Instrumentes zu entfalten, während der Gregorianische Gesang unterbrochen wurde und die Zelebranten den Altar mit Weihrauch umwölkten.

Neue Formen der Kirchenmusik

Barocke Prachtentfaltung wirkte sich auch auf die Gestaltung vokaler und instrumentaler geistlicher Musik aus. Die Mehrchörigkeit nahm ihren Ausgang von Venedig: Die gegenüberliegenden Apsiden (= Nischen) von San Marco eigneten sich hervorragend, zwei Chöre miteinander korrespondieren zu lassen. Andrea Gabrieli (1510–1586) hatte, angeregt von seinem Lehrer, dem Niederländer Adrian Willaert, in seinen Kirchenkonzerten zum Wettstreit von sechs- bis sechzehnstimmigen Chören mit der Orgel aufgerufen. Sein Neffe, Giovanni Gabrieli (1557–1612), der bei Orlandus Lassus musikalische Erfahrungen gesammelt hatte, steigerte diese akustische Raffinesse durch Einsatz von

Johann Sebastian Bach.
Ölgemälde von
Elias Gottlob Haussmann, 1746.

fünf Chören mit insgesamt 22 Stimmen und durch Einblendung von Streicher- und Bläserensembles. So wurde die Musik »Stimme des Raumes« und vermittelte mit dieser neuen Funktion eine Ahnung vom Empfinden des neuen barocken Weltgefühls, in dem Architektur, Malerei und Musik in ihrer Harmonie den Gläubigen bezauberten. Für die Einweihung des Doms zu Salzburg 1628, eines Prachtbaus des italienischen Frühbarocks von Antonio Solari mit großartigen Deckengemälden, komponierte der Römer Benevoli eine Messe für zwölf Chöre zu 53 Stimmen, die man im ganzen Raum verteilt hatte.
Eine andere Form geistlicher Musik war anläßlich der Andachtsstunden im Betsaal (ital.: oratorio) des Klosters San Girolamo zu Rom auf Anregung Filippo Neris entstanden. Die ursprünglich schlichten mehrstimmigen Gesänge wurden um die Wende zum 17. Jahrhundert im Zuge des »stile rappresentativo« durch Solorezitative und dramatische Dialoge belebt. Mit dem nächsten Schritt zur szenischen Darstellung wurde der Weg zum modernen Oratorium gewiesen, das nach jahrhundertlanger Karenzzeit auf dem Konzertboden sich auf diese

Georg Friedrich Händel.
Zeitgenössischer Kupferstich des Komponisten.

barocken Ursprünge besinnt, wie die aufsehenerregende Teilnahme zeigte, die das Publikum der Salzburger Festspiele dem 1600 entstandenen »oratorio volgare« »La rappresentazione di anima e di corpo« (Das Spiel von Seele und Leib) des Römers de' Cavalieri entgegenbrachte.

Der große Georg Friedrich Händel (1685–1759) studierte die fünfzehn lateinischen Oratorien des römischen Kapellmeisters Giacomo Carissimi (1605–1674), dessen Oratorienform grundsätzlich auf szenische Darstellung verzichtete. Dagegen bahnte sich gegen Ende des Jahrhunderts eine Entwicklung an, die das Oratorium bis in die Nähe der Oper führte. Eine Sonderform bildete sich in Wien aus, wo Johann Kaspar Kerll (1627–1693), ein Schüler Carissimis, Organist an der Stephanskirche, für den Hof in der theaterlosen Karwoche Begräbnisszenen der Leidensgeschichte Jesu zu einer »Grabmusik« (ital.: sepolcro) aneinanderreihte. Der für die Musik sehr aufgeschlossene Kaiser Leopold I. hat selbst einige »sepolcri« komponiert.

Der musikdramatische Stil des Oratoriums griff im 17. Jahrhundert

auch auf die Darstellung der Leidensgeschichte, die Passion über, die seit dem frühen Mittelalter als Choralpassion von einem Sänger vorgetragen wurde, der die verschiedenen Rollen in Tonlage und Tempo differenziert zum Ausdruck brachte. Als die volkstümlichen Passionsspiele (Oberammergau seit 1634) überhandnahmen, ließ man die das Volk verkörpernden Chöre mehrstimmig singen, sonst wurde der dem Gregorianischen Choral angenäherte einstimmige Grundton beibehalten. Inzwischen hatte die niederländische Schule mit der »figuralen Passion« eine eigene Form entwickelt. Die einzelnen Rollen wurden in einen vierstimmigen Chorsatz eingeordnet, der vom Anfang bis zum Ende durchkomponiert war, was der alten Form der Motette entsprach. Heinrich Schütz komponierte mit seiner »Auferstehungshistorie« ein Werk, das dramatische und motettische Elemente vereinigte: Vier Streicher begleiten auf Gamben den im Lektionston rezitierenden Evangelisten, der allerdings die entscheidenden Textstellen mit musikalischem Ausdruck ausgestalten darf. Die Orgel begleitet die in einem zweistimmigen, melodisch verschieden gestalteten Satz singenden Personen der Handlung, wobei die zweite Stimme vokal oder instrumental wiedergegeben werden kann. Der Chor eröffnet und beschließt die Passion; im übrigen tritt er nur in einer einzigen Massenszene auf.
In den 1645 komponierten »Sieben Worten Jesu Christi am Kreuz« wahrt Schütz die Tradition der motettischen Passion bis auf eine Neuerung: Der Darsteller Christi rezitiert nicht, sondern soll bewußt durch die moderne expressive Form des schon in der jungen Oper bekannten »Arioso« – einer melodisch-liedhaften Singweise – den Zuhörer erschüttern, eine Wirkung, die durch den Einsatz von Instrumenten noch gesteigert wird. Wiederum anders gestaltete Schütz sein »Weihnachtsoratorium« (1664), das er in acht apart instrumentierte Solokonzerte (Intermedien) gliederte. Zwei Chorsätze rahmen das Ganze ein, von denen die abschließende Weihnachtssequenz eine Steigerung ihres hymnischen Charakters durch reiche Instrumentierung erfährt. Im Alterswerk der drei Passionen nach Lukas, Johannes und Matthäus spart Schütz die Instrumente aus. In einem neuartigen, Elemente der Gregorianik, des modernen italienischen Rezitativs und deutscher Liedmelodien verbindenden Stil hat der »überragende musikalische Prediger« des 17. Jahrhunderts, mit subtilem Gespür dem biblischen Wort dienend, eine künstlerische Leistung ersten Ranges erbracht.
Die beliebteste Form geistlichen Musizierens in den evangelischen Kirchen wurde zusehends die Kantate. Ähnlich wie das Oratorium verknüpfte sie chorische, solistische und instrumentale Elemente, die je nach der speziellen Kantatenform in Erscheinung traten, deren ein-

Kleine geistliche Konzerte. *Titelkupfer des ersten Teils, zugleich signiertes Autorenexemplar von Heinrich Schütz. 1635. Wolfenbüttel, Herzog August Bibliothek.*

fachste durch eine Variationskette der Strophen eines Kirchenlieds bestimmt war. Insbesondere Schütz und Tunder setzten einen neuen Akzent durch die verschiedene Gestaltung der einzelnen Strophen. Nach Albert Schweitzer ist die eigentliche »Einbruchstelle für das geistliche Konzert die ›Predigt-Motette‹«. Sie wird zwischen Verlesung des Evangeliums und Predigt eingeschaltet und hat die Aufgabe, die sonntäglichen Bibeltexte musikalisch auszudeuten. Gern werden aber auch biblische Szenen in Dialogen dramatisch gestrafft, oder – völlig umgekehrt – die Texte zu Arien ausgeweitet. Seit 1680 bürgert sich eine alle Elemente einbeziehende Form ein: Der Chor interpretiert einen Bibelspruch – das Thema –, ariose Gesänge bilden den Hauptteil, mit einer Choralstrophe wird die Kantate abgeschlossen. Weithin beliebt waren die kantatenähnlichen kirchlichen Gebrauchsmusiken des aus dem böhmischen Brüx stammenden, in Zittau (Sachsen) wirkenden Andreas Hammerschmidt (1612–1675). Bald konnte man von einem wahren Kantatenrausch sprechen, denn es entstanden zahlreiche Kantatenzyklen für das ganze Kirchenjahr.

Geistliches Schultheater – Seelsorge und Lebenshilfe

Im Barockzeitalter hatte jede soziale Schicht ein ihr ›gemäßes‹, eigenes Theater. Der an den mitteldeutschen Höfen tätige evangelische Beamtenadel schickte die Kinder auf städtische Gymnasien, wo sie auf künftige Berufe in gehobenen Stellungen vorbereitet wurden. Das Schultheater als stehende Einrichtung hatte dabei eine wichtige bildungspolitische Funktion zu erfüllen; Dichter wie Gryphius und Lohenstein schrieben ihre Stücke, in denen sich die »Helden« durch standhafte Haltung gegen alle Schicksalsschläge behaupteten, zu diesen pädagogischen Zwecken.
Landesherr, Adel und städtisches Patriziat förderten diese Einrichtung großzügig; man lud auch zu Aufführungen bei Hofe ein, wo Schüler als Choristen und Statisten tätig waren. In Straßburg und Ulm übernahmen die Schultheater die Aufgabe von Stadttheatern. Einen vielbeachteten Ruf als Theaterzentrum hatte die Schulbühne im sächsischen Zittau unter der Regie ihres Direktors Christian Weise (1642–1708). Gegenüber dem Konzept des 16. Jahrhunderts wurde Illusionstheater geboten. Bemalte, perspektivische Schiebekulissen ermöglichten ein »Sukzessionstheater«, in dem Verwandlung auf Verwandlung folgte und eine Hinterbühne Massen auftreten lassen konnte. In den Komödien – Scherz- oder Schimpfspielen – geht es nicht um Wandlungen oder Besserungen: die Torheit bleibt unwandelbar. In der Kostümie-

rung wird das Lächerliche zur symbolischen Groteske. Genaue Regieanweisungen erläutern die Notwendigkeit sprachlicher und gestischer Übertreibungen. In Tragödien wiederum werden Wahnsinnsausbrüche bis ins Detail ausgeschildert: Nicht der Tod ist das Ende, sondern der »Ichverlust«.

Durch Erregung von Furcht und Schrecken: Umkehr zur Tugend

Das katholische Ordens-, insbesondere das Jesuitentheater verengte diese Intentionen auf rein missionarische Ziele im Dienst der Gegenreformation. Die Botschaft wurde nicht nur von den Kanzeln und Kathedern, sondern auch von der Bühne verkündigt. Alle Mittel des Theaters werden aufgeboten, um Märtyrer und Heilige als die großen Vorbilder vorzuführen. Sie opfern ihr irdisches Glück, um das ewige Heil zu erlangen. Ihre Erleuchtungen und Wandlungen sind Verdienst und Triumph der alleinseligmachenden Kirche. Im Sturz der Großen wird die »Eitelkeit« der Welt überdeutlich. Der Mensch ist allerdings nicht »ausgeliefert«: Er führt durch seine Entscheidung seine Verdammung oder seine Erlösung herbei.
Der bekannteste jesuitische Theatermann war Jacob Bidermann (1578–1639). Aus der Kette seiner Erfolge ragt sein »Cenodoxus« heraus, 1602 im Jesuitenkolleg Augsburg uraufgeführt, 1609 in München neuinszeniert und daraufhin ein europäisches Theaterereignis. Der Theaterfachmann Bidermann arbeitete mit allen Mitteln. Ein Augenzeugenbericht der Inszenierung von 1609 schildert die Publikumsreaktionen: »so fröhliches Gelächter, daß beinahe [...] die Bänke brachen [...]. Bewegung wahrer Frömmigkeit hervorgerufen [...]. Bekehrung von 14 Männern nach der Aufführung [...]«. Selbst im Krieg gingen die Aufführungen weiter; ihr Stil glich sich den Zeiten an: Brutalität wurde auf der Bühne in krassem Naturalismus vorgeführt, »damit sich der Himmel um so besser absetze«.
Der Jesuit Jakob Balde (1604–1668) sah in Iphigenie ein Sinnbild für den Opfertod Jesu, ein Antike und Christentum verbindendes Thema, das er in seiner Tragödie »Jephtias« barock ausgestaltete: Chormassen umrahmten das Geschehen, effektvolle Musik steigerte die Dramatik, das Schlimmste wurde auf offener Bühne gezeigt, um die »leidenschaftlichen Begierden« der Zuschauer zu stillen. Jacob Masen (1606–1681) faßte diese barocke Dramaturgie zusammen: Wichtig war nur eine mitreißende Handlung, Zaubereffekte und Geistererscheinungen sollten die Zuschauer verwirren, doch war es Aufgabe des Autors, Irrtümer aufzuklären und Betrüger zu entlarven; dabei kam es

weniger auf Erregung von Mitleid als auf Provokation von Furcht und Schrecken an, denn nur ein Schock bewirke die Umkehr zu einem tugendhaften Leben.
Auf kaiserliche Einladung hin unterhielten die Jesuiten mit ihren Stükken den Hof zu Wien, das nun den bisherigen Vorort München mit prunkvollen Inszenierungen ablöste, wobei das ursprünglich religiöse Theater jetzt die Huldigung des Herrschers in den Vordergrund stellte und sich damit in die »Ludi Caesarei« umwandelte. Auch die Benediktiner erwiesen auf diese Weise dem erzbischöflichen Hof in Salzburg ihre Reverenz; benediktinisches Ordenstheater ist auch aus Kremsmünster und Ottobeuren bekannt.

Vom »dramma per musica« zur Oper

Im August 1617 wurde das älteste Gartentheater im deutschen Raum, das der Salzburger Fürsterzbischof Max Sittich von Hohenems im Park seines Lustschlosses Hellbrunn in einer Felsengrotte eingerichtet hatte, mit einem von Musik umrahmten Legendenspiel »Sankt Christina« eröffnet. Im Jahr darauf wurde Salzburg Schauplatz von Aufführungen dreier italienischer musikdramatischer Neuheiten, des »Orfeo«, des »Il Perseo« und der »Andromeda«. Damit eroberte die anspruchsvollste Kreation des italienischen Barock auch die Fürstenhöfe nördlich der Alpen. Aus völlig anderen Zielsetzungen heraus entwikkelte sie sich im 17. Jahrhundert zu einem wahren höfischen »Spektakel«, der Oper, die ihren elitären Charakter über alle Gesellschaftsveränderungen hinweg nicht verleugnete.
1597 war im Palast des Fürsten Corsi zu Florenz ein Experiment gestartet worden, das die Theorie eines Kreises von Musikästheten und Humanisten bestätigen sollte: Musik habe Poesie hörbar zu machen; Vorbild sei die griechische Tragödie, in der in einer Art Sprechgesang die Einheit von Wort und Ton erreicht worden sei. War der Erfolg dieses Versuchs, in dem der mythologische Dafne-Stoff im »stile recitativo« dargeboten wurde, schon überraschend, so wurde eine neue Gemeinschaftsarbeit des Texters Rinuccini und des Komponisten Peri, »Euridice«, bei der Aufführung am Hofe der Medici vor einem glanzvollen Publikum ein unerhörtes künstlerisches und gesellschaftliches Ereignis.
Die Idealvorstellungen der Florentiner Avantgardisten erfüllte aber Claudio Monteverdi, Hofkapellmeister in Mantua, der unter Beachtung der Platonischen Forderungen die Gemütsbewegungen im erregten, gemäßigten und weichen Stil musikalisch ausdeutete, dem Sologe-

Musiktheatralisches Schaffen zu Ehren des Gatten: *Musikalische Glückwünsche der Herzogin von Braunschweig für Herzog August. 10. April 1652. Wolfenbüttel, Herzog August Bibliothek.*

sang den Vortritt ließ und das Orchester, unsichtbar für den Zuschauer, sparsam einsetzte. Seine Opern »Orfeo« (1607), »Arianna« (1608), »Il ritorno d'Ulisse in patria« (1641) und »L incoronazione di Poppea« (1642) gehörten zum europäischen Repertoire. Die beiden letztgenannten Werke hatte er in Venedig geschrieben, wo inzwischen die Gattung jene Wandlung erfahren hatte, die sie über einen Kreis von Kennern und Snobs hinaus allgemein beliebt machte. Venedig hob die Schranken auf und baute 1637 das erste allgemein zugängliche Opernhaus.
Gleichwohl blieb Venedig zunächst ein Einzelfall, denn bis auf wenige Ausnahmen war die Oper ein Privileg der europäischen Fürstenhöfe. Entsprechend der allgemeinen Geschmacksrichtung suchten die Potentaten einander nicht nur in Architektur und Hofhaltung, sondern auch im Pomp der Operninszenierung zu übertreffen. Allen voran die Habsburger in Wien, die angeblich nur zwei Leidenschaften kannten: die Jagd und die Musik. 1653 führte die kaiserliche Hofkapelle während des Regensburger Reichstages in einem eigens von dem kaiserli-

Zweierlei Musik. *Musik wurde im 18. Jahrhundert zunehmend auch im kleinen Kreis zu Hause aufgeführt (oben). Daneben gab es die höfisch-repräsentative Oper und die Militärmusik (unten).*

chen Architekten Burnacini errichteten Theater die Oper »Der Liebestrug« des Hofkapellmeisters Bertali auf. Ein Signal für die Weltöffentlichkeit setzte Kaiser Leopold I., als er anläßlich seiner Hochzeit mit der Infantin Margareta von Spanien Burnacini mit dem Bau eines Operntheaters »auf der Cortina« beauftragte, dessen Ausmaße und Anlage Theaterfeste ermöglichen sollten, die allen Prunk des Sonnenkönigs in Versailles in den Schatten stellen würden.

Der Prachtbau wurde 1667 mit einer Burnacini-Inszenierung der Cesti-Oper »Il Pomo d'oro« (ital., Der goldene Apfel) eröffnet. Neben der italienischen Konkurrenz konnte sich nur ein Österreicher behaupten, Heinrich Schmelzer, der mit Bertali die Musik zu dem berühmten Roß-Ballett schrieb, das im Burghof der Wiener Hofburg den festlichen Auftakt zur Vermählung des Kaisers gegeben hatte.

Die erste Aufführung einer deutschen Oper dagegen fand 1627 im Schloß Hartenfels bei Torgau anläßlich der Vermählung der sächsischen Prinzessin Luise mit dem musikalischen Landgrafen Georg von Hessen-Darmstadt statt. Zwei Persönlichkeiten des deutschen Kulturlebens hatten sich zusammengesetzt, um die italienische Vorlage der »Dafne« umzuarbeiten; das Textbuch von Martin Opitz ist erhalten, Heinrich Schützens Partitur ist leider verlorengegangen. So gilt als erstes Muster deutscher Opernmusik das Singspiel »Seelewig« von Sigmund Theophilus Staden, 1644 geschaffen, ein Schäferspiel, dessen Text Georg Philipp Harsdörffer schrieb und das den Beginn der barokken deutschen Liedoper darstellt, die mehr an den kleineren Höfen gepflegt wurde, wo man zur Sparsamkeit gezwungen war.

Eine Sonderstellung nimmt Hamburg ein: Gegen den Widerstand der Kirchenvertreter, die die Oper als Satanskult anprangerten, wurde 1678 das für alle Bürger zugängliche Opernhaus am Gänsemarkt errichtet und mit der von dem Schütz-Schüler Johann Theile vertonten Oper »Adam und Eva« eröffnet, die Elemente des alten Volksschauspiels aufweist.

Literatur

Adler, Guido (Hrsg): Handbuch der Musikgeschichte, München 1981

Frenzel, Herbert: Geschichte des Theaters. Daten und Dokumente 1470–1840, München 1979

Kindermann, Heinz: Theatergeschichte Europas. III. Band: Das Theater der Barockzeit, Salzburg 1959

Seeger, Horst: Opern-Lexikon, Wilhelmshaven 1979

WOLFGANG WEISMANTEL

Höfisches Leben im absolutistischen Zeitalter

Rahmen und Maßstab höfischer Repräsentation – Hofzeremoniell als Form der Selbstdarstellung – Das exklusive Vergnügen einer erlesenen Gesellschaft – Schöne Frauen – Edles Jagdhandwerk? – Die Schattenseiten des Hoflebens.

Als 1648 zu Münster der Westfälische Friede geschlossen wurde, hat wohl keiner der Beteiligten geahnt, daß die damalige Verhandlungssprache Französisch von nun an die Weltsprache der Diplomatie sein sollte. Die für die Zeitgenossen zunächst wenig bemerkenswerte Bevorzugung des Französischen warf in Wahrheit ein höchst bedeutungsvolles Licht auf die politische und kulturelle Führungsrolle Frankreichs. Während man dort gefestigt und blühend das Kriegsende erlebte, waren in den deutschen Landen die Bevölkerung halbiert, Städte und Dörfer verwüstet und der überregionale Handel praktisch lahmgelegt. In dieser Situation bildeten die deutschen Fürstenhöfe die Zentren, wo mit Macht die Landesentwicklung betrieben wurde, wo Geldmittel und kulturelles Sendungsbewußtsein sich verbanden.
Nach allen Seiten offen und in vielen Bereichen ohne eigene Identität, strömten fremdländische Einflüsse verschiedenster Art in das Reich. Sie kamen aus England, Spanien, Italien, den Niederlanden und seit der zweiten Hälfte des 17. Jahrhunderts vornehmlich aus Frankreich.

Versailles – Das unerreichte Vorbild

Um teilzuhaben am Glanz der in Frankreich gepflegten höfischen Kultur, waren weite Kreise des Adels bereit, kritiklos das französische Vorbild zu imitieren, nicht nur was die Sprache betraf. Mit Ludwig XIV. hatte ein Herrscher den Thron bestiegen, der als absoluter Monarch das gesamte öffentliche Interesse auf sich zog und seine Person zum Maßstab höfischen Lebens und politischen Handelns erhob. Eingeengt von der Großstadt Paris, die in ihrer Anlage der königlichen Vorstellung einer Residenzstadt nicht genügen konnte, ließ Ludwig

XIV. sich außerhalb des Stadtbereichs eine repräsentative Schloßanlage errichten. Nach Plänen und Vorstellungen der ersten Architekten und Künstler entstand mit dem königlichen Schloß in Versailles ein neuer Mittelpunkt Frankreichs. Während des gesamten absolutistischen Zeitalters bildete diese Schloßanlage das in seiner architektonischen und künstlerischen Ausgestaltung unerreichte Vorbild nahezu aller europäischen Fürstenhöfe, an denen die glänzende Hofhaltung des Sonnenkönigs, wie sich Ludwig XIV. selbstbewußt nannte, mit bis dahin ungekanntem Aufwand nachgeahmt wurde.
Um dem prunkvollen und glänzenden Rahmen von Versailles zu entsprechen, stürzte sich die Mehrzahl der deutschen Fürsten in unglaubliche Schulden. Oft genug stand ihr Bedürfnis nach höfischem Glanz in geradezu lächerlichem Verhältnis zu ihren Möglichkeiten, insbesondere da nicht nur Reichsfürsten, sondern auch Grafen und Reichsritter diesen Ehrgeiz entwickelten. Neben der Verschwendungssucht beim Bau von Residenzen mußten ungeheure Summen für die laufenden Kosten aufgewendet werden. So hatte etwa das Land Württemberg mit einer Einwohnerzahl von 500000 Seelen das Schloß Ludwigsburg zu unterhalten, in dem Karl Eugen von Württemberg (1744–1793) eine Hofhaltung von 2000 Personen und 800 Pferden zur Verfügung stand. Im Vergleich dazu versorgten den kaiserlichen Hof in Wien auch etwa 2000 Personen, der Fürstbischof in Würzburg begnügte sich mit 260. Nicht genug damit leistete sich Karl Eugen außerdem mehrere Lustschlößchen und seine Residenz in Stuttgart. Daneben gehörten zur fürstlichen Prachtentfaltung eine Reihe von Jagdhäusern und Eremitagen, phantasievolle Wasserspiele und kunstvolle Gartenanlagen. Mit erlesenem Geschmack wurden Galerien und Raritätenkabinette ausgestattet, Orangerien und Bibliotheken angelegt. Daß dies kein Einzelfall war, beweist die lange Reihe fürstlicher Residenzneubauten, die vornehmlich bis zur Mitte des 18. Jahrhunderts entstanden (siehe *K: Schlösser und Residenzen, Seite 286*).
Ohne Übertreibung kann man von einer ausgesprochenen Bauwelle sprechen, in deren Verlauf gänzlich neue Residenzstädte gegründet wurden, wie zum Beispiel Karlsruhe und Mannheim. Hier waren die Untertanen in angemessener Entfernung in der Art eines Fächers bzw. auf schachbrettartigem Grundriß um die fürstliche Schloßanlage angesiedelt. Ebenso wie die Prunkschlösser selbst inmitten einer ›grünen Architektur‹ geometrischer Parkanlagen waren diese Städte vollkommen auf die Person des Herrschers ausgerichtet. Wie in Versailles bildeten die herrschaftlichen Gemächer das Zentrum der Anlage. Die Stadtplanung war also nichts weniger als Spiegelbild des landesherrlichen Selbstverständnisses.

Schlösser und Residenzen

Führende deutsche Baumeister wie Balthasar Neumann, Fischer von Erlach, die Gebrüder Asam, Pöppelmann, Schlüter und Knobelsdorf, um nur einige zu nennen, wirkten für ihre fürstlichen Auftraggeber. Sie planten und bauten Kirchen, vor allem aber Schloßanlagen, da sich das städtische Leben noch kaum von den Kriegsfolgen erholt hatte, daher auch der landesherrlichen Prachtentfaltung wenig entgegensetzen konnte. Zu den wichtigen Bauten gehören: 1695 Schönbrunn in Wien, 1695 Residenzschloß in Bamberg, 1698 Schloß in Berlin, 1701 Schloß Nymphenburg, 1701 Schloß Schleißheim, 1704 Schloß Ludwigsburg, 1705 Stadtpalais des Prinzen Eugen in Wien, 1711 Schloß Pommersfelden, 1711 Zwinger in Dresden, 1719 fürstbischöfliche Residenz in Würzburg, 1720 Schloß Mannheim, 1721 Belvedere in Wien, 1722 Schloß Bruchsal, 1737 Rheinsberg, 1743 Schloß Augustusburg in Brühl, 1745 Sanssouci in Potsdam, 1746 Residenzschloß in Stuttgart.

Grundlage und Rechtfertigung für die gewaltige Repräsentation von Macht und Reichtum bildete der Gedanke, daß der Herrscher von Gottes Gnaden, der weltliche Stellvertreter Gottes, für jedermann sichtbar mit dem Glanz seiner Hofhaltung diese Vorzugsstellung dokumentieren müsse. Nun entsprach bei den meisten deutschen Fürsten die tatsächliche Machtstellung keineswegs dem, was in grenzenloser Selbstüberschätzung an höfischer Prachtentfaltung vorgespiegelt wurde. Die politischen Verhältnisse im Reich führten dazu, daß eine Reihe im Grunde zweit- und drittrangiger Landesherren ihre tatsächliche politische Bedeutungslosigkeit, zieht man etwa den Vergleich zu Frankreich, mit aufwendigem und unverhältnismäßigem Pomp überspielten. So sollte in der Illusion die wenig strahlende Wirklichkeit aufgehoben werden.

Die unsichtbare Macht der Etikette

Der Leser darf sich jedoch nicht verleiten lassen, sich den Alltag bei Hofe allzu angenehm vorzustellen. Die adeligen Herrschaften, die täglich in Karossen vorfuhren und ihre Aufwartung machten, mußten peinlich genau die Etikette einhalten. Sie schrieb bis ins kleinste jede Handlung vor, bis hinein in die Art, wie man Gespräche zu führen hatte, was man zu tragen, wie man sich zu bewegen hatte. Auch hier setzte Ludwig XIV. die Maßstäbe. Selbst das morgendliche Aufstehen

Zentrum der Welt. *Auch in kleinen Herrschaften regierten die Herrscher absolutistisch und ließen sich entsprechend darstellen: Fürstbischof über der Ansicht seiner Stadt. Würzburg, Mainfränkisches Museum.*

verwandelte er in einen Staatsakt, bei dem nur ausgesuchte Damen und Herren des Hofes zugegen sein durften. Versuchten im Reich gar unbedeutende und provinzielle Reichsritter dies nachzustellen, mußten mitunter aus Mangel an Hofstaat der herrschaftliche Forstmeister und ein Kammerherr als Kulisse dienen.

Beherrscht und verbindlich interpretiert wurde die Etikette vom Zeremonienmeister, der vielerorts zugleich als Hofpoet den Ruhm des Herrschers zu besingen hatte. Der Hof Kaiser Karls VI. in Wien orientierte sich am spanischen Hofzeremoniell und bildete damit eine gewisse Ausnahme, da dessen Starrheit und Distanz im Reich wenig Anklang fanden.

In den weitläufigen Schloßanlagen herrschte eine geschäftige Atmosphäre, stetiges Kommen und Gehen von Gästen und Bediensteten. Der höfische Rahmen verlangte die Anwesenheit möglichst vieler hochstehender Personen, die als Gäste meist in den Schlössern wohnten. Als Umgebung des Herrschers hatten sie seinem Repräsentationsbedürfnis zu genügen und sollten gleichzeitig durch die Annehmlich-

keiten des Hoflebens ihre eigene politische Ohnmacht vergessen. Um den Ansprüchen der Etikette jedoch zu genügen, verausgabten sie sich und mußten oft genug vom Hof mitfinanziert werden.
An kühlen Tagen litten sie darunter, daß die wenigsten Räume beheizbar waren und es allenthalben in den viel zu weitläufigen Gängen und Sälen spürbar zog. Das höfische Zeremoniell und die weiten Wege zwischen den Küchen und Räumen, wo gespeist wurde, ließen die Gerichte häufig kalt auf die Tafel kommen. In all diesen Punkten war das Schloß von Versailles wegen seiner Größe besonders betroffen. Es fehlte zudem in der riesigen Anlage weitgehend an hygienischen Einrichtungen, auf die man aus Gründen der Ansteckungsgefahr bewußt verzichtet hatte. Außer einer abgelegenen Latrine, über deren Zustand wir unterrichet sind, da der Philosoph Voltaire seinerzeit direkt über ihr untergebracht war, mußte die hohe Gesellschaft ihre Notdurft direkt in den Räumen und Treppenhäusern verrichten. Der Gebrauch großer Mengen von Parfum und die regelmäßige Gesamtreinigung der Gebäude waren die selbstverständliche, ja mit Gelassenheit akzeptierte Folge.
In den Fragen des guten Geschmacks führend zu sein, darum wetteiferten im Deutschen Reich zahlreiche Höfe. Hier gab man sich »alamode«, ein Schlagwort und für viele ein Schimpfwort, die das Nachäffen fremder Bräuche anprangerten. Dies bezog sich zunächst auf die Kleidung, aber auch Haar- und Barttracht fielen darunter, überhaupt das gesamte Verhalten. Die vornehme Person bei Hofe hatte sich ›galant‹ zu geben, d.h. in jeder Weise gewandt, zuvorkommend und gesellschaftsfähig. Mit diesem wohl am weitesten verbreiteten Modewort hielt endgültig französische Hofkultur ihren Einzug, und der deutsche Dichter Friedrich Logau stellte lapidar fest: »Wer nicht französisch spricht, ist kein berühmter Mann.«
Der höfische Kavalier wußte selbstverständlich, wie unschicklich es inzwischen war, »die Sauglocke zu läuten«. Vielmehr sollten Gespräche mit Anstand und Witz geführt, »gelehrte Sachen« mit Rücksicht auf die Zuhörerschaft nicht allzu trocken eingestreut werden. Man mußte frei »discourieren und parlieren« können, wenn möglich aber nicht mit dem »abgeschmackten Wetter-Discours« beginnen.

Die feine Gesellschaft an üppigen Tafeln

Als gastfreundliche Stätten boten die meisten Höfe reich bestückte Tafeln mit einer überbordenden Vielfalt an Speisen. Im üblichen Rahmen bewegte es sich, wenn bei einer Gelegenheit bis zu achtzehn Ge-

richte aufgetragen wurden, bei Staatsessen sogar ein Vielfaches davon. Einige von ihnen blieben allerdings den Augen vorbehalten, da sie, aus nicht eßbaren Zutaten bereitet, lediglich die Tafel schmückten. Mit silbernen Hauben bedeckt wurden die einzelnen Gänge von zahlreichen Bediensteten aufgetragen, auch um sie vor Fliegen und dem Puder der Perücken zu schützen.
Bei Tische widmete man zunächst die gesamte Aufmerksamkeit dem Tranchieren des Bratens, wobei der Kavalier vor aller Augen zu beweisen hatte, wie weit er diese zunächst in französischen Tranchierbüchern wortreich dargelegte Meisterschaft beherrschte. Die Gäste speisten anschließend nicht mehr nur mit dem Messer, sondern bedienten sich der Gabel, die seit ihrer Einführung in Versailles einen Siegeszug an den Höfen Europas hielt. Gewandelt hatten sich ebenfalls die Trinksitten, obwohl die Feste noch immer ausschweifend abliefen. Galt es früher als entscheidend, *wieviel* man an Wein hinuntergießen konnte, so kam es nun darauf an, *wie* man trank. Unter der Vielfalt an Getränken und Speisen sollte der »junge Cavalier« sich die Namen der französischen »Confitures und Liquers« bekannt machen und zumindest die gängigsten Kartenspiele beherrschen.
Wollte er darüberhinaus gute Erziehung beweisen, konnte er dies mit Reiten, Fechten und gewandt-grazilen Schreittänzen, etwa dem Menuett. Ein Hof mit Niveau hielt sich daher einen Tanzmeister, der nebenbei Kenntnisse über modische Accessoires besaß. Die Toilette der Damen wurde zeitraubend und kostspielig, denn Salben, Parfums, Puder, Schminke, Lippenstifte waren Luxuswaren, die importiert werden mußten. Freilich fanden all diese Zutaten auch bei den Herren begeisterte Aufnahme. Einen Einblick in die Modegewohnheiten vermittelt der zeitgenössische Satiriker Moscherosch mit seiner Kritik: »Die fürstlichen und gräflichen Frauenzimmer wollen [...] alle Monat mit großen Unkosten und Vergeudung der armen Untertanen Schweiß und Blut neue Trachten haben, die man ihnen auf der Post mit à la mode bekleideten Puppen und Tocken von Paris zuschicken muß.«

Zerstreuung und Selbstbestätigung – Der Hof feiert sich selbst

Um die drohende Langeweile einer im Grunde beschäftigungslosen Gesellschaft abzuwenden, inszenierte man neben dem zeitaufwendigen täglichen Zeremoniell, das der Selbstdarstellung diente, eine nicht endenwollende Kette gesellschaftlicher Ereignisse. So genoß man es bis etwa zur Mitte des 18. Jahrhunderts, an den großen Höfen pompös ausgestattete italienische Opern mit einem eigenen festen Ensemble

Eine Einheit: Residenz und Garten. *Schloß Clemensruhe in Bonn-Poppelsdorf und das Wasserschloß Nordkirchen in Westfalen – zwei Beispiele für rational geplante Repräsentation der herrscherlichen Machtfülle.*

aufzuführen. Sie vereinigten Exklusivität mit Prachtentfaltung und erlaubten auch auf der Bühne die fürstliche Selbststilisierung und Selbstdarstellung. Die Lieblingsrolle Ludwigs XIV. war bezeichnenderweise die der Sonne.

Künstlerische Ausgestaltung der Theater, Maler, Architekten, Sänger, Tänzer und Musiker – sie alle verschlangen unvorstellbare Summen. Doch meist bildeten Oper und Ballett lediglich einen Teil eines umfangreichen Festprogrammes. Konnte man sich keine eigenen Ensembles leisten, mußten durchreisende Truppen engagiert werden. Anlässe für Feierlichkeiten ließen sich beliebig finden, oft genug entsprangen sie einer momentanen Laune. Familienereignisse schließlich galten als unvermeidliche Termine von Festivitäten, die keineswegs immer nur ungetrübtes Vergnügen bereiteten, da sie ein hohes Maß an Durchhaltevermögen von den Beteiligten forderten.

Aufwand und Dauer orientierten sich dabei am Repräsentationsbedürfnis des Hofes. Nach wohldurchdachtem Plan folgten die einzelnen Ereignisse einander, die einem Höhepunkt zustreben mußten. Theater, Ballett, Musikdarbietungen und Festgottesdienste waren ebenso Bestandteil wie Festzüge, Bankette, Turniere, Maskenbälle und mitunter als Schlußpunkt ein Feuerwerk.

Selbst an Darbietungen teilzunehmen und damit im Mittelpunkt zu stehen, übte einen großen Reiz aus. So erfreute die Kurfürstin von Sachsen 1679 ihre Gäste, indem sie mit ihren Hofdamen ein »Mohrenballett« aufführte. Mit Vergnügen wählte man volkstümliche Verkleidungen oder maskierte sich als mythologische Gestalten. 1721 ließ August der Starke von Sachsen durch 300 Bauern Schnee anfahren, weil er trotz Tauwetters Lust auf eine Schlittenpartie verspürte. Er verpraßte in einem Jahr vier Millionen Taler für Vergnügungen, während sein Land gleichzeitig eine Hungersnot durchzustehen hatte. Der bereits genannte Karl Eugen von Württemberg ließ an einem Geburtstag 400 000 Gulden für Lustbarkeiten jeder Art aufwenden und veranstaltete mitunter Feuerwerke für eine halbe Million.

Die adelige Lust an der Jagd

Die genannten Beschäftigungen füllten das Leben des hohen Adels bei weitem nicht aus, denn nach Aussage Friedrichs des Großen verbrachten »die meisten Könige und Fürsten [...] dreiviertel ihrer Lebenszeit auf der Jagd«. Dabei zog in der Regel der gesamte *Hofstaat* *(K, Seite 296)*mit, und man quartierte sich in einem Jagdschloß ein, das jeder Landesherr als Prestigeobjekt vorweisen mußte. Mitunter waren diese

Zeitungsberichte von 1680
Höfische Festlichkeiten

Würzburg, vom 7. Mai. Vergangenen Sonnabend nachmittag ist der herrliche Einzug des Herrn Markgrafen von Ansbach allhier gehalten worden, welcher prächtiger und magnifiquer nicht sein können, aber doch ist er nicht ohne Spaß und Gelächter angelaufen, denn nachdem den ganzen Tag das schönste Wetter, und die Kavaliere und andere sich auf das herrlichste aufgeputzt, gleich wie des Herrn Markgrafen seine auch, weil sie beiderseits das schönste Wetter sahen, hat der meiste Teil, um sich recht sehen zu lassen, Kaputzen und Mäntel zu Hause gelassen. Als sie nun eine gute halbe Stunde von hier einander empfangen, ist auf einmal ein solcher schrecklicher Regen gekommen, daß nicht zu beschreiben, unterzustehen war keine Gelegenheit, weil kaum für zwei Mann Platz, will geschweigen für dreitausend Personen und mehr, so mit draußen gewesen, sind also in aller Gravität mit ihrem köstlichen Aufzug im schrecklichen Regen unter Lösung von hundert Stücken [Kanonenschüssen] und der ganzen Soldateska angekommen. Lächerlicher ist denselben, so im Trockenen von weitem zusehen konnten, nichts noch vorgekommen, als wie die schönen Perücken, so vorhin auf das schönste gepudert waren, possierlich aussahen, wie auch die Federn auf den Hüten, im übrigen keinen trockenen Faden am Leibe, einer fluchte, daß der größte Schloßturm hätte einfallen mögen, andere lachten, und andere schickten nach anderen Kleidern, alle Winkel waren voll Ausziehens, und das Ärgste, was sie verdroß, war, daß, sobald sie angekommen, sich das Gewölk augenblicklich wieder verloren, verzogen und das schönste Wetter, wie zuvor, wiedergekommen, welches noch dauert, wollen also etliche ihr Leben verwetten, es sei ihnen das von einem guten Künstler zum Possen gezaubert worden.

Wie Tractamenten, Lustspiele, Schießen und Ringelrennen abgelaufen, und mit was für Pomp und Pracht solche gehalten worden, ist nicht zu beschreiben. Gestern abends um fünf Uhr hat das Wasserspiel seinen Anfang genommen, und bis in die Nacht gedauert, es waren fünf absonderliche Theatra, welche eines nach dem andern das Wasser herunter kamen. Auf dem ersten waren lauter hohe Berge mit Brunnen, die Personen, als Fischer und andere Leute, waren angekleidet wie Faune, die Musik bestand in lauter kleinen Harfen. Der andere Berg mit lauter Satyren, die Musik lauter Geigen. Das dritte eine Triumph-Pforte, die Musik lauter Schalmeinen und Fagotten, worauf der Neptunus mit einer dreizackigen Gabel, aus welcher drei Brunnen entsprangen. Das vierte ein schöner Lustgarten mit Springbrunnen, die Musik lauter Cornetten und Posaunen. Das fünfte war ein großer Berg mit Weinstöcken präsentiert, auf welchem Bacchus mit einem Becher in der Hand, aus welchem, gleich wie auch aus anderen Orten, durch Wasserkunst Brunnen gingen. Zwischen Ankunft eines jeden Theatri hatten die Fischer ihr Wasserspiel, als nämlich Stechen, Turnieren, nach der Gans fahren, und andere Lustspiele mehr. In Summa, es ist alles auf das lustigste und schönste abgegangen. Auf dem letzten Theatro bei dem Bacchus waren lauter Trompeter und Pauker. Die Personen, so auf denen Theatris gewesen, haben sich auf hundertfünfzig belaufen.

Aus: Dienstagischer Mercurius. Berlin 1680, 24. Woche (in der Rechtschreibung modernisiert, Zeichensetzung belassen)

München, vom 16. Juli. Den 12. dieses ist das Karussell gehalten, vor dessen Anfang 3 Triumphwägen mit allerlei repraesentationibus eingeführt worden, welchen Ihre Kurfürstl. Durchlaucht samt den 12 turnierenden Kavalieren, Trompetern und 6 vorantretenden Knaben zum untersten Tor folgten; als sich nun die Musik geendet, zogen gleich gemeldete Turnierende hinter den Wägen ab, und fingen das Fest an, bei welchem die Durchlauchtigsten Personen ihre Tapferkeit und Dexteritet [....] vor allen Kavallieren mit männigliches Verwundern erwiesen, sonderlich Ihre Durchlaucht der Herzog Maximilian, welcher das erste, Ihre Kurfürstl. Durchlaucht das andere, und der Herr Graf Max von Freysingen das dritte gewonnen haben. Zum Beschluß erschienen abermals erwähnte Maschinen, und nach erschollener erfolgter Gratulation der völlige Abzug.

Aus: Sonntagischer Mercurius. Berlin 1680. 30. Woche (Bearbeitung wie oben)

Bühnendekoration.
Teil des Gesamtkunstwerks, angeregt durch italienische Vorbilder (oben), oft aus Anlaß großer Ereignisse mit allem Glanz versehen: Bühnenbild-Entwurf für die Festvorstellung zu Ehren der Vermählung einer Kaisertochter 1722 (unten).

Gebäude so angelegt, daß die adeligen Herrschaften vom Fenster aus das vorbeigetriebene Wild erlegen konnten.
Den Statisten auf der politischen Bühne gab so die Jagd Gelegenheit zu ›wirklichen‹ Taten und sie wurde als ein »geräuschvolles Vergnügen« empfunden, »das die innere Leere füllte«, wie Friedrich der Große sarkastisch anmerkt. Nachdem die hohe Jagd ein exklusives herrschaftliches Privileg war, wurde sie im Wettbewerb zwischen den Höfen als prunkvolle Repräsentationsübung abgehalten. Man vergnügte sich bei sogenannten eingerichteten Jagden, wobei bis zu 8000 Tiere am geschmückten Schießstand der Jagdgesellschaft vorbeigetrieben wurden. Bei Parforcejagden versetzte der Adelige dem gestellten Wild lediglich den Todesstoß, und Wasser- oder Sprungjagden gingen darauf hinaus, das Wild über Klippen stürzen zu lassen oder im seichten Wasser abzuschießen. Daß gerade bei den Damen das Fuchsprellen sehr beliebt war, mag heute manchen verwundern. Die Tiere wurden dabei mit einem Netz so lange in die Luft geschleudert, bis sie verendeten. Bei *einer* Gelegenheit mehrere hundert Tiere so zu ›erlegen‹, war zum Beispiel in Sachsen nicht außergewöhnlich.
Der Aufwand einer Treibjagd läßt sich erahnen, wenn man hört, daß 1763 in Württemberg unter anderem 33 Gebäude und Galerien dafür aufgestellt, ein künstlicher See angelegt und zwölf Orte monatelang mit über zwanzig Wagen beschäftigt wurden, um Spanndienste zu leisten. Mit Hilfe beliebig ausdehnbarer Jagdfron konnten so zahllose Bauern gezwungen werden, die »rühmliche Beschäftigung« ihrer fürstlichen Herren zu ermöglichen.

Korruption und Maitressenwesen – zwei höfische Tugenden

In einer insgesamt sehr immobilen Gesellschaft zeigte sich der Hof als einziger Ort, wo Karriere möglich war, gesellschaftlicher Aufstieg und Fall nahe beieinander lagen. Daher strömten Aufsteiger, Abenteurer, Künstler, Maitressen und Günstlinge jeder Couleur hier zusammen. Im täglichen Kampf um Wohlwollen und Laune der Herren übten sie sich in Geduld und Intrige. Auf Berechnung, Schmeichelei, Bestechung und Erpressung ausgerichtete Intriganten waren fester Bestandteil jeden Hofes.
Sie profitierten von der Geltungssucht des Adels und die Landesherren spielten sie mit Gewinn gegeneinander aus. Korruption und Ämterkauf waren dabei an der Tagesordnung. In Wien konnte man für 200 Dukaten Kammerherr werden und Fürst Schwarzenberg war 1711 der Posten eines Oberstallmeisters immerhin 100 000 Gulden wert.

Der Hofstaat

Umfang und Vielfalt der im Hofstaat vereinigten Ämter und Aufgabenbereiche hingen ab von der Finanzkraft und den Erfordernissen der Selbstdarstellung der Herrscher. Auch die Konfession wirkte sich auf die Zusammensetzung aus. Innerhalb der Hofgesellschaft umgaben sich die Fürsten, ihre Gattinnen und Personen ähnlichen Standes mit einem eigenen begrenzten Personenkreis, der ihnen persönlich zugeordnet war, zum Beispiel Hofdamen, Ballett- und Tanzmeister. Daneben betreuten einzelne Amtsträger bestimmte Aufgabenbereiche, etwa Hofprediger oder Hofbeichtväter, Hofgartenmeister, Hofjägermeister, Hofstallmeister, Leibärzte, Offiziere der Leibwache, verschiedene Hofkünstler usw. Für ihre Aufgaben war ihnen ein umfangreiches Hofpersonal zugeordet, das zusammen mit den übrigen Bediensteten für einen reibungslosen Ablauf zu sorgen hatte. Schließlich sind die im wesentlichen funktionslosen Ehrenämter zu nennen wie Kämmerer und Ehrendamen sowie mit Militär- und Verwaltungsaufgaben bedachte Adelige, die sich meist bei Hofe aufhielten. Sie alle waren eingefügt in eine hierarchische Ordnung, an deren Spitze die klassischen höchsten Hofämter rangierten.

Karl Eugen von Württemberg resümierte über einen Kandidaten, Talente habe er nicht viele, aber 4000 Gulden seien eine schöne Summe. Mangelte es an Geld, blieb noch die Möglichkeit, über die Heirat einer schwangeren Maitresse in Amt und Würden zu kommen. Mit dem »Herzog zum Bettschwager« kam die Karriere.
Einnahmen aus dem Stellenkauf waren unverzichtbar angesichts der chronischen Finanznot vieler Fürsten und Herren. Natürlich wurden die Korruptionsgelder später wieder aus den Untertanen herausgepreßt und trotz umfangreicher Aufträge der Höfe an Handel und Handwerk wuchs die Belastung der Territorien erheblich.
Das Maitressenwesen, ebenfalls importiert aus Frankreich, setzte sich an deutschen Höfen erst gegen Ende des 17. Jahrhunderts durch. Heftige Attacken von Räten und Hofpredigern dagegen änderten daran wenig. Selbst Friedrich Wilhelm I. von Preußen hielt sich der Mode entsprechend eine Maitresse, ohne sie jemals in Anspruch zu nehmen. Es galt als nicht ungewöhnlich, schwangere Mädchen mit einem »Handgeld« abzufinden. Andererseits lebte Herzog Ernst III. von Württemberg (1628–1674) mit drei Maitressen gleichzeitig im Stand der Ehe. Übertroffen wurde er allerdings bei weitem von August dem Starken von Sachsen, dessen ausschweifendes Liebesleben selbst Zeitgenossen in Erstaunen versetzte. Nicht selten bestimmten die Damen

***Nicht nur Verschwendung.** Der Sammeleifer mancher Fürsten ließ wertvolle Bibliotheken entstehen, inspirierte die handwerkliche Produktion auf unschätzbare Weise. Wolfenbüttel, Herzog August Bibliothek.*

den Regierungsstil und ließen sich ihre Dienste vergolden, denn oft war ihre Zeit knapp bemessen, bis sie abgelöst wurden.

In stumpfer Ergebenheit duldeten die Untertanen Ausschweifungen und Verschwendungssucht ihrer Herren. Aber selbst die schärfste Auspressung konnte die Geldnot der Höfe häufig nicht lindern. Aus Geldgier wurden daher Landeskinder als Soldaten ins Ausland verkauft. So verdienten die Fürsten noch am Tode ihrer Untertanen, allen voran der hessische Landgraf Karl I. (1677–1736). Augenzeugenberichte aus der Zeit, etwa von dem Dichter Johann Gottfried Seume, vermitteln einen Eindruck davon, mit welcher Menschenverachtung mancher ›Landesvater‹ die ihm Anvertrauten seinem Ehrgeiz und seinen Lustbarkeiten opferte. Im Laufe des 18. Jahrhunderts entzündete sich die Kritik am höfischen Lebensstil und am Despotismus daher vielfach gerade am unmenschlichen Soldatenhandel, einem Akt der Willkür.

Literatur

Biehn, Heinz: Feste und Feiern im alten Europa, München 1962

Eckart, Hans: Herrschaftliche Jagd, bäuerliche Not und bürgerliche Kritik, Göttingen 1976

Elias, Norbert: Die höfische Gesellschaft. Untersuchungen zur Soziologie des Königtums und der höfischen Aristokratie, Neuwied 1969

HEINRICH PLETICHA

Die Mode im 17. Jahrhundert

Von der burgundischen zur spanischen Mode – Gänsebauch und Weiberspeck – Die unförmige Kröse – Rheingravenhosen – Achtzehn verschiedene Bartmoden – Neue Perücken aus Ziegenhaar – Dekolleté – Modefarbe caca Dauphin – Simpelfransen und Hurluburlu – Alamode – Internationalisierung der Mode.

Burgund, das Land zwischen Deutschland und Frankreich, hatte im 15. Jahrhundert nicht nur eine gewichtige politische und kulturelle Mittlerrolle gespielt, sondern auch über rund siebzig Jahre hinweg die Mode in den beiden Nachbarländern beeinflußt. Die halblange Schoßjacke, die gezattelten, d.h. ausgezackten Ärmel, der Glockenrock und die Mütze mit der Sendelbinde wurden für die Herrenmode des 15. Jahrhunderts ebenso kennzeichnend wie das hochgegürtete Schleppenkleid und die tüten- oder hörnerförmigen Hüte und Hauben für die Damenmode. Um die Wende des 16. Jahrhunderts begann sich dann aber ein Wandel anzubahnen. Die engen Kleider der burgundischen Mode wurden aufgeschlitzt, Landsknechte und Bürger suchten sich mit bunten Wämsern und Pluderhosen gegenseitig auszustechen, gesetzte Herren aus Adel und Bürgertum schritten würdevoll in der Schaube, dem langen ärmellosen Mantel, einher. Nur die Frauen wußten noch nicht so recht, wofür sie sich entscheiden sollten und traten meist viel bescheidener als die Herren auf; ein paar Puffen in den Ärmeln, ein hoher Hemdansatz mit Faltenkrägelchen oder gar das Goller, der kurze Schulterkragen mit Aufschlägen, gehörten dabei schon zu den modischen Feinheiten.

Spanien diktiert den Modestil: Teuer, steif und unbequem

Aber solche Unsicherheit dauerte nicht lange; denn mit dem jungen König aus Spanien kam von 1530 an auch die spanische Mode nach Deutschland. Rund ein Jahrhundert lang bestimmte sie dann Aussehen und Auftreten der modebewußten Kreise des gehobenen Bürger-

Mode um 1600. *Musikanten, Mitglieder der »feinen Gesellschaft«.*
Ölgemälde von Johann Heinrich Schönfeld.
Dresden, Staatliche Kunstsammlungen.

tums und des Adels, jener Schichten also, die es sich finanziell leisten konnten, mit der Mode zu gehen; denn diese war aufwendig und dementsprechend teuer. So rasch wie sie gekommen waren, verschwanden nun die unbequemen Pluderhosen der Herren oder rutschten zumindest über das Knie hinauf und bildeten dann die ausgestopften Polsterhosen. Dementsprechend schön und auffallend mußte das Bein zur Geltung kommen, das nun wieder, wie im 15. Jahrhundert, in Strumpfhosen oder Trikots steckte, auf deren sorgfältigen Sitz größter Wert gelegt wurde.

Ansonsten liebten die Herren aber die Wülste, die alle Körperformen verbargen oder unförmig erscheinen ließen. Besonders typisch war dabei der »Gänsebauch«, ein vorstehendes ausgestopftes Koller. Und was den Herren recht war, konnte den Damen nur billig sein. So bevorzugten sie den »Weiberspeck«, ein dickes Kissen um die Hüften, das selbst der zierlichsten Dame eine tonnenförmige Gestalt verlieh und den Rock von der Hüfte an erst einmal breit abstehen ließ, bevor er dann senkrecht nach unten fiel.

Bei den Herren vervollständigte ein kurzes Mäntelchen die modische Tracht. Zwar wurde daneben auch die zu Beginn des Jahrhunderts so beliebte Schaube getragen, in erster Linie allerdings von Gelehrten und Geistlichen. Auch das altbewährte Barrett verschwand bzw. blieb nur noch Kopfbedeckung der Geistlichen. Der modebewußte Herr dagegen trug einen hohen Hut mit schmaler Krempe. Wichtigstes Attribut der spanischen Mode aber wurde bei Herren wie Damen gleichermaßen die sogenannte Kröse, der unförmige große Kragen. Er war aus einem kleinen Krägelchen hervorgegangen und hatte in der zweiten Hälfte des 16. Jahrhunderts sehr rasch ein Eigenleben gewonnen. Leinenstreifen wurden erfinderisch in verschiedener Manier bearbeitet, gefältelt, mit Draht versteift, gerollt, schichtweise übereinander gelegt mit verschiedenen Mitteln gestärkt, bis das endgültige Produkt fast die Größe eines Mühlsteins erreichte und den Kopf fein säuberlich vom Körper zu trennen schien. Nicht nur, daß so ein unförmiges Rad eine steife Körperhaltung und einen langsamen Gang erzwang, sondern es erschwerte auch das Essen, und die Herrschaften benötigten Löffel und Gabeln mit besonders langen Stielen, um ihre Speisen verzehren zu können.
Die Kleidung verlor jetzt an Farbigkeit. Zwar wurde in Deutschland das spanische Schwarz nicht übermäßig geschätzt und, wo es nur anging, durch etwas lebhaftere Farben ersetzt, aber die Zeit des Mi-Parti und der grellen, bunten Gewänder war endgültig vorüber. An Stelle der Farbe trat die übertriebene Qualität der Stoffe. Wer es sich nur leisten konnte, verwendete kostbare Samte, Seiden und durchwirkte Brokatstoffe. Teuer, steif und unbequem – das waren drei wesentliche Kennzeichen der spanischen Mode. Um so mehr ist es zu verwundern, daß sie sich in Deutschland an die achtzig Jahre hielt.

Der Schnitt von Schuh und Hose

Ein Wandel vollzog sich dann im ersten Jahrzehnt des Dreißigjährigen Krieges, erfaßte anfangs aber nur die Herrenmode. Bei den Damen dagegen hielten sich der spanische Schnitt und seine modischen Attribute wie etwa Halskrause und Weiberspeck viel länger. Vielleicht war der Krieg daran schuld, daß es die Männer plötzlich bequemer haben wollten. Die spanische Mode hatte sie geradezu in eine enge zweite Haut gezwängt. Nun sahen einige Kleidungsstücke fast schlampig an ihnen aus, besonders die wieder längere Hose, deren Beine über die Knie hinabrutschten und mit schärpenartigen Bändern zusammengeschnürt wurden.

Hosenmode im Wandel.
Dreiviertellange, bequeme Hose. Stahlstich nach einem Gemälde von Antonis van Dyck.

Natürlich gab es auch Varianten. Wir begegnen ihnen bei den in Deutschland nie so recht heimisch gewordenen »Rheingravenhosen« (Rhingraves), die eher einem Röckchen glichen und unten einen breiten Spitzenbesatz aufwiesen, und ebenso bei jenen sackartigen Hosenungetümen, die an die Landsknechtshosen erinnerten und wie diese von bramarbasierenden (soviel wie »prahlerisch«) Kriegern bevorzugt wurden. Mit dem Wandel der Hose veränderte sich auch der Schuh, und die eleganten flachen Modelle der spanischen Mode traten hinter den Schaftstiefeln zurück, die anfangs bis zum Knie hinaufgezogen, später wieder bis zur Wade verkürzt, tulpenförmig erweitert und mit oft sehr teuren Gamaschen verziert wurden. Die modebewußten unmilitärischen Stutzer bevorzugten dagegen hohe Hackenschuhe, während der biedere Bürger bei seinen einfachen flachen Schuhen blieb.
Etwas langsamer und unauffälliger als bei der Hose vollzog sich der Wandel in der Bekleidung des Oberkörpers. Nach wie vor begegnen wir, vor allem bei den Soldaten, dem Ärmelwams und dem darübergezogenen ärmellosen Koller. Bis zum Ende des 17. Jahrhunderts kehr-

ten sich dann aber deren Funktionen um, das Wams verlor seine Ärmel und wandelte sich zur Weste, während aus dem Koller der Ärmelrock wurde, der fortan zunehmend das modische Bild des Mannes beherrschte. Am deutlichsten fällt das Verschwinden der Kröse ins Auge, an deren Stelle der über das Wams herabfallende Leinenkragen trat, wie wir ihm so häufig auf den Bildern von Offizieren des Dreißigjährigen Krieges begegnen. Auch hier setzte sich sogleich der Modeteufel fest und verlockte die Stutzer mit prachtvollen und entsprechend teueren Spitzen.

Bart, Haar und Perücke
Spielplätze für Gestaltungstrieb und Modemut

Die neue Kragenform erlaubte auch eine neue Haar- und Bartmode. Die steife Kröse hatte das Stutzen von Haar und Bart erzwungen, nun aber konnte beides wieder lang getragen werden. Für den Bart boten sich verschiedene Möglichkeiten, und der Satiriker Moscherosch zählt gleich achtzehn auf, die vom langen Spitz- und Knebelbart bis zum Schnurrbart reichen. Mit ingrimmigen Worten läßt Grimmelshausen einmal seinen Simplizissimus die Bart- und Haartracht eines Offiziers beschreiben: »Ich wußte nicht, ob er ein Er oder eine Sie wäre; denn er trug Haar und Bart auf Französisch, zu beiden Seiten hatte er lange Zöpfe herunterhängen wie Pferdeschwänze, und sein Bart war so elend zugerichtet und verstümmelt, daß zwischen Maul und Nasen nur noch etlich wenig Haar so kurz davongekommen war, daß man sie kaum sehen konnte.« Letzter modischer Schrei wurde die französische Sitte, das Haar links lang, rechts aber kurz zu tragen. Wer keine Naturlocken besaß, kräuselte es mit der Brennschere. Was nutzte aber die schönste Brennschere, wenn das Haar dünn wurde? Dieses Mißgeschick passierte dem etwa fünfunddreißigjährigen Ludwig XIV., und daraus entwickelte sich eine neue Modevariante, die ein Jahrhundert lang die Herren- wie Damenmode beeinflußte: die Perücke.
Ursprünglich war sie nur als Haarersatz gedacht und sollte dementsprechend dem echten Haar ähneln, doch bald erhielt sie eigenständigen modischen Charakter. Blonde Perücken waren besonders beliebt, da sie an Löwenmähnen erinnerten. Aus diesem Typus entwickelte sich im letzten Drittel des 17. Jahrhunderts die Staats- oder Allongeperücke, die mit gewaltiger Lockenfülle über die Schultern bis auf den Rücken herabfiel. Was ursprünglich nur eine höfische Sitte war, entwickelte sich innerhalb von zwei Jahrzehnten zu einer Leidenschaft, die weite Bevölkerungskreise erfaßte. Nicht nur Fürsten und Adelige,

auch vornehme Bürger und solche, die es sein wollten, trugen ihre Perücken. Sie gehörten zur Tracht der Gelehrten, Studenten sahen sie als Zeichen neuer Würde, und in Danzig erbaten sich sogar Gymnasiasten vom Magistrat das Recht, Perücken tragen zu dürfen.
»Kaum gelangte so mancher arme Schlucker, ein hungerichter Dinten-Schlecker, zu einem Dienstlein, da muß gleich ein guter Teil der Besoldung auf eine Staats-Peruquen verwendet werden, auch wenn im Hause alles fehlt, Weib und Kind notleiden«, klagte ein Benediktinerpater, und er hatte gar nicht so unrecht; auch führte die allgemeine Perückensucht zu Rohstoffmangel und entsprechender Verteuerung. An Stelle von Menschenhaar mußte Ziegen- und Pferdehaar als Ersatz herhalten, und eine gute Echthaarperücke konnte bis zu tausend Taler und mehr kosten!
Zur Ausstattung des Herrn fehlte als Tüpfelchen auf dem i nur noch der Hut, dessen Form zwar verschiedentlich wechselte, der aber im allgemeinen entsprechend den lockigen Haaren oder der Perücke wieder groß und breitkrempig wird, geschmückt vor allem mit mächtigen Straußenfedern. Die Bürger bevorzugten den einfachen schwarzen Filzhut, vielleicht, um Bescheidenheit zu demonstrieren.

Die mannigfachen Wirkungen der Damenmode

Langsamer zwar, aber ebenso sicher, wandelte sich unter französischem Einfluß und Vorbild auch die Damenmode. Noch bis weit in das 17. Jahrhundert hinein sehen wir auf den zeitgenössischen Bildern die Damen mit Mühlsteinkröse und großen Hüftpolstern. Als dann letztere allmählich verschwanden, wurde der Rock hochgehoben und an der Taille festgehakt, was wiederum einen Blick auf die Unterröcke freigab, trugen doch die vornehmen Damen deren mindestens drei und manchmal sogar bis zu zwölf! Auch das Mieder änderte sich. Die enge und steife Verschnürung des ganzen Oberkörpers wurde aufgehoben und blieb nur noch für die Taille bestehen, hob dafür aber die Brust und gab sie deutlich den Blicken der Männerwelt frei, da auch der Halsausschnitt tiefer und weiter wurde. Die inkonsequenten Schönen schränkten allerdings das verlockende Angebot sogleich wieder ein, indem sie den Ausschnitt durch einen Kragen aus Battist oder Spitzen bedeckten. Zu den auffallendsten Neuerungen an den Kleidern gehörten die weitgeschnittenen Ärmel.
Diese verhältnismäßig bescheidene Damenmode änderte sich in der zweiten Hälfte des Jahrhunderts und wurde eleganter und auffallender. Der obere Rock bauschte sich nun auch hinten an der Taille und

Geschnürte Brust, gelocktes Haar. *Nichts ist an Prinzessin Marie von Oranien dem Zufall überlassen: »Natur« war im 17. Jahrhundert nicht gefragt. Ölgemälde von Willem van Honthorst.*

lief dann in einer Schleppe aus, die verhüllenden Spitzenkrägen kamen wieder außer Mode, und das Dekolleté setzte sich endgültig durch. Das führte natürlich zu energischen Protesten strenger Sittenrichter. So untersagte schon 1662 der Rat von Braunschweig den Frauen und Jungfrauen »die ärgerlich und schändlich entblößten Brüste«, und beweist uns damit nur, daß diese Mode sich nicht allein auf die adeligen Damen beschränkte, sondern weite Teile des Bürgertums erfaßt hatte.

Was die Damenkleider an Einfallsreichtum der Formen ein wenig vermissen ließen, ersetzten sie durch entsprechende Kostbarkeit des Materials: Gold- und Silberbrokat, diverse Seidenstoffe, Samte, moirierter Taft, Scharlach, alles natürlich in sich stets ändernden Modefarben, die aufs erfindungsreichste mit seltsamen Namen belegt wurden. Da gab es »Nönnchenbauch« und »Jungfernsteiß« als Farben, aber auch für schamhafte deutsche Damen schön französisch umschrieben die »merde de oie« oder sogar »caca Dauphin«.

Auch der Frisur kam eine gewichtige Aufgabe zu. In der spanischen

Zeit war sie hochtoupiert gewesen, nun fielen die Haare zu beiden Seiten des Gesichts in langen Locken herab und wurden rückwärts zu einer Art Nest geflochten. Seit der Mitte des Jahrhunderts schnitt man sich Simpelfransen, locker in die Stirn gekämmte Haare, manchmal wurden auch die langen Locken zurückgenommen und in zwei festen Tuffs über die Ohren gelegt. Modebewußte junge Damen trugen »Hurluberlu«, d.h. die ganze Frisur wurde mühevoll in kleine Löckchen gedreht.
Seit 1684 kam die »Fontange« auf, eine hochgesteifte Haube, besser gesagt, ein steiler Aufbau aus Spitzen und Bändern. Bei der Hauben- und Hutmode war dem Erfindungsreichtum der Frauen aller Stände überhaupt keine Grenzen gesetzt. Wenn man beispielsweise die zeitgenössischen Bilder des Böhmen Wenzel Hollar ansieht, der gern Modeillustrationen lieferte, staunt man gelegentlich über höchst kühne und kunstfertige Kreationen; jedoch dominierte bei den Bürgerfrauen die einfache Haube.
Hollars Bilder zeigen auch häufig Damen, die Masken tragen. Diese Sitte, die bis ins zweite Drittel des Jahrhunderts weit verbreitet war, beschränkte sich keineswegs auf den Karneval. Die Damen nutzten sie vor allem in der kalten Jahreszeit, um den Teint zu schützen. Doch diente sie auch dazu, das Inkognito zu wahren. »Wenn ein Frauenzimmer geschwind ausgehen und nicht viel anziehen will, nimmt es die Maske über den Kopf, daß nichts als die Augen herausgucken, und geht so incognito. Wenn aber ein Bekannter kömmt oder einer, dem sie affection bezeugen wollen, nehmen sie die Maske herunter.«

Behördlich und mit Ironie gegen Herrn Alamode aus Frankreich

So gingen Herren wie Damen, Adelige wie Bürger »alamode«, wie der zeitgenössische Ausdruck für die Überbetonung des französischen Einflusses in der Mode und in anderen Bereichen lautete. Schnell hatte man auch einen Sündenbock und nannte ihn den »Herrn Alamode«, gelegentlich auch den »Kleiderteufel«, und ging ihm gleich von zwei Seiten ans Leder. Einmal griffen »teutsche« Sittenrichter heftig zu, zum andern schritten besorgte Behörden eifrig ein. Auf Fliegenden Blättern wurden übertrieben karrikierende Modebilder mit Spotttexten verbreitet, die uns immerhin einige Rückschlüsse auf das modische Bewußtsein verschiedener Bevölkerungsschichten erlauben. So heißt es beispielsweise in einem zeitgenössischen Spottgedicht von Lauremberg und Rachel, hier auf Seite 308 abgedruckt:

Hans Michael Moscherosch
Kritik der »Sprachmengerei«

Welches unvernünftige Tier ist doch, das dem andern zu Gefallen seine Sprache oder Stimm nur änderte? Hast du je eine Katze dem Hund zu Gefallen bellen, einen Hund der Katz zu lieb mauchzen hören? Nun sind wahrhaftig in seiner Natur ein Teutsches festes Gemüt und ein schlipferiger wälscher Sinn anders nicht als Hund und Katze gegeneinander geartet, und gleichwohl wolltet ihr unverständiger als die Tiere ihnen wider allen Dank [ohne jeden Vorteil] nacharten? Hast du je einen Vogel blärren, eine Kuh pfeiffen hören? Und ihr wollet die edle Sprache, die euch angeboren, so gar nicht in obacht nehmen in eurem Vaterland. Pfui dich der Schand!

Fast jeder Schneider will jetzund leider
Der Sprache erfahren sein und redt Latein.
Wälsch und Französisch, halb Japonesisch,
Wann er toll und voll, der grobe Knoll.

Der Knecht Matthies spricht bonae dies [Guten Tag],
Wann er Gut Morgen sagt und grüßt die Magd;
Die wendt den Kragen, tut ihm Dank sagen,
Spricht Deo gratias [Gott sei Dank], Herr Hippocras.

Ihr bösen Teutschen, man sollt euch peutschen,
Daß ihr die Muttersprach so wenig acht.
Ihr lieben Herren, das heißt nicht mehren,
Die Sprach verkehren und zerstören.

Ihr tut alles mischen mit faulen Fischen
Und macht ein Mischgewäsch, ein wüste Wäsch,
Ich muß es sagen, mit Unmut klagen,
Ein faulen Hafenkäs, ein seltsams Gefräs.

Wir hans verstanden mit Spott und Schanden,
Wie man die Sprach verkehrt und ganz zerstört.
Ihr bösen Teutschen, man sollt euch peutschen,
In unserm Vaterland; pfui dich der Schand!

Über fremde Trachten

Warum das Reisen in fremde Länder angestellt sei, das ist den meisten zwar aus den Büchern[...] bekannt, können davon zierlich reden und prächtig sprechen; die mehrere aber haben ihr Absehen vornehmlich dahin, wie sie ein welsches Kleid, welsche Gebärden, welsches Haar, welschen Überschlag, welches Wams, welsche Hosen, welsche Strümpfe, welsche Stiefel, welschen Mantel, welschen Degen, welsches Gehenk mit nach Haus bringen mögen; und das Ärgste ist, oft die Franzosen gar im Herzen.

Ein alter Greis pulvert sein Haar, will das [...] Frauenzimmer dabei überreden, seine Haare wären nicht Alters halben grau, sondern er hätte sie mit dem Cyperpulver also Geruchs wegen gepulvert [...]. Desgleichen tut auch eine alte Närrin [...]. Die lieben Jungfrauen, so noch im besten Alter sind und sich ihrer kernhaften lieben schwarzen Haare nicht zu schämen, sondern zu erfreuen hätten, tun desgleichen, machen ihre Haare auch grau, die doch nimmer wissen, noch bedenken, warum jene Alten solchen Schmink anfangs erdacht haben [...].

Dann da tragen sie Hutschnüre von Seide, von Gold, von Silber, von Atlas, von Daffat [Taft]; dann gestickt, dann geschlagen, dann geflochten; dann rund, dann aus Fäden, dann breit, dann viereckig, dann von Haaren, dann von Roßhaaren, von Jungfrauenhaaren, von weiß nicht was.

Dann Umschläge oder Überschläge [...] einen Ellen breit, dann ein halbes Viertel breit, dann vorne zugleich, dann mit Zipfeln spannenlang. Dann Stiefel, dann Schuhe, dann Degen, dann Wehrgehenke, dann Sporen, dann Wams und Hosen, dann Hüte und Strümpf, dann Nestel und Bänder, daß sich zu verwundern [...].

Wo findet man einen, der eine rechte selbständige Farbe lieben und tragen will, als Schwarz, Weiß, Blau, Gelb oder Grün? Sondern neue, halbscheinende Farben, die halb blau, halb weiß, halb schwarz, halb gelb, halb Grün sind [...].

Alamode macht mir bang
Weil der Deutschen Untergang
In der Neuensucht
Seinen Anfang sucht.
Denn was haben will ein Schein,
Muß nur alamode sein:
Darnach sieht die Welt,
Wer sich also stellt,
Der wird vorgezogen heut.
Sind wir nicht elende Leut'?
Ein fromm Biedermann
Kommt bei niemand an,
Alamode helf' ihm dann
Sonst er nicht fortkommen kann,
Diese Narrenplag
Machet, daß ich sag:
Alamode bringt uns noch
Unter ein fremd' Reich und Joch.
Übel laut' es zwar,
Doch es ist so wahr
Und bleibt bei dem ersten Klang,
Daß der Deutschen Untergang
In der Neuensucht
Seinen Anfang sucht.

Aus: »Gesichte Philander von Sittewald«. II. Teil von Hans Michael Moscherosch (1601–1669). Der aus dem Elsaß stammende Dichter schildert in den »Gesichten« die Zeitverhältnisse und übt satirische Kritik.

Was immer zu Paris die edle Schneiderzunft
hat neulich aufgebracht, auch wider die Vernunft,
das macht ein Deutscher nach. Sollt ein Franzos es wagen
die Sporen auf dem Hut, Schuh an der Hand zu tragen,
die Stiefel auf dem Kopf, ja Schellen vor dem Bauch
anstatt des Nestelwerks, der Deutsche tät es auch.

Die Sittenrichter wetterten ganz allgemein gegen den modischen Einfluß Frankreichs, ohne dabei jedoch zu differenzieren und zu beachten, daß diese Moden schon aus finanziellen Rücksichten nur von einem kleinen Teil der Bevölkerung mitgemacht werden konnten.
Wir begegnen den behördlichen Kleidervorschriften auch in anderen Ländern in ähnlichem Umfang, vor allem in den protestantischen. Wenn es in einer Nürnberger Kleiderordnung von 1657 heißt: »Die leidige Erfahrung bezeugt, daß fast von allen Ständen, sowohl Manns- als Weibspersonen, gantz verächtlich und freventlich die übermäßige Pracht in Kleidern und Neuen Trachten dergestalt unverantwortlich aufs Höchste getrieben worden ist, daß fast kein Stand von dem andern unterschieden werden möge«, so machen solche Worte besonders augenfällig, daß es weniger um das Eindringen neuer modischer Formen, auch nicht allein um den Luxus ging, sondern vielmehr der gefährlichen Gleichmacherei der Mode entgegengetreten werden sollte, mit deren Hilfe sich Standesunterschiede dort leichter vertuschen ließen, wo wenigstens die finanziellen Mittel dafür vorhanden waren.
So ängstlich die Behörden in den deutschen Territorien und Städten auch vorgingen und dabei bemüht waren, selbst die geringsten modischen Vergnügungen in den unteren Schichten zu unterbinden, so wenig konnten sie letzten Endes das Einströmen neuer modischer Formen und Vorbilder im Zuge eines durch den Dreißigjährigen Krieg geschaffenen leichten west-östlichen Kulturgefälles und damit auch eine gewisse Internationalisierung der Mode aufhalten.

Literatur

Boehn, Max von: Die Mode. Menschen und Moden im 17. Jahrhundert, München 1964
Bruhn, Wolfgang / Tilke, Max: Kostümgeschichte in Bildern, Tübingen 1955
Sturtevant, Erich: Vom guten Ton im Wandel der Jahrhunderte, Berlin 1917

Allgemeine Literaturhinweise

Die folgende Übersicht konzentriert sich vor allem auf einige der wichtigen neueren Gesamtdarstellungen und Handbücher, die ihrerseits wieder Hinweise auf Spezialliteratur und Einzelaufsätze bringen. Besonders sei hier noch einmal auf die Literaturkästchen bei den Einzelkapiteln verwiesen, die wesentliche weitere Angaben enthalten.

Anderson, Perry: Die Entstehung des absolutistischen Staates, Frankfurt 1979

Balet, Leo: Die Verbürgerlichung der deutschen Kunst, Literatur und Musik im 18. Jahrhundert, Berlin 1973

Bardio, Günter: Das Zeitalter des Absolutismus und der Aufklärung 1648–1779, Frankfurt 1981

Chaunu, Pierre: Europäische Kultur im Zeitalter des Barock, München/Zürich 1968

Elias, Norbert: Über den Prozeß der Zivilisation. 2 Bände, Frankfurt 1977

Engelsing, Rolf: Sozial- und Wirtschaftsgeschichte Deutschlands, Göttingen 1973

Flemming, Willi: Deutsche Kultur im Zeitalter des Barock, Konstanz 1960

Friedrich, Carl F.: Das Zeitalter des Barock, Stuttgart 1954

Grundmann, Herbert (Hrsg.): Gebhardt. Handbuch der deutschen Geschichte, Bd. 2: Von der Reformation bis zum Ende des Absolutismus, Stuttgart 1970

Hantsch, Hugo: Die Geschichte Österreichs, Bd. 2: 1648–1918, Graz 1950

Holborn, Hajo: Das Zeitalter der Reformation und des Absolutismus, Stuttgart 1960

Hubatsch, Walther: Das Zeitalter des Absolutismus 1600–1789, Braunschweig 1975

Menger, Christian-Friedrich: Deutsche Verfassungsgeschichte der Neuzeit, Heidelberg 1979

Mieck, Ilja: Europäische Geschichte der Frühen Neuzeit, Stuttgart 1970

Platzhoff, Walter: Geschichte des Europäischen Staatensystems 1559–1660, München/Berlin 1928

Rössler, Hellmuth: Europa im Zeitalter von Renaissance, Reformation und Gegenreformation 1450–1650, München 1956

Steinberg, Sigfrid Henri: Der Dreißigjährige Krieg und der Kampf um die Vorherrschaft in Europa 1600–1660, Göttingen 1967

Vierhaus, Rudolf: Deutschland im Zeitalter des Absolutismus, Göttingen 1978

Sach- und Namensregister

Kursiv gesetzte Ziffern verweisen auf Abbildungen

ABBILDUNGSNACHWEIS

Akademische Verlagsgesellschaft Athenaion, Wiesbaden (1); Archiv für Kunst und Geschichte, Berlin (1); Archives photographiques, Paris (1); Ashmolean Museum, Oxford (1); Bayer. Nationalmuseum, München (1); Bibliotheque Nationale, Paris (2); Bildarchiv Preußischer Kulturbesitz, Berlin (15); Deutsches Museum, München (2); Germanisches Nationalmuseum, Nürnberg (1); Archiv Gerstenberg, Frankfurt (19); Haus-, Hof- und Staatsarchiv, Wien (1); Heeresgeschichtliches Museum, Wien (1); Herzog August Bibliothek, Wolfenbüttel (3); Luftbild Klammet und Aberl, Germering (1) – Freig. d. Reg. v. Obb.; Historia-Photo, Hamburg (1); Historisches Museum am Hohen Ufer, Hannover (1); Kunstsammlungen der Veste Coburg, Coburg (3); Landeskonservator Rheinland, Bonn – Sopp (1); LEXIKOTHEK Verlag GmbH, Gütersloh (27); Mainfränkisches Museum, Würzburg – Zwicker (1); Moravská Galerie v Brno (1), Museum Güstrow – Eber (1); Museum Regensburg (1); Niedersächsische Landesbibliothek, Hannover (1); Österreichische Nationalbibliothek, Wien (18); Staatl. Graph. Sammlungen, München (1); Staatl. Kunstsammlungen, Dresden (1); Staatl. Schlösser und Gärten, Berlin – Anders (5); Stadtbibliothek, Ulm (1); Städt. Museum, Braunschweig – Hoppe (1); Städt. Reiss-Museum, Mannheim (1); Stadtverwaltung, Worms (1); Ullstein, Berlin (2); Dr. Willi Ulsamer, Spalt (1).